바짝수능
어법어휘
모의고사

비자작 수능 어법어휘 모의고사

지은이 이대희
펴낸이 안용백
펴낸곳 (주)넥서스

출판신고 1992년 4월 3일 제311-2002-2호 ④
121-840 서울시 마포구 서교동 394-2
Tel (02)330-5500 Fax (02)330-5555

ISBN 978-89-5797-602-9 53740

가격은 뒤표지에 있습니다.
잘못 만들어진 책은 구입처에서 바꾸어 드립니다.

www.nexusEDU.kr
NEXUS Edu는 (주)넥서스의 초·중·고 학습물 전문 브랜드입니다.

바짝 수능 어법어휘 모의고사

단기간에 수능 어법어휘 마스터하기

이대희 지음

NEXUS Edu

단기간에 수능 어법어휘 마스터하기

이 책 의

머리말

영어 실력의 기초를 이루는 어휘, 어법 분야는 기초를 튼튼히 해놓지 않
으면 이에 해당되는 분야는 물론이고, 독해, 작문, 심지어 회화에 이르기까지 일정한
한계를 넘어설 수 없음은 이미 알려진 사실입니다.

본 교재를 집필함에 있어서 지면 관계상 충분히 다루지는 못했지만 수능 시험을
대비하는 학생들에게 유익한 지문을 고르고, Paraphrasing하는
과정에 심혈을 기울였습니다. 다양한 지문과 꼭 필요한 문제를 출제했으며,
문제를 풀어가면서 유사한 문제를 반복, 연습하게 함으로써 자연스럽게 복습할 수 있
도록 고려했습니다.

처음 문제 풀이를 할 때에는 반드시 실제 수능 시험처럼 시간을 설정해
놓고 풀어야 하며 풀이를 할 때에는 모든 지문을 철저히 분석하는 자세가
필요합니다. 문제를 많이 푸는 것도 중요하지만, 한 문제 한 문제를 제대로 분석하고
틀린 문제가 있다면 철저한 오류 분석을 통해 올바른 문법적 지식을 습득하는
것도 중요합니다.

특히 어법 분야는 응용되는 유형이 많으므로 어법을 각 분야별 이해 위
주로 학습해야 하고, 문맥 속에서 문장의 의미를 이해해야 정확한 답을 찾을 수 있는
문제가 자주 출제되므로 지문에 대한 독해가 전제되어야 할 것입니다. 가
능하다면 각 지문을 이용하여 어법, 어휘 문제 유형 외에 다른 유형의 문제를
만들어 보고, 부족한 유형을 여러 번 복습하여 실력 향상을 꾀할 수 있습
니다.

본 교재가 학생들의 수험 준비에 도움이 되기를 간절히 바라면서 지망하는 대학 합격
을 기원합니다.

이 책의

구성과 특징

단 기 간 에 수 능 어 법 어 휘 마 스 터 하 기

총 16강(어법 12강+어휘 4강)으로 구성된 어법어휘 특강은 수능에 반드시 출제되는 어법과 빈출 어휘를 체계적으로 학습할 수 있도록 일목요연하게 정리했습니다. 또한 Check Point를 통해 학습한 내용을 바로바로 점검해 볼 수 있도록 구성했습니다. 최신 수능 기출문제의 출제 경향을 정확히 파악하고 완벽하게 분석하여 수능에 대비할 수 있도록 했습니다.

각 4개의 단원을 학습한 후 나오는 MINI 실전모의고사는 앞에서 학습한 내용을 토대로 문제 해결 능력을 향상시킬 수 있도록 했습니다. 수능 어법어휘의 최신 출제 경향을 반영한 신경향 문제를 실어 실전 감각을 높일 수 있도록 구성했습니다.

어법 5회, 어휘 3회, 어법어휘 5회의 실전 모의 고사를 수록해 어법 실력과 어휘 파악 능력을 향상시킬 수 있도록 했습니다. 자신의 실력을 최종 점검하고 취약한 부분을 파악하여 실전에 대비할 수 있도록 구성했습니다.

정답 및 해설에는 지문 해석, 문제 해설, 어휘 및 유용한 표현이 수록되어 있습니다. 명쾌한 해설을 통해 문제의 핵심을 파악하고, 문제 이해 능력을 높일 수 있습니다.

이 책 의

차례

단 기 간 에 수 능 어 법 어 휘 마 스 터 하 기

단 기 간 에 수 능 어 법 어 휘 마 스 터 하 기

어법
특강

01 수의 일치

1 주어가 동명사구, 부정사구, 명사절이면 단수 취급한다.
- What I need **is** a good sleep.[1]

2 주어가 나눌 수 없는 하나를 의미하는 경우에는 단수 취급한다.
- Bread and butter **is** my favorite breakfast.[2]
  '버터 바른 빵'은 단수 취급
- cf. Bread and butter **have** risen in price.[3]
  '버터'와 '빵'이 독립적인 의미로 쓰이면 복수 취급

3 시간, 거리, 무게, 금액은 단수 취급한다.
- Ten years **is** a long time to wait.[4]
- cf. Six years **have** passed since my father left home.[5]
  시간의 경과는 복수 취급

4 주어에 every, each가 있으면 단수 취급한다.
- Every boy and girl **is** to be protected.[6]
- Each of us **was** given a particular job to do.[7]

5 「Either A or B」, 「Neither A nor B」는 동사와 가까운 주어(B)에 수를 일치시킨다.
- Either you or he **is** wrong.[8]
- Neither the child nor the parents **are** to be blamed for the accident.[9]

6 「not only A but also B」, 「B as well as A」는 B에 수를 일치시킨다.
- Not only you but (also) he **is** safe.[10]
- She as well as you **is** safe.[11]

7 「부분 표현+of+명사」에서는 명사의 수에 동사의 수를 일치시킨다. 부분을 나타내는 표현에는 분수, all, most, part, half, the rest, a lot, plenty 등이 있다.
- Three-fourths of the earth's surface **is** water.[12]

8 과목명, 병명, 나라 이름은 '-s'로 끝나더라도 단수 취급한다.
- Politics **is** a good major for students who want to be politicians.[13]
- cf. 같은 단어이지만 다음과 같이 다른 의미이면 복수 취급한다.
  His politics **are** very extreme.[14]
  '정치적, 견해, 신념'의 뜻

9 주어가 구나 절 등의 수식을 받아 주어와 동사 사이가 멀어진 경우, 주어와 동사 수 일치에 유의한다.
- The girls who I met in Switzerland **were** very kind.[15]

---

1. 내가 필요한 것은 충분한 수면이다. 2. 버터 바른 빵은 내가 좋아하는 아침 식사이다. 3. 빵과 버터의 가격이 인상되었다. 4. 10년은 기다리기에 긴 시간이다. 5. 우리 아버지가 집을 떠나신 이후로 6년이 지났다. 6. 모든 소년과 소녀는 보호받아야 한다. 7. 우리 각자에게 특별한 할 일이 주어졌다. 8. 너 또는 그 둘 중의 명이 틀렸다. 9. 그 아이나 부모가 그 사고에 대해 비난받지 않아야 한다. 10. 당신뿐만 아니라 그도 안전하다. 11. 당신뿐만 아니라 그녀도 안전하다. 12. 지구 표면의 4분의 3은 물이다. 13. 정치학은 정치가가 되고 싶은 학생들에게 좋은 전공이다. 14. 그의 정치적 견해는 매우 극단적이다. 15. 내가 스위스에서 만난 그 소녀들은 매우 친절했다.

Check Point
1. Twenty miles [is / are] a long distance to walk.
2. Most of the students [has / have] their own room.

---

001 기출

(A), (B), (C)의 각 네모 안에서 어법에 맞는 표현으로 가장 적절한 것은?

The first thing I notice upon entering this garden is that the ankle-high grass is greener than (A) that/those on the other side of the fence. Dozens of wildflowers of countless varieties cover the ground to (B) both/either sides of the path. Creeping plants cover the polished silver gate and the sound of bubbling water comes from somewhere. The perfume of wildflowers (C) fill/fills the air as the grass dances upon a gentle breeze. A large basket of herbs rests against the fence to the west. Every time I walk in this garden, I think, "Now I know what it is like to live in paradise."

(A)	(B)	(C)
① that	both	fill
② that	both	fills
③ that	either	fills
④ those	either	fill
⑤ those	either	fills

002 기출

(A), (B), (C)의 각 네모 안에서 어법에 맞는 표현으로 가장 적절한 것은?

No matter what we are shopping for, it is not primarily a brand we are choosing, but a culture, or rather the people associated with that culture. (A) Whatever/Whether you wear torn jeans or like to recite poetry, by doing so you make a statement of belonging to a group of people. Who we believe we are (B) is/are a result of the choices we make about who we want to be like, and we subsequently demonstrate this desired likeness to others in various and often subtle ways. Artificial as this process is, this is what becomes our 'identity,' an identity (C) grounded/grounding on all the superficial differences we distinguish between ourselves and others. This, after all, is what we are shopping for: self-identity, knowledge of who we are.

(A)	(B)	(C)
① Whatever	is	grounded
② Whatever	are	grounding
③ Whether	is	grounded
④ Whether	are	grounding
⑤ Whether	are	grounded

003

다음 글의 밑줄 친 부분 중, 어법상 틀린 것은?

While fuel efficiency and ① reduced emissions are emphasized in the North American International Auto Show this year, automakers are displaying lots of big cargo trucks, SUVs, and gas-guzzling luxury cars. Some experts say that is simply a response to the ② continuing demand for those vehicles. "In fact, Americans like big things, power, performance, towing and hauling capabilities," they said. "So ③ for anybody to say we should stop producing these big trucks and produce these small, high-mileage cars, ④ are ridiculous. The market is there for big vehicles." They say U.S. car makers are trying to satisfy the demand for larger vehicles while ⑤ trying to meet new regulations from Washington that call for them to improve fuel efficiency.

004 기출

(A), (B), (C)의 각 네모 안에서 어법에 맞는 표현으로 가장 적절한 것은?

The most useful thing I brought out of my childhood was confidence in reading. Not long ago, I went on a weekend self-exploratory workshop, in the hope of getting a clue about how to live. One of the exercises we were given (A) was / were to make a list of the ten most important events of our lives. Number one was: "I was born," and you could put (B) however / whatever you liked after that. Without even thinking about it, my hand wrote at number two: "I learned to read." "I was born and learned to read" wouldn't be a sequence that occurs to many people, I imagine. But I knew what I meant to say. Being born was something (C) done / doing to me, but my own life began when I first made out the meaning of a sentence.

	(A)	(B)	(C)
①	was	however	done
②	was	whatever	done
③	was	whatever	doing
④	were	however	doing
⑤	were	however	done

005 기출

다음 글의 밑줄 친 부분 중, 어법상 틀린 것은?

Almost every day I play a game with myself ① that I call 'time machine.' I made it up in response to my erroneous belief that what I was all worked up about was really important. ② To play 'time machine' all you have to do is to imagine that whatever circumstance you are dealing with is not happening right now but a year from now. It might be an argument with your spouse, a mistake, or a lost opportunity, but it is highly ③ likely that a year from now you are not going to care. It will be one more irrelevant detail in your life. While this simple game will not solve ④ every your problems, it can give you an enormous amount of needed perspective. I find myself laughing at things that I used to ⑤ take far too seriously.

006

(A), (B), (C)의 각 네모 안에서 어법에 맞는 표현으로 가장 적절한 것은?

One of the biggest problems that Tuvalu is facing (A) is / are the rising of sea levels. Since it is a coral atoll nation, the highest altitude is just 4.6 meters above sea level. However, most of it (B) is / are just 1 meter above sea level. As a result, the entire nation could easily become submerged beneath the rising Pacific Ocean. Another problem is increased erosion by strong storms and weather. Thirdly, higher ocean temperatures are damaging the coral. Due to these problems, Tuvalu may be completely washed away in the next 30 to 50 years. If this were to happen, the people's whole culture could be endangered, making this tiny nation (C) to disappear / disappear forever through no fault of their own and making the residents of Tuvalu the first climate refugees.

	(A)	(B)	(C)
①	is	are	to disappear
②	is	is	disappear
③	are	is	disappear
④	are	is	to disappear
⑤	are	are	disappear

시제의 일치

1 시제 일치의 원칙

주절	종속절
현재, 미래, 현재완료	모든 시제 가능
과거	과거, 과거완료
과거완료	과거완료

1. 주절이 현재 시제일 경우, 종속절에 현재, 과거, 미래 모두 올 수 있다.

· I **know** that the soccer game **will be canceled.**[1]
· I **don't believe** that she **has been** here before.[2]
· I still **remember** the winter when we **had** the heavy snow.[3]

2. 주절이 과거 시제일 경우, 과거나 과거완료가 온다.

· I **thought** that we'**d** go skiing this weekend.[4]
· My sister **had left** for the airport before I **got** home.[5]

2 시제 일치의 예외

1. 시간, 조건 등 부사절에서는 미래 시제 대신 현재 시제를 쓴다.

· I will put off my departure if it **snows** tomorrow.[6]

cf. I wonder whether she **will** attend the annual conference.[7]
명사절에서는 미래시제 대신 현재 시제를 쓰지 않는다.

2. 분명한 과거를 나타내는 어구와 현재완료 시제는 함께 쓸 수 없다.

· I have visited the city **two years ago.** (X)
⇒ I visited the city **two years ago.**[8]

3. 변하지 않는 진리나 일반적인 사실을 나타내는 경우 현재 시제를 쓴다.

· People in the old days didn't know that the earth **goes** around the sun.[9]

4. 반복적인 행동이나 습관을 나타내는 경우 현재 시제를 쓴다.

· He said that he **gets up** at six in the morning all the year round.[10]

5. 서로 다른 시기의 내용을 비교할 때는 시제를 일치시키지 않는다.

· He spoke English in the past better than you **do** now.[11]

6. 역사적 사실을 나타내는 경우 과거 시제를 쓴다.

· Columbus **discovered** America in 1492.[12]

1. 나는 축구 경기가 취소될 거라는 것을 안다.   2. 나는 그녀가 여기에 와본 적이 있다는 것을 믿지 않는다.   3. 나는 아직도 눈이 많이 왔던 그 겨울을 기억한다.   4. 나는 이번 주말에 스키를 타러 갈 거라고 생각했다.   5. 내 여동생은 내가 집에 도착하기 전에 공항으로 출발했다.   6. 내일 눈이 온다면, 나는 출발을 연기할 것이다.   7. 나는 그녀가 연례 회의에 참석할지 궁금하다.   8. 나는 2년 전에 그 도시를 방문했다.   9. 예전에 사람들은 지구가 태양 주위를 돈다는 것을 몰랐다.   10. 그는 일 년 내내 아침 6시에 일어난다고 말했다.   11. 네가 지금 영어를 하는 것보다 그가 예전에 영어를 더 잘했다.   12. 콜럼버스는 1492년에 미국을 발견했다.

Check Point

1. I will wait here until you [finish / will finish] the work.
2. They [left / have left] Seoul early this morning.

---

007 기출

(A), (B), (C)의 각 네모 안에서 어법에 맞는 표현으로 가장 적절한 것은?

Our basic nature is to act, and not to be acted upon. Not only does this enable us to choose our response to particular circumstances, but this encourages us to (A) create / creating circumstances. Taking the initiative means recognizing our responsibility to make things happen. Over the years, I (B) am / have frequently counseled people who wanted better jobs to show more initiative. The response is usually agreement. Most people can see (C) what / how powerfully such an approach would affect their opportunities for employment or advancement.

	(A)	(B)	(C)
①	create	have	what
②	create	am	how
③	create	have	how
④	creating	am	what
⑤	creating	have	what

008 기출

(A), (B), (C)의 각 네모 안에서 어법에 맞는 표현으로 가장 적절한 것은?

If properly stored, broccoli will stay fresh for up to four days. The best way to store fresh bunches (A) is / are to refrigerate them in an open plastic bag in the vegetable compartment, which will give them the right balance of humidity and air, and help preserve the vitamin C content. Don't wash the broccoli before storing it since moisture on its surface (B) encourages / to encourage the growth of mold. However, like most vegetables, it is at its best condition when used within a day or two after the purchase. Preparing broccoli is extremely easy, so all you have to do is boil it in water just until it (C) is / will be tender, three to five minutes.

	(A)	(B)	(C)
①	is	encourages	is
②	is	to encourage	will be
③	is	encourages	will be
④	are	to encourage	will be
⑤	are	encourages	is

009 기출

다음 글의 밑줄 친 부분 중, 어법상 틀린 것은?

Former U.S. President Jimmy Carter, ① who promotes Habitat for Humanity, has toured various countries ② since 1994. In the summer of 2001, he ③ has visited Asan, Korea, to participate in a house-building project. It was part of Habitat for Humanity International's campaign ④ to build houses for homeless people. He worked along with volunteers for the program, which ⑤ is named after him — the Jimmy Carter Work Project 2001.

011 기출

다음 글의 밑줄 친 부분 중, 어법상 틀린 것은?

Recently, a severe disease hit Asian nations hard, ① causing several hundred deaths. Many people who live in this part of the world ② are likely to be worried again with the beginning of the cold weather. In spite of ③ their close location to these countries, however, Korea ④ has remained free of the deadly disease. Many people think the secret is *kimchi*, a traditional Korean dish served with ⑤ almost every meal.

010

(A), (B), (C)의 각 네모 안에서 어법에 맞는 표현으로 가장 적절한 것은?

If you are (A) alike/like people living in industrialized countries, until you (B) get/will get to work every morning, salespersons have tried to sell you something more than a dozen times. Advertisements are now shown in places such as subway turnstiles, the floors of parking areas, bathroom stalls, and so on. But advertising experts say the more conventional flood of advertising is no longer drawing consumers' attention. "The fact that consumers are being bombarded by so many messages basically (C) mean/means that they start to turn away from it," said Jonah Blum, editor of *Advertising Age* Magazine. "It all becomes just meaningless noise."

	(A)		(B)		(C)
①	like	......	get	......	mean
②	alike	......	will get	......	means
③	like	......	get	......	means
④	alike	......	will get	......	mean
⑤	like	......	will get	......	means

012

(A), (B), (C)의 각 네모 안에서 어법에 맞는 표현으로 가장 적절한 것은?

Grocery stores have implemented a new device recently. When customers swipe a card, a shopping list shows up based on items they (A) had bought/have bought before. The information about customers' habits is useful for companies. The question is where and how the information is used. If your Health Management Organization had a record concerning your health, it (B) can/could use that information to raise your rates. Marketers' monitoring systems like supermarket cards and retail surveillance gadgets are continuously tracing customers' habits in other ways. For example, the next time you (C) go/will go shopping, be cautious of this: New technology may be monitoring not just which item you pick up, but also how long you hold it.

*surveillance: 감시

	(A)		(B)		(C)
①	had bought	......	can	......	will go
②	have bought	......	could	......	go
③	had bought	......	could	......	will go
④	have bought	......	can	......	will go
⑤	had bought	......	could	......	go

03 부정사 / 동명사

1 부정사의 중요 사항

1. 「be+to부정사」: 주로 가능, 운명, 의도, 예정, 의무 등 의미
- No one **was to be** seen on the street.[1] (가능)
- He **was** never **to see** his family again.[2] (운명)

2. '결과', '조건'을 나타내는 경우
- One fine morning, he awoke **to find** himself famous.[3]
- **To hear** him speak English, you would take him for an American.[4]

3. 원형부정사의 쓰임
① 지각동사: see, watch, hear, look at ...
- I **watched** the crowd rush to the street.[5]

② 사역동사: make, have, let ...
- He **made** me do the work as soon as possible.[6]

③ 수동태에서는 현재분사나 to부정사를 쓴다.
- The crowd was watched **rushing** to the street.[7]
- He was made **to work** twelve hours a day.[8]

④ 관용적인 표현
- 「cannot but+동사원형」= 「cannot help+-ing」
  = 「cannot choose but+동사원형」
  = 「have no choice but to+동사원형」: '~하지 않을 수 없다'
- 「do nothing but+동사원형」: '단지 ~ 하기만 하다'

2 동명사의 중요 사항

1. 동명사의 형태
① 완료형
- He is proud of **having been** rich.[9]

② 수동태
- I don't like **being asked** to make a speech.[10]

2. 부정사나 동명사를 목적어로 취하는 동사
① 부정사를 취하는 동사: desire, choose, expect, plan, decide, pretend, promise...

② 동명사를 취하는 동사: enjoy, finish, mind, deny, avoid, consider, imagine, suggest...

③ 뜻이 달라지는 경우: remember, forget, regret, try...

3. need, want, deserve 등의 목적어가 되는 동명사는 수동의 의미를 가진다.
- My car needs **repairing**.[11] (= to be repaired)
  (being repaired로 쓸 수 없음)

1. 거리에 사람이라고는 보이지 않았다. 2. 그는 다시는 자신의 가족을 볼 수 없었다. 3. 어느 화창한 아침에 그는 깨어보니 유명해져 있었다. 4. 그가 영어로 말하는 것을 들으면 너는 그를 미국인으로 여길 것이다. 5. 나는 군중이 길거리로 몰려드는 것을 보았다. 6. 그가 내게 그 일을 가능한 빨리 하도록 했다. 7. 군중이 길거리로 몰려드는 것이 목격되었다. 8. 그는 하루에 열두 시간을 일해야 했다. 9. 그는 부자였던 것을 자랑스러워한다. 10. 나는 연설하도록 요청받는 것을 좋아하지 않는다. 11. 내 차는 수리가 필요하다.

Check Point

1. The two thieves were noticed [steal / stealing] jewelry from the store.
2. My old house needs [painting / being painted].

---

013 기출

(A), (B), (C) 각 네모 안에서 어법에 맞는 표현으로 가장 적절한 것은?

On most subway trains, the doors open automatically at each station. But when you are on the Métro, the subway in Paris, things are different. I watched a man on the Métro (A) try/tried to get off the train and fail. When the train came to his station, he got up and stood patiently in front of the door, waiting for it (B) opened/to open . It never opened. The train simply started up again and went on to the next station. In the Métro, you have to open the doors yourself by pushing a button, depressing a lever or (C) slide/sliding them.

	(A)	(B)	(C)
①	try	opened	sliding
②	try	opened	slide
③	try	to open	sliding
④	tried	to open	slide
⑤	tried	opened	sliding

014 기출

(A), (B), (C)의 각 네모 안에서 어법에 맞는 표현으로 가장 적절한 것은?

(A) Situating/Situated at an elevation of 1,350m, the city of Kathmandu, which looks out on the sparkling Himalayas, enjoys a warm climate year-round that makes (B) living/to live here pleasant. Kathmandu sits almost in the middle of a basin, forming a square about 5km north-south and 5km east-west. It was the site of the ancient kingdom of Nepal. It is now the capital of Nepal and, as such, the center of (C) its/it's government, economy, and culture.

	(A)	(B)	(C)
①	Situated	living	its
②	Situated	to live	its
③	Situated	living	it's
④	Situating	to live	it's
⑤	Situating	living	it's

Answers 5p

015 기출

다음 글의 밑줄 친 부분 중, 어법상 틀린 것은?

In business settings, it's really easy to forget ① to take the time to say "Thank You," and yet, it's an essential part of interaction with others. It's important to people that they feel valid, important, and ② respected. Just as saying sorry matters, so does ③ remember to thank those who help you move forward. And I think it's much nicer to send along a physical card than an email. A personal note written by your own hand matters ④ far more than a few lines of typing into a window that's so easily available at your fingertips. One more thing: if you're going to go this route, put in the extra few minutes to purchase a nice card and ⑤ use a pen that gives you a decent flow.

016 기출

(A), (B), (C)의 각 네모 안에서 어법에 맞는 표현으로 가장 적절한 것은?

I was shocked by the news that people with mental disorders can be kept (A) from voting / to vote . Our constitutional right to vote does not require that any one of us should make a rational choice. We can vote for a candidate because he or she seems most qualified, or simply because we like his or her appearance. In addition, the mentally ill are faced with a unique set of challenges, and (B) its / their interests will not be adequately represented if they cannot vote. To exclude those from voting who are already socially isolated (C) destroy / destroys our democracy, as it creates a caste system.

```
        (A)              (B)            (C)
① from voting ...... its    ...... destroy
② from voting ...... their  ...... destroys
③ from voting ...... their  ...... destroy
④ to vote      ...... their  ...... destroy
⑤ to vote      ...... its    ...... destroys
```

017 기출

다음 글의 밑줄 친 부분 중, 어법상 틀린 것은?

The bodies of flowing ice we call glaciers ① are the most spectacular of natural features. They result from densely packed snow. Unlike a stream, a glacier cannot be seen ② move. Accurate measurements, however, show that it is flowing. Erosion of bedrock by glaciers and deposits of the eroded materials are characteristic and ③ easily recognizable. Their distribution enables us to infer that in the recent past glaciers have been far more extensive ④ than they are today. At the same time, this evidence has ⑤ raised the problem of the cause of the 'ice ages.'

*erode: 침식하다

018

(A), (B), (C)의 각 네모 안에서 어법에 맞는 표현으로 가장 적절한 것은?

On most farms, tractors are basic equipment. But the Gumutindo Fair-Trade Cooperative in Uganda isn't like most farms. It's in the underdeveloped world, where manual labor is common. Until last year, Gumutindo's farmers handled planting and (A) harvested / harvesting the old-fashioned way. Two words explain (B) what / why the co-op was finally able to afford mechanical help: fair trade. With earnings from selling coffee through a fair-trade network to buyers such as Dunkin' Brands, co-op members bought their first tractor. And that's just one example of how fair trade is changing the way business is done. Many workers grow products certified as fair trade on small farms or labor in small workshops, and they earn enough to cover their costs, invest in their businesses, and have a small profit (C) leave / left over.

```
        (A)                (B)          (C)
① harvested  ...... why  ...... leave
② harvested  ...... what ...... leave
③ harvested  ...... why  ...... left
④ harvesting ...... what ...... leave
⑤ harvesting ...... why  ...... left
```

분사 / 분사구문

1 분사

현재분사(-ing)	진행, 능동의 의미, 형용사 역할
과거분사(-ed)	완료(vi), 수동(vt)의 의미, 형용사 역할

1. 분사의 명사 수식

① 분사는 단독으로 뒤의 명사를 수식한다.
- an **exciting** scene 흥미로운 장면
- **fallen** leaves 낙엽

② 분사가 목적어, 부사적 수식어구 등을 동반하면 뒤에서 앞의 명사를 수식한다.
- Who is that girl **wearing** a yellow skirt?[1]
- He had a lovely little daughter **named** Jessica.[2]

③ 분사가 대명사를 수식할 경우 주로 대명사 뒤에 위치한다.
- Of those **invited**, only a few came to the party.[3]
  (= Only a few of those (who were) invited came to the party.)

2. 「the+분사」: 단수 또는 복수 명사를 의미

- the dying (= people who are dying) 죽어 가는 사람들
- the accused (= a person who is accused) 고발당한 사람

2 분사구문

1. 분사구문 만드는 방법(종속절 ⇒ 분사구문)

① 종속절의 접속사를 생략
② 종속절의 주어가 주절의 주어와 같을 때 종속절의 주어를 생략
③ 종속절과 주절의 시제에 따라, 종속절의 동사를 알맞은 분사로 바꿈
- Though he is young, he has lots of experience.[4]
  → **Being** young, he has lots of experience.

2. 주의해야 할 분사구문

① 완료분사구문: 주절의 시제보다 앞선 시제를 나타낸다.
- **Having lost my purse**, I could not buy a new camera.[5]
  = As I **had lost** my purse, I **could not buy** a new camera.

② 분사구문에서 being, having been은 생략 가능하다.
(주로 수동태)
- (Being) Stuck in traffic, she couldn't attend the meeting.[6]
- (Having been) Deceived by him, I can't believe him anymore.[7]

1. 노란색 스커트를 입고 있는 저 소녀는 누구니? 2. 그에게는 Jessica라고 불리는 사랑스러운 어린 딸이 있었다. 3. 초대받은 사람들 중에 겨우 몇 명만이 파티에 왔다. 4. 그는 어리지만, 경험이 풍부하다. 5. 나는 지갑을 잃어버려서 새 카메라를 살 수 없었다. 6. 그녀는 차가 막혀서 회의에 참석할 수 없었다. 7. 그에게 속았었기 때문에 더는 그를 믿을 수 없다.

Check Point

1. Of [those questioned / questioned those], over 60% said they knew they do more exercise.
2. [Scolding / Scolded] for arriving late, she was at a loss.

(A), (B), (C)의 각 네모 안에서 어법에 맞는 표현으로 가장 적절한 것은?

Many social scientists have believed for some time (A) that / what birth order directly affects both personality and achievement in adult life. In fact, people have been using birth order to account for personality factors such as an aggressive behavior or a passive temperament. One might say, "Oh, I'm the eldest of three sisters, so I can't help that I'm so overbearing," or "I'm not very successful in business, because I'm the youngest child and thus less (B) aggressively / aggressive than my older brothers and sisters." Recent studies, however, have proved this belief to be false. In other words, birth order may define your role within a family, but as you mature into adulthood, (C) accepted / accepting other social roles, birth order becomes insignificant.

	(A)	(B)	(C)
①	that	aggressively	accepting
②	that	aggressive	accepting
③	that	aggressive	accepted
④	what	aggressive	accepted
⑤	what	aggressively	accepted

다음 글의 밑줄 친 부분 중, 어법상 틀린 것은?

You may think that moving a short distance is so easy that you can do it in no time with ① little effort. You may decide to use your own car because you think that you don't need the services of a moving company. Well, you might be wrong. You are under the false impression that you do not have as many items to pack as you really ② do. You find out ③ too late that your car cannot carry as much as you thought it could. So, it takes you far more trips to your new home than you thought it would. There is also the possibility of ④ damage your stuff, some of it valuable. All these things ⑤ considered, it might be better to ask for the services of a moving company.

021

다음 글의 밑줄 친 부분 중, 어법상 틀린 것은?

Coffee has been ① considering to maintain its freshness before roasting, without special caution. However, scientists say that most coffee in the market is actually no longer fresh by the time it is drunk by customers because coffee beans typically remain fresh for only about a month after they have been ② roasted. Moreover, coffee may not have even been ③ sold, much less drunk, within this period. Modern packaging methods may help, but the packaging doesn't help keep coffee fresh once a consumer ④ has broken the seal. There is also significant information that ⑤ drinking coffee has many benefits for our health and emotional well-being. Therefore if you buy roasted coffee beans, drink the coffee as soon as possible so that you can enjoy fresh coffee flavor and at the same time help to improve your health.

022 기출

(A), (B), (C)의 각 네모 안에서 어법에 맞는 표현으로 가장 적절한 것은?

Ice hockey is unusual among the major sports in (A) such/that teams frequently play with different numbers of players. Penalties are given for various physical violations that go beyond the sport's permissive rules of contact. Such penalties result in a player being sent to an isolated area called the penalty box, after which the offender's team must operate a player (B) short/shortly. This period of time, when teams have different numbers of players, is called a power play, and provides an excellent (C) scoring / scored opportunity for the larger team.

	(A)		(B)		(C)
① such	......	short	......	scoring
② such	......	shortly	......	scored
③ such	......	shortly	......	scoring
④ that	......	shortly	......	scored
⑤ that	......	short	......	scoring

023 기출

다음 글의 밑줄 친 부분 중, 어법상 틀린 것은?

Nowadays the growth of various social network sites, such as E-World and Face-Space, ① is impressive. They are ranked the fourth and fifth most popular site respectively just behind A-Tube. More than sixty percent of their users post their personal photos, as many as two million pictures a day, ② making E-World the top photo website in the country. But ③ what many users may not realize is that the company owns every photo. In fact, everything that people post ④ being automatically licensed to E-World for its transferable use, distribution, or public display. Recently E-World sold all "user content" ⑤ posted on the site to other commercial businesses. Many users unknowingly handed over their photos to corporate control.

024 기출

다음 글의 밑줄 친 부분 중, 어법상 틀린 것은?

How salmon return to the correct shoreline region for spawning ① is not completely understood. It appears they use some form of "map and compass" navigation, ② it is based on information about position and direction of travel. This information most likely comes from some environmental cues, ③ including day length, the sun's position and the polarization of light that results from its angle in the sky, and the earth's magnetic field. ④ Whatever the specific mechanism is, as spawning time approaches, salmon have a seemingly inherited tendency to orient ⑤ themselves toward the area of the coastline where the specific waterway of their birth flows.

*spawn: 알을 낳다

025

(A), (B), (C)의 각 네모 안에서 어법에 맞는 표현으로 가장 적절한 것은?

Eastern spiritual teachers say, "The world is as you see it." In the West, psychologists are fond of saying, "It's all done with mirrors," referring to the phenomenon of projection. The most important relationship in your life is with yourself. How you treat others (A) have/has a bearing on how you treat yourself. If you cannot love and be honest with others, you cannot be honest or love yourself. Many people criticize or idolize people with the qualities (B) lacking/to lack in our own lives. For example, a workaholic man criticizes others who play around and joke or (C) envy/envies them because he needs to lighten up. They are revealing a quality that the person has not seen in himself.

	(A)		(B)		(C)
①	have	……	lacking	……	envy
②	have	……	to lack	……	envies
③	have	……	lacking	……	envies
④	has	……	to lack	……	envy
⑤	has	……	lacking	……	envies

026

다음 글의 밑줄 친 부분 중, 어법상 틀린 것은?

It has been proven by medical experts that nicotine alters the way your brain and body ① function. Nicotine causes various reactions. Some people feel invigorated while others feel relaxed. This ② depends on how often and how much nicotine is ingested into the body. The reactions of nicotine and ethanol in the body ③ is quite different. A couple of drinks may loosen your inhibitions and fire you up, but after drinking heavily the body becomes sedated. Nicotine stimulates the body, and adrenalin is quickly released into the body. Adrenaline causes rapid heartbeat, ④ increased blood pressure, along with rapid and shallow breathing. This is indicative of the "fight-or-flight" response as your body is getting ready ⑤ to help you either defend yourself from a predator or escape as fast as you can.

027

(A), (B), (C)의 각 네모 안에서 어법에 맞는 표현으로 가장 적절한 것은?

Identity theft doesn't just happen to other people. Have you eaten at a restaurant, paid with a credit card, and forgotten (A) to get/getting your copy of the credit card receipt? You probably know that many of these receipts have your credit card number printed right there for anyone to see. If you've signed them, your signature is also right there for someone to copy deliberately. This can cause the most simple form of identity theft. With this information, a dishonest person can be well on his way to (B) make/making purchases either online or by phone using your credit card number. You won't know about it until you get your bank statement. However, all he needs (C) is/are to request a change of mailing address.

	(A)		(B)		(C)
①	to get	……	make	……	are
②	to get	……	making	……	is
③	to get	……	make	……	is
④	getting	……	making	……	are
⑤	getting	……	make	……	are

028

다음 글의 밑줄 친 부분 중, 어법상 틀린 것은?

Veganism ① had been a controversial diet for a long time; many believe the diet to be dangerous to your health. It takes careful planning and doctor's consultation. Some side effects from dieting ② are weight gain, weight loss or even subtler conditions like anemia. Some vegans choose to pass on their dietary lifestyle to their children and animals, and for those who do so, caution and medical consultation ③ are crucial. Crown Shakur, a four-year-old boy, died of starvation in April 2004. His parents ④ had fed him mostly soy milk and apple juice and insisted they had done their utmost to ensure he was healthy while ⑤ adhering to their vegan diet.

029

(A), (B), (C)의 각 네모 안에서 어법에 맞는 표현으로 가장 적절한 것은?

Unemployment may have advantages and disadvantages for the overall economy. It may help (A) avert/averting inflation, which negatively impacts almost everyone in the affected economy and has serious long-term economic costs. However, the historic assumption that full local employment must lead directly to local inflation has been weakened, as recently expanded international trade has continued to supply low-priced goods, even under almost full employment. The inflation-fighting benefits to the entire economy (B) raising/arising from a presumed optimum level of unemployment have been studied extensively. Before the current levels of world trade were developed, unemployment was demonstrated to reduce inflation, following the Phillips curve, or (C) to decelerate/decelerated inflation, following the NAIRU (natural rate of unemployment theory).

	(A)	(B)	(C)
①	avert	raising	to decelerate
②	avert	arising	to decelerate
③	avert	raising	decelerated
④	averting	arising	decelerated
⑤	averting	raising	to decelerate

030

다음 글의 밑줄 친 부분 중, 어법상 틀린 것은?

A man would deliver water to his house with two pots of water ① tied to a stick. One of the two had a crack. The bad pot would leak water on the way. The pot without a crack was proud of its accomplishments, but the cracked pot was ashamed because it could only bring half of ② what it was made ③ carry. One day the cracked pot told its owner about its flaws. The owner said, "Have you noticed the flowers along the path growing on your side? I planted flower seeds ④ so that the leaking water wouldn't be wasted." We are all cracked pots with flaws, but it's these flaws that ⑤ make life interesting and rewarding.

031

(A), (B), (C)의 각 네모 안에서 어법에 맞는 표현으로 가장 적절한 것은?

Asthma is a medical condition that causes periodic difficulties in breathing. Many Americans suffer from asthma, but children from ethnic minorities suffer the worst. In fact, 20 percent of Puerto Rican children living in the United States (A) has/have asthma. African-American youngsters suffer from asthma at a rate of 13 percent. These numbers are very high when (B) compared/comparing with the national childhood average of just 8 percent. Asthma-related mortality rates have dropped since 1999, but not for minority children. African-American and Puerto Rican children are actually six times more likely to die of asthma than European-American children. Environmental problems, such as air pollutants, are a likely (C) contributed/contributing factor to this disparity.

	(A)	(B)	(C)
①	have	comparing	contributing
②	have	compared	contributing
③	have	comparing	contributed
④	has	compared	contributed
⑤	has	comparing	contributed

032

다음 글의 밑줄 친 부분 중, 어법상 틀린 것은?

Britain ① has toyed with the idea of reclassifying narcotics. Scientific studies reveal discrepancies in relation to a drug's legality and ② its safeness. Twenty different illegal and legal drugs were tested to ascertain the effects on a person's health. A study ③ publishing in *The Lancelot* last year found that alcohol and tobacco are considered by experts to be more dangerous than ecstasy and marijuana, ④ which are illegal in most countries. In Britain, under the Misuse of Drugs Act, illegal drugs are classified as A, B, or C. Class A (e.g., heroin) is supposed to be the most harmful, and Class C (e.g., marijuana) the least harmful. The study was intended to achieve harm rankings for 20 drugs, 15 illegal substances and five legal substances that ⑤ have shown potential for harm.

수동태 / 능동태

1 진행 시제 수동태
- The homeless **are being helped** by the government.[1]
- The homeless **were being helped** by the government.[2]

2 완료 시제 수동태
- The homeless **have been helped** by the government for many years.[3]
- The homeless **had been helped** by the government before they were sent to the shelter.[4]
- Until they are sent to the shelter, the homeless **will have been helped** by the government.[5]

3 동사구는 한 묶음으로 처리한다.
- The poor child was **laughed at** by many other children.[6]
- He was **looked up** to by many people.[7]
- The baby was **taken care of** by his or her stepmother.[8]

4 종속절의 시제가 주절의 시제보다 앞선 경우, 단문으로 만들 때 완료부정사를 사용한다.
- They believe that the rumor **was** true.[9]
  - ⇒ It **is believed** that the rumor **was** true. (수동태)
  - ⇒ The rumor **is believed to have been** true. (단문화)

5 지각동사와 사역동사가 있는 문장을 수동태 문장으로 전환할 때, 목적격 보어인 원형부정사는 분사나 to부정사로 바꿔 주고, 분사는 그대로 써준다.
- I made her **do** the work.[10]
  - ⇒ She was made **to do** the work.
- We saw him **entering** the building.[11]
  - ⇒ He was seen **entering** the building by us.

6 수동의 의미를 가지는 동사: sell, open, cut, read, write, say...
- This novel **sells** up to now.[12]
- The gate **opens** for 24 hours.[13]
- The notice **says** 'Keep Out'.[14]

7 타동사이지만 수동태로 만들 수 없는 동사: have, own, lack, resemble, become(어울리다), fit, suit, last, cost...
- She has a fancy car.[15]
  - ⇒ A fancy car is had by her. (X)
  - ⇒ A fancy car belongs to her. (O)
- You resemble your mother.[16]
  - ⇒ Your mother is resembled by you. (X)

1. 집이 없는 사람들은 정부의 도움을 받고 있다.　2. 집이 없는 사람들은 정부의 도움을 받고 있었다.　3. 여러 해 동안 집이 없는 사람들은 정부의 도움을 받아 왔다.　4. 집이 없는 사람들은 보호소로 보내지기 전에 정부의 도움을 받았다.　5. 집이 없는 사람들은 보호소로 보내질 때까지 정부의 도움을 받을 것이다.　6. 그 불쌍한 아이는 많은 다른 아이들에게 비웃음을 당했다.　7. 그는 많은 사람들에게 존경을 받았다.　8. 그 아기는 계모의 보살핌을 받았다.　9. 그들은 그 소문이 사실이었다고 믿는다.　10. 나는 그녀에게 그 일을 하도록 시켰다.　11. 우리는 그가 건물로 들어가는 것을 보았다.　12. 이 소설은 지금까지 팔린다.　13. 그 문은 24시간 동안 열려 있다.　14. 안내판에는 '출입 금지'라고 쓰여 있었다.　15. 그녀는 멋진 차를 가지고 있다.　16. 너는 네 어머니를 닮았다.

Check Point

1. **The pretty girl was heard [sing / singing] a song.**
2. **Was a new movie [producing / being produced] by the director?**

(A), (B), (C)의 각 네모 안에서 어법에 맞는 표현으로 가장 적절한 것은?

If you need to buy food, there is probably a shop or a department store close to your home that sells just (A) which / what you want. But shopping has not always been so easy. Shops started only with the introduction of money. In earlier times, people traded crops or objects they had made in exchange for the goods they needed. The first shops sold just (B) a few / a little products such as meat and bread. In 1850, the first department store, a shop which sells many different items under one roof, opened in Paris. Self-service stores developed in the United States in the 1930s. They replaced the old methods of serving customers individually by (C) selling / being sold prepackaged goods straight from the shelves.

	(A)	(B)	(C)
①	which	a little	being sold
②	what	a few	being sold
③	what	a few	selling
④	what	a little	selling
⑤	which	a little	selling

---

034 기출

다음 글의 밑줄 친 부분 중, 어법상 틀린 것은?

Energize your life by starting each day with gratitude. When you wake up, before you do anything else, stop and count your blessings. Then find something special about each day ① that you can be thankful. It's a great way to get each day ② started on a positive note, and it can make a major difference throughout the day. ③ Actively practicing gratitude on a regular basis will keep you in touch with the very best of your possibilities. It will enable you to see opportunities and utilize resources which may otherwise have remained ④ hidden. So in a very real sense it will add value to each moment of the day. There are many good things in your life, waiting for you to fully appreciate and enjoy. When you do this, those positive things will grow ⑤ even stronger.

035 기출

다음 글의 밑줄 친 부분 중, 어법상 틀린 것은?

The Masai are a people who are continually trying to preserve their own ways ① in an increasingly modern world. They live along the border of Kenya and Tanzania, ② moving their homes from time to time to follow their cattle, the source of their livelihood. The Masai depend on their cattle for many parts of their life. They don't slaughter their cattle for food; but if a cow is killed, then the horns are used for containers; the hides ③ are used to make shoes, clothing, and bed coverings. The more cattle a man owns, ④ the rich he is considered to be. The cattle, ⑤ though owned by the man, are considered to belong to the man's entire family.

036 기출

(A), (B), (C)의 각 네모 안에서 어법에 맞는 표현으로 가장 적절한 것은?

People act strangely when a television camera comes their way. Some people engage in an activity known as the cover-up. They will be calmly watching a sports game or a televised event (A) when / which they realize the camera is focused on them. Then there are those who practice their funny faces on the public. They take advantage of the television time to show off their talents, hoping to get that big chance that will carry (B) it / them to stardom. Finally, there are those who pretend they are not reacting for the camera. They wipe an expression from their faces and appear to be interested in something else. Yet if the camera stays on them long enough, they will slyly check to see if they are still (C) watching / being watched .

	(A)		(B)		(C)
①	when	......	it	......	watching
②	when	......	them	......	being watched
③	when	......	it	......	being watched
④	which	......	them	......	watching
⑤	which	......	it	......	being watched

037

다음 글의 밑줄 친 부분 중, 어법상 틀린 것은?

Africa's poverty and politics are accountable for diseases such as polio that ① are easily preventable in most industrialized countries. International health agencies set forth on a $2 billion campaign to root out the global threat of polio. They believed the virus could ② be eradicating sooner or later. Not any more. In Africa, ③ which has most of the world's polio cases, armed conflicts and uneasy political situations are major reasons for impeding the polio eradication program. In northern Nigeria, government officials temporarily stopped the polio eradication program after rumors ④ spread that the vaccine brought forth sterility and AIDS. Health workers ⑤ sent in to vaccinate children were laughed at and prevented from doing so.

*polio: 척수성 소아마비(poliomyelitis)

038

(A), (B), (C)의 각 네모 안에서 어법에 맞는 표현으로 가장 적절한 것은?

This year's winner of the Nobel Peace Prize, Liu Xiaobo, who is a Chinese poet and literary critic, lies in prison in his country. Two years ago he (A) sentenced / was sentenced to 11 years in prison for subversion. Unlike some in China's dissident community, he has been an eager advocate for peaceful, gradual political change. Yet China says Liu is a criminal and that what he has done goes against the purpose of the Nobel Peace Prize. It also says the award could harm relations between China and Norway. However, the Norwegian Nobel Committee praised Liu's pro-democracy movement, (B) ignored / ignoring outspoken threats by China even after the announcement that such a decision would (C) result / be resulted in strained ties with Norway.

	(A)		(B)		(C)
①	sentenced	......	ignored	......	result
②	sentenced	......	ignoring	......	be resulted
③	was sentenced	......	ignored	......	result
④	was sentenced	......	ignoring	......	result
⑤	was sentenced	......	ignored	......	be resulted

06 가정법 / 조동사

1 가정법

1. 가정법 과거, 가정법 과거완료
- If he **helped** me, I **could do** the work.[1]
- If he **had helped** me, I **could have done** the work.[2]

2. 혼합가정법: 조건절과 주절의 시제가 서로 다른 가정법
- If he **had taken** the doctor's advice, he **might be** alive now.[3]

3. 조건절의 if 생략으로 인한 도치구문
- **Did** I **know** her address, I could write to her.[4]
  (⇨ If I **knew** her address, ~.)
- **Had** I **earned** enough money, I could have bought the house.[5] (⇨ If I **had earned** enough money, ~.)

4. 전체 문장의 일부에 가정법 사용
- I wish I **could speak** English fluently.[6]
- He talks as if he **knew** everything.[7]

5. 조건절을 대신하는 표현
- **But for[Without]** your help, I should fail.
  = If it were not for your help, I should fail.[8]
- He started at once, **otherwise** he would have been late.[9]

2 조동사

1. 조동사의 완료형
- may [might] have p.p. : ~했을지도 모른다
- cannot have p.p. : ~했을 리가 없다
- must have p.p. : ~이었음이 틀림없다
- should have p.p. : ~했어야 했는데(= ought to have p.p.)
- should not have p.p. : ~하지 말았어야 했는데

2. 조동사의 관용적 용법
- may well : ~하는 것도 당연하다
- may as well : ~하는 것이 낫다(= had better)

3. 이성적 판단, 감정적 판단, 당위의 동사
- It is **necessary** that you (should) **seek** medical advice.[10]
- It is a **pity** he (should) give up his goal.[11]
- He **insisted** the fees (should) be paid within 30 days.[12]

cf. The research **suggests** that the drug **may be** beneficial to people with eating disorders.[13]

1. 그가 나를 돕는다면, 나는 그 일을 할 수 있을 텐데. 2. 그가 나를 도왔다면, 나는 그 일을 할 수 있었을 텐데. 3. 그가 의사의 충고를 들었더라면, 지금 살아 있을지도 모르는데. 4. 그녀의 주소를 알았다면, 나는 그녀에게 편지를 쓸 수 있을 텐데. 5. 내가 돈을 충분히 벌었더라면 그 집을 살 수 있었을 텐데. 6. 내가 영어를 유창하게 할 수 있으면 좋을 텐데. 7. 그는 마치 자신이 모든 것을 아는 것처럼 말한다. 8. 네 도움이 없다면 나는 실패할 것이다. 9. 그는 즉시 출발했다. 그렇지 않았다면, 늦었을 것이다. 10. 당신은 의사의 진찰을 받아야 한다. 11. 자신의 목표를 포기해야 한다니 그가 안 됐다. 12. 그는 요금이 30일 이내에 지불되어야 한다고 주장했다. 13. 그 연구는 그 약이 섭식장애를 가진 사람들에게 이로울 수 있다는 것을 시사한다.

Check Point

1. If they [listened / had listened] to my advice at that time, they wouldn't be in danger now.
2. The research suggested that garlic [should / may] be very good for patients.

---

039 기출

(A), (B), (C)의 각 네모 안에서 어법에 맞는 표현으로 가장 적절한 것은?

After two hours surfing, Clauss was taking off his wet suit when a boy ran up, pointing to water. "Two kids are in trouble," he said. Clauss saw a pair of swimmers splashing and waving their arms. (A) [Grabbing/Grabbed] his board, he ran into the waves. As he paddled furiously, Clauss managed to reach one of the two and pick him up on his surfboard. He dived into the chilly water seven times, looking for (B) [the other/another] boy but had no luck. A policeman, who was on the beach, said that if Clauss (C) [haven't/hadn't] reacted so quickly and decisively, there would have been two drownings instead of one.

	(A)	(B)	(C)
①	Grabbing	the other	haven't
②	Grabbing	another	haven't
③	Grabbing	the other	hadn't
④	Grabbed	another	hadn't
⑤	Grabbed	the other	hadn't

040 기출

(A), (B), (C)의 각 네모 안에서 어법에 맞는 표현으로 가장 적절한 것은?

There are several events that take place while jury selection is proceeding. First, everyone who has been summoned to appear at jury duty must (A) [arrive/have arrived] by nine o'clock in the morning and assemble in the jury room. A few minutes later, the court clerk usually shows a movie (B) [outlined/outlining] what is going to happen throughout the day as the jury is chosen for a particular trial. At around ten o'clock, twenty people are chosen from the jurors in attendance and are taken to a courtroom where a judge describes (C) [how/what] the process is going to work. About thirty minutes later, ten people are called to sit in the jury box to be questioned by the lawyers in the case.

	(A)	(B)	(C)
①	arrive	outlined	what
②	arrive	outlining	how
③	arrive	outlining	what
④	have arrived	outlining	how
⑤	have arrived	outlined	what

041 기출

다음 글의 밑줄 친 부분 중, 어법상 틀린 것은?

Sir Arthur Conan Doyle, the creator of Sherlock Holmes, had a great sense of delicacy ① where other persons' feeling were concerned. He once paid a visit to George Meredith, the novelist, when Meredith was old and weak. Meredith suffered from an unusual disease that caused him ② to fall occasionally. The two men were walking up a path toward Meredith's summerhouse, Conan Doyle in the lead, when Conan Doyle heard the old novelist fall behind him. He judged by the sound ③ which the fall was a mere slip and could not have hurt Meredith. Therefore, he did not turn and he strode on as if he ④ had heard nothing. "He was a fiercely proud old man," Conan Doyle later explained, "and my instincts told me that his humiliation in being helped up would be ⑤ far greater than any relief I could give him."

042 기출

(A), (B), (C)의 각 네모 안에서 어법에 맞는 표현으로 가장 적절한 것은?

College is totally different from high school because you are on your own. I (A) cannot/may not stress too much about the idea of learning independence. You discover so much about yourself in college. There is no one to walk you to class. You need (B) motivate/to motivate yourself because there is no one to make you do your schoolwork, set your schedule, or (C) get/to get to class on time. You gain a better sense of self and find yourself maturing when you are away from home.

	(A)	(B)	(C)
①	cannot	...... motivate	...... get
②	cannot	...... to motivate	...... to get
③	cannot	...... to motivate	...... get
④	may not	...... motivate	...... to get
⑤	may not	...... to motivate	...... get

043 기출

다음 글의 밑줄 친 부분 중, 어법상 틀린 것은?

Our early ancestors may have used the fingers of their hands or cut notches like /// on tree branches to indicate ① how many apples they had picked that day. But they ② must soon realize that no tree branch could be long enough to count ③ a very large number of apples. They eventually invented names for groups of notches and, since we don't know what language they spoke, we ④ might as well imagine that they spoke English and said "one" for /, "two" for //, "three" for ///, or "nine" for /////////, and so on. Thus ⑤ special words did become useful substitutes for notches.

*notch: 빗금

044

(A), (B), (C)의 각 네모 안에서 어법에 맞는 표현으로 가장 적절한 것은?

Carts are more than just a means of transportation. There (A) lays/lies the philosophy of time and life in the principle of the cart system. Carts move only when the wheels on both sides are exactly the same. When the balance is tipped off to one side, the cart will turn over. So it moves ahead (B) smooth/smoothly when it has a full load. An old Korean saying, "An empty cart makes noise," must (C) derive/have derived from this fact. What we need now is a balance of the two wheels of the cart, whether it is a balance between the conservative and the liberal or between the young and the old.

	(A)	(B)	(C)
①	lies	...... smoothly	...... have derived
②	lays	...... smooth	...... derive
③	lies	...... smooth	...... have derived
④	lays	...... smoothly	...... derive
⑤	lies	...... smoothly	...... derive

07 관계사

1 관계대명사

1. 「전치사+관계대명사」
- She is the girl **about whom** we were talking.[1]
- This is the person **that** I want to take a trip **with**.[2]
- cf. This is the person ~~with that~~ I want to take a trip. (X)
  (that은 전치사 바로 뒤지 오지 않는다.)

2. 관계대명사의 계속적 용법
- The man, **who** is very rich, is modest.[3]
- She says she saw me there, **which** is a lie.[4]
- cf. She says she saw me there, ~~that~~ is a lie. (X)
  (that은 계속적 용법으로 쓰지 않는다.)

3. which의 선행사는 단어, 구, 절이 될 수 있다.
- He tried to catch fish with his bare hands, **which** was found to be impossible.[5]
- I forgot to turn the gas stove off when I left, **which** makes me very worried.[6]

4. 관계대명사 what = the thing that
① I gave the poor just **what** they needed.[7]
② · He believed **that** she told the truth.[8] (접속사 that)
   · He believed **what** she told him.[9]
③ **what one is**(인격), **what one has**(재산)
   · Sylvia is charmed by **what he is**, not by **what he has**.[10]

2 관계부사

1. ① I remember the day **when** you first came to school.[11]
② They don't know the place **where** the secret papers were hidden.[12]
③ This is **how** the man solved the problem.[13]
   = This is the way **(that)** the man solved the problem.
   (the way와 how는 함께 쓸 수 없음, that은 관계부사)
④ Tell me the reason **why** you did not come.[14]
   (why=for which)

2. 관계부사의 계속적 용법
- We flew to New York, **where** we stayed for a week.[15]
  (where=and there)

1. 그녀가 우리가 이야기하던 소녀이다. 2. 이 사람이 내가 함께 여행 가기를 원하는 사람이다. 3. 그 남자는 매우 부유하지만, 겸손하다. 4. 그녀가 그곳에서 나를 보았다고 말하는데, 그것은 거짓말이다. 5. 그는 맨손으로 고기를 잡으려 했지만, 그것이 불가능하다는 것을 깨달았다. 6. 나는 떠날 때 가스레인지 불을 끄는 것을 잊어버렸고, 그것이 나를 매우 걱정스럽게 한다. 7. 나는 단지 가난한 사람들이 필요로 하는 것을 주었다. 8. 그는 그녀가 사실을 이야기했다고 믿었다. 9. 그는 그녀가 자신에게 이야기한 것을 믿었다. 10. Sylvia는 그의 재산이 아니라 그의 성격에 매료되었다. 11. 나는 네가 처음으로 학교에 온 날을 기억한다. 12. 그들은 비밀 쪽지가 숨겨져 있는 장소를 모른다. 13. 이것이 그 남자가 그 문제를 푼 방법이다. 14. 네가 오지 않은 이유를 내게 말해 줘. 15. 우리는 뉴욕으로 날아가서 일주일 동안 머물렀다.

Check Point
1. A kangaroo is a marsupial animal [whose / which] babies are raised in a pouch in the mother's body.
2. The time will be at hand [which / when] they need our help.

---

045 기출

다음 글에서 밑줄 친 부분 중, 어법상 틀린 것은?

In general, one's memories of any period necessarily weaken ① as one moves away from it. One is constantly learning new facts, and old ones have to drop out to ② make way for them. At twenty, I could have written the history of my school days with an accuracy which would be quite impossible now. But it can also happen that one's memories grow ③ much sharper even after a long passage of time. This is ④ because one is looking at the past with fresh eyes and can isolate and, as it were, notice facts which previously existed undifferentiated among a mass of others. There are things ⑤ what in a sense I remembered, but which did not strike me as strange or interesting until quite recently.

046 기출

(A), (B), (C)의 각 네모 안에서 어법에 맞는 표현으로 가장 적절한 것은?

Emma was very fond of singing. She had a very good voice, except that some of her high notes tended to sound like a gate which someone had forgotten (A) oiling/to oil . Emma was very conscious of this weakness and took every opportunity she could find to practice these high notes. As she lived in a small house, (B) where/which she could not practice without disturbing the rest of the family, she usually practiced her high notes outside. One afternoon, a car passed her while she was singing some of her highest and most difficult notes. She saw an anxious expression suddenly (C) come/to come over the driver's face. He put his brakes on violently, jumped out, and began to examine all his tires carefully.

	(A)	(B)	(C)
①	oiling	where	come
②	oiling	which	to come
③	oiling	where	to come
④	to oil	which	come
⑤	to oil	where	come

047

다음 글의 밑줄 친 부분 중, 어법상 틀린 것은?

The Jerboa is quite popular as pets in Europe. ① Finding in a variety of habitats in both Africa and Asia, the Jerboa is small rodents distinguished by their dark sandy coat. The Jerboa lives in a burrow, ② which is kept sealed during the summer and left open during the winter. Hunting for food, the Jerboa is known ③ to cover long distances at night. Oddly enough, although its hunt for food ④ takes it long distances, the Jerboa very rarely seems to require water. When the Jerboa feels ⑤ unsafe, it will attempt to kick sand into its aggressor's face with its hind feet.

048

(A), (B), (C)의 각 네모 안에서 어법에 맞는 표현으로 가장 적절한 것은?

While awaiting the birth of a new baby, North American parents typically furnish a room as the infant's sleeping quarters. For decades, child-rearing advice from experts has (A) encouraged/ been encouraged the nighttime separation of baby from parent. For example, a study recommends that babies be moved into their own room by three months of age. "By six months a child (B) who/whom regularly sleeps in her parents' room is likely to become dependent on this arrangement," reports the study. Yet parent-infant 'co-sleeping' is the norm for approximately 90 percent of the world's population. Cultures as (C) diverse/diversely as the Japanese, the Guatemalan Maya, and the Inuit of Northwestern Canada practice it.

	(A)	(B)	(C)
①	encouraged	...... who	...... diverse
②	encouraged	...... whom	...... diversely
③	encouraged	...... who	...... diversely
④	been encouraged	...... who	...... diverse
⑤	been encouraged	...... whom	...... diverse

049

다음 글의 밑줄 친 부분 중, 어법상 틀린 것은?

The left and right sides of the face ① are quite different. Each side shows different aspects of our personality. The left side of the face reveals the instinctive and hereditary aspects of our personality. When we are under stress with feelings like fear, anger, or even intense happiness, force ② is put on the muscles of the left side of the face. When we examine the left side, our well-being and troubles ③ showing up more. Wrinkles on this side express the strong emotions ④ that we have experienced in our lives. The right side of the face reflects our intelligence and self-control. This side is usually more relaxed and smoother. That is why movie stars prefer to have this side of their face ⑤ photographed.

050

(A), (B), (C)의 각 네모 안에서 어법에 맞는 표현으로 가장 적절한 것은?

Honeybees are well-known for their production of honey and their ability to make elaborate hives. These tasks require a high level of social behavior. To share information with each other easily, honeybees have developed an effective communication system. One of the most widely known features (A) is/are the honeybee dance. First introduced by German zoologist Karl von Frisch in the 1920s and (B) which/for which he would later win the Nobel Prize, the honeybee dance is a series of signals used by a worker bee to guide other members to a food source. He found this out by using a specially designed hive with glass walls, which enabled him to observe the returning foragers that he (C) has marked/had marked .

	(A)	(B)	(C)
①	are	...... which	...... has marked
②	is	...... for which	...... has marked
③	are	...... for which	...... has marked
④	is	...... for which	...... had marked
⑤	are	...... which	...... had marked

08 명사 / 대명사

1 명사

1. 보통명사의 특별 용법

① 「the+보통명사」 ⇒ 추상명사
- **The pen** is mightier than **the sword**.[1]
  (글의 힘)　　　　　　　　(무력)

② 「a(n)+보통명사」 ⇒ 추상명사
- She has **an eye** for beauty.[2] (안목)
  〈an eye for beauty : 심미안〉

2. 하나의 명사가 상황에 따라 집합명사(단수 취급), 군집명사 (복수 취급)로 쓰이는 경우: family(가족 전체 / 가족 구성원), committee(위원회 / 각 위원), people(국민 / 사람들)

3. 집합적 물질명사: 셀 수 없으므로 부정관사를 붙이지 않고, 항상 단수 취급한다. 수량을 나타내는 경우 세는 단위를 쓴다. (furniture, clothing, mail, machinery, game(사냥감), baggage, luggage, equipment)
- **Furniture** is chiefly made of wood.[3]
- She bought <u>two pieces of</u> **furniture**.[4]

4. 이중소유격(~ of(소유격전치사)+소유대명사)
〈한정사+명사+of+소유대명사〉
- a friend of mine 나의 친구
- this camera of my father's 우리 아버지의 이 카메라

cf. 관사(a, an, the), 소유격(my, your), 지시형용사(this, that) 등의 한정사(限定辭)는 중복 사용 불가
　　a my friend (X)　　　this my father's camera (X)

2 such의 용법

「such that」, 「such ~ that」: '정도가 너무 ~하여 …하다'
- The damage was **such that** it would cost thousands of dollars to repair.[5]
  (⇒ **Such** was the damage **that** it would cost thousands of dollars to repair.)
- She is **such** a lovely girl **that** everybody loves her.[6]
  (⇒ She is **so** lovely **that** everybody loves her.)

3 간접의문

1. 간접의문문: 「의문사+주어+동사」 or 「의문사(=주어)+동사」

2. 주절의 동사에 따른 간접의문문의 형태
- Do you <u>know</u> **where** she lives?[7] (⇒ know, ask, tell 등)
- **What** do you <u>think</u> he did yesterday?[8]
  (⇒ think, believe, suppose, say, guess 등)

3. 의문사가 없는 경우: 「if/whether+주어+동사」
- I want to know **if[whether]** he can speak Korean.[9]

1. 문(文)은 무(武)보다 강하다.　2. 그녀는 아름다움을 보는 안목이 있다.　3. 가구는 주로 나무로 만들어진다.　4. 그녀는 가구 두 점을 샀다.　5. 피해가 심해서 수리하는 데 수천 달러의 비용이 들었다.　6. 그녀는 대단히 사랑스러운 소녀여서 모든 사람이 그녀를 사랑한다.　7. 너는 그녀가 어디 사는지 아니?　8. 너는 그가 어제 무엇을 했다고 생각하니?　9. 나는 그가 한국어를 할 수 있는지 알기를 원한다.

Check Point

1. This is [a book of his / a his book].
2. He is [such / so] an honest man that all of them trust him.

---

051 기출

(A), (B), (C)의 각 네모 안에서 어법에 맞는 표현으로 가장 적절한 것은?

Note taking is one of the activities by which students attempt to stay attentive, but it is also an aid to memory. "Working memory," or "short-term memory" is a term (A) [used / using] to describe the fact that one can hold only a given amount of material in mind at one time. When a lecturer presents a succession of new concepts, students' faces begin to show signs of anguish and frustration; some write furiously in their notebooks, while (B) [other / others] give up writing in complete discouragement. Note taking thus is dependent on one's ability to maintain attention, understand what is being said, and hold it in working memory long enough to (C) [write down it / write it down].

	(A)	(B)	(C)
①	used	…… other	…… write down it
②	used	…… others	…… write it down
③	used	…… others	…… write down it
④	using	…… others	…… write it down
⑤	using	…… other	…… write down it

052 기출

다음 글에서 밑줄 친 부분 중, 어법상 틀린 것은?

Mr. Brown wanted his students to learn math in the context of real life. He felt it was not enough for them just to work out problems from a book. To show his students how math could really help ① <u>them</u>, he held several contests during the year. The contests allowed his students ② <u>to have</u> fun while they practiced math and raised money. Once he filled a fishbowl with marbles, asked the students to guess how many marbles there were, and ③ <u>awarded</u> a free lunch to the winner. Another time they entered a contest to guess how many soda cans the back of a pickup truck ④ <u>was held</u>. To win, they had to practice their skills at estimating, multiplying, dividing, and measuring. They used ⑤ <u>most</u> of the prize money for an end-of-the-year field trip.

053 기출

다음 글의 밑줄 친 부분 중, 어법상 틀린 것은?

　Although life is different from nonlife, it is not ① completely different. Living things exist in a nonliving universe and depend on ② it in many ways. Plants absorb energy from sunlight, and bats find shelter in caves. Indeed, living things are made of the same tiny particles ③ that make up nonliving things. What makes organisms different from the materials that compose them ④ are their level of organization. Living things exhibit not just one but many layers of biological organization. This tendency toward order is sometimes ⑤ modeled in a pyramid of life.

054 기출

(A), (B), (C)의 각 네모 안에서 어법에 맞는 표현으로 가장 적절한 것은?

　Picasso and Braque had a very strong cooperation, which resulted in the birth of cubism. They dressed alike in mechanics' clothes, and jokingly compared (A) them / themselves to the Wright brothers. For several years, they saw each other almost every day, talked constantly about their revolutionary new style, and painted as (B) similar / similarly as possible. They would have discussions about what they planned to paint, and then spend all day painting at each other's workplace. Each evening, they would rush to the other's apartment to comment on what the other had done. Then they proceeded to intensely criticize each other's work. A painting was not completed (C) if / unless both of them said it was finished.

*cubism: 입체파

	(A)	(B)	(C)
①	them	...... similar	...... if
②	them	...... similarly	...... unless
③	themselves	...... similarly	...... if
④	themselves	...... similarly	...... unless
⑤	themselves	...... similar	...... if

055 기출

다음 글의 밑줄 친 부분 중, 어법상 틀린 것은?

　I wonder how many people give up just when success is almost within reach. They endure day after day, and just when they're about ① to make it, decide they can't take any more. The difference between success and failure is not ② that great. Successful people have simply learned the value of staying in the game until it ③ is won. Those who never make it ④ are the ones who quit too soon. When things are darkest, successful people refuse to give up because they know they're almost there. Things often seem at ⑤ its worst just before they get better. The mountain is steepest at the summit, but that's no reason to turn back.

056

(A), (B), (C)의 각 네모 안에서 어법에 맞는 표현으로 가장 적절한 것은?

　When many language learners are making errors, they feel embarrassed and often think they will never learn to use the language (A) correct / correctly. Good learners, however, are not discouraged by making errors but rather go so far as to make errors (B) work / to work for them. Making errors is an inevitable part of the language-learning process, and good learners look upon errors as a helpful part of this process. For example, no one is expected to play the violin perfectly at (C) some / any stage in his or her musical studies, and the same principle applies to computer, sporting and artistic skills. These skills, unless you are one of the world's few geniuses, are developed to a certain level over time.

	(A)	(B)	(C)
①	correct	...... to work	...... some
②	correctly	...... work	...... any
③	correct	...... work	...... some
④	correctly	...... to work	...... some
⑤	correct	...... work	...... any

057

다음 글의 밑줄 친 부분 중, 어법상 틀린 것은?

The Djoser Step Pyramid at Saqqara, Egypt, was constructed by Imhotep, Djoser's royal architect. Its entrance ① sealed with a three-ton piece of granite, and the tomb itself was originally decorated with large stars. Whether this tomb was intended for a member of Djoser's (second pharaoh of the 3rd dynasty) family ② is not known. Most of the outer surface of this spectacular pyramid ③ is now worn away. Rectangular in shape, although Djoser's mastaba tomb is square, they were then enlarged by adding one mastaba on top of ④ another, each consecutively smaller, until it reached six steps high. The only human remains ever discovered in the Djoser Step Pyramid's tomb ⑤ are a pair of mummified feet. It's thought the feet belonged to someone who lived about 500 years after Djoser.

058

(A), (B), (C)의 각 네모 안에서 어법에 맞는 표현으로 가장 적절한 것은?

Waking after seven to eight hours of sleep and feeling unrefreshed could be a sign of poor quality sleep. The quality of sleep is as vitally important to our health and well-being as (A) is/does the quantity. Our sleep has a complex pattern, or architecture, consisting of four stages (B) where / which run through various cycles during the night. During certain stages and times of the sleep cycle, we secrete a variety of hormones and other substances that help regulate our metabolism and other health-related factors. If our sleep patterns are altered, we may be left feeling unrefreshed, tired, and sleepy, as well as (C) being put / putting at risk for a host of serious medical conditions.

	(A)	(B)	(C)
①	does	where	being put
②	does	where	putting
③	does	which	being put
④	is	which	putting
⑤	is	which	being put

059

다음 글의 밑줄 친 부분 중, 어법상 틀린 것은?

A father-and-son team competes in an Ironman Triathlon that ① consists of swimming, bicycling, and running. Together they have climbed mountains and once trekked 3,735 miles across America. It's a remarkable record of exertion, considering ② that Rick, the son, can't walk or talk. When Dick runs, Rick is in a wheelchair that Dick is pushing. When Dick cycles, Rick is in a specially designed seat-pod, ③ attached to the front of the bike. When Dick swims, Rick is in a small but heavy boat ④ being pulled by Dick. At Rick's birth in 1962, the umbilical cord coiled around his neck and cut off oxygen to his brain. Dick and his wife, Judy, ⑤ told at the hospital that there would be no hope for their child's development.

060

(A), (B), (C)의 각 네모 안에서 어법에 맞는 표현으로 가장 적절한 것은?

Korea's birthrate has dropped to an unprecedented low as fewer women are choosing to have children. According to the National Statistical Office (NSO), Korean women gave birth to 495,000 babies last year, (A) bringing / brought the country's average fertility rate to 1.17. NSO officials say the figure is lower than (B) those / that of Japan which had 1.32 and is the lowest among member nations of the Organization for Economic Cooperation and Development. Korea has been witnessing a steady decline in its birthrate since 1980 (C) in which / which the figure almost halved from 4.5 in the 70s to 2.8. Analysts are trying to persuade the government to come up with incentives for people having babies amid a rapidly aging population.

	(A)	(B)	(C)
①	bringing	those	in which
②	bringing	that	which
③	bringing	that	in which
④	brought	that	which
⑤	brought	those	in which

061

다음 글의 밑줄 친 부분 중, 어법상 틀린 것은?

Many people ① used to think there could be plants on Mars. We now know that Mars has very little carbon. Carbon is a kind of material ② found in all plants and animals on earth. Through a telescope, Mars ③ looks red. In some places, it seems gray. At times, the gray color turns gray-green, then brown, then gray again. It was once believed that this suggested that plant life ④ changing color with the seasons. Today we know that the red color comes from a fine dust of iron on the planet. Scientists are still working ⑤ to explain some of the changing colors. Mars has many mysteries left.

062

(A), (B), (C)의 각 네모 안에서 어법에 맞는 표현으로 가장 적절한 것은?

The Internet is a gigantic collection of millions of computers, all linked together on a computer network. The network allows all of the computers to communicate with (A) one another/another . A home computer may be linked to the Internet (B) using/used a phone-line modem, DSL or cable modem that talks to an Internet service provider (ISP). A computer in a business or university will usually have a network interface card (NIC) (C) connecting/connected it to a local area network (LAN) inside the business or university. It can then connect its LAN to an ISP by a high-speed phone line like a T1 line. ISPs then connect to larger ISPs, and the largest ISPs maintain fiber-optic "backbones" for an entire nation or region.

(A)	(B)	(C)
① one another	using	connecting
② another	using	connected
③ one another	used	connected
④ another	used	connected
⑤ one another	used	connecting

063

다음 글의 밑줄 친 부분 중, 어법상 틀린 것은?

We cannot live a usual life without any expenditure. We all need food, clothes, medicine, and a house ① to live. However, we might often ask for unnecessary items that we can do without. A sensible man ② would spend within his income. He must sort out the necessary goods and buy them according to the order of priority ③ whenever he can. He must also put aside some money for a difficult situation. Some money must be kept for renting a house or purchasing a new place. He must not forget utility fees and telephone bills. In addition, taxes and school fees must ④ be kept in mind. He must refrain from ⑤ overspending and not pay for insignificant things.

064

(A), (B), (C)의 각 네모 안에서 어법에 맞는 표현으로 가장 적절한 것은?

Every year, about two million children in the United States come down with chicken pox. This disease is caused by a virus. A virus is a tiny form of living matter that can (A) be seen/see only through a microscope. Viruses can grow only in the living tissue of plants, animals, or people. The virus that causes chicken pox lives in saliva and mucus. When people get the virus, they cough and sneeze. This is (B) how/what the virus is spread to other people. People with chicken pox get an itchy rash. Finally, in 1995, the U.S. government approved a chicken pox vaccine. If all young children get the vaccine, a time will come (C) when/which most people will be safe from chicken pox.

*saliva: 타액, 침 **mucus: (생물체 내의) 점액

(A)	(B)	(C)
① see	what	when
② see	how	which
③ be seen	how	when
④ be seen	what	when
⑤ be seen	what	which

09 접속사 / 전치사

1 주의해야 할 접속사

1. If[Whether]: '~인지 아닌지'

① 주절을 이끄는 경우: if는 주절에는 거의 쓰지 않는다.
- **Whether** he will agree or not is very doubtful.[1]
  = It is very doubtful **whether** he will agree or not.

② 목적어절을 이끄는 경우: if, whether 모두 쓸 수 있다.
- I wonder **if[whether]** the news is true.[2]

2. not ~ until ... : '…하여 비로소 ~하다'
- We do **not** know the value of health **until** we lose it.[3]
  = **Not until** we lose health **do we know** its value.
  (부정어가 앞에 오면 도치 발생: 「조동사＋주어＋동사원형」)
  = It is **not until** we lose health **that** we know its value.
  (It ~ that 강조구문)

3. No sooner ~ than ... : '~하자마자 …했다'
= Hardly [Scarcely] ~ when[before] ...
= as soon as
= on＋명사상당어구
= the moment[minute/instant] (that)
- **No sooner** had she said it **than** she burst into tears.[4]
  = She had **no sooner** said it **than** she burst into tears.
  = **As soon as** she said it, she burst into tears.
  = **On** saying it, she burst into tears.
  = **The moment[minute / instant] (that)** she said it, she burst into tears.

4. lest ~ (should): '~하지 않도록'
= so that[in order that] ~ not
- He ran away **lest** he (**should**) be seen.[5]

2 주의해야 할 전치사

1. 시간을 나타내는 표현 until, by
- I will stay here **until** five.[6] ('계속'의 의미)
- You will have to be back **by** ten o'clock.[7] ('완료'의 의미)

2. 시간을 나타내는 표현 in, within, after
- I will be back **in** three days.[8] (현재부터) ~ 후에, ~이 지나면
- I can finish the work **within** a week.[9] (어떤 기간) ~ 이내에
- He came back **after** two days.[10] (과거 또는 미래 시점부터) ~ 후에

3. 시간을 나타내는 표현 during, for
- **During** the summer season, all the hotels are full.[11]
- I was standing in the rain **for** three hours.[12]

1. 그가 동의할지 안 할지는 매우 불확실하다. 2. 나는 그 소식이 사실인지 궁금하다.
3. 우리는 건강을 잃고 나서야 그 가치를 안다. 4. 그녀는 그것을 말하자마자 울음을 터
트렸다. 5. 그는 눈에 띄지 않도록 도망갔다. 6. 나는 다섯 시까지 여기에 머물 것이다.
7. 너는 정각 열 시까지 돌아와야 할 것이다. 8. 나는 3일 후에 돌아올 것이다. 9. 나는
일주일 내로 그 일을 끝마칠 수 있다. 10. 그는 이틀 후에 돌아왔다. 11. 여름철 동안 모
든 호텔들이 꽉 찬다. 12. 나는 빗속에서 세 시간 동안 서 있었다.

Check Point

1. Take care [lest / that] you should stumble at the top of the stairs.
2. I had to finish my job [by / until] five o'clock before the deadline.

---

065 기출

(A), (B), (C)의 각 네모 안에서 어법에 맞는 표현으로 가장 적절한 것은?

I had twenty village girls to teach, some of them with such a strong country accent (A) that / what I could hardly communicate with them. Only three could read, and none could write, so at the end of my first day I felt quite (B) depressing / depressed at the thought of the hard work ahead of me. But I reminded myself that I was fortunate to have any sort of job, and that I would certainly get used to (C) teaching / being taught these girls, who, although they were very poor, might be as good and as intelligent as children from the greatest families in England.

	(A)	(B)	(C)
①	that	depressed	teaching
②	that	depressing	being taught
③	that	depressed	being taught
④	what	depressing	being taught
⑤	what	depressed	teaching

066 기출

다음 글에서 밑줄 친 부분 중, 어법상 틀린 것은?

Chocolate can last in a cool, dry place for up to a year. When the temperature in your cupboard ① averages above 75 degrees Fahrenheit, chocolate may quickly develop thin white layers ② caused by the separation of cocoa butter. You can still eat this chocolate, even though it should not be used for decorations, ③ as it tends to break easily. Though chocolate may ④ be kept in the refrigerator or freezer, it will take on the smells of other foods in time, so taste before using. Also, ⑤ making sure to bring chocolate to room temperature before eating, as frozen bits of chocolate always strike me as rather hard and tasteless.

067

(A), (B), (C)의 각 네모 안에서 어법에 맞는 표현으로 가장 적절한 것은?

The violent opposition which Copernicus' new system met from the Church (A) leading/led subsequent commentators to suppose that he had delayed publication of his work through fear of the church authorities. There seems, however, to be no direct evidence supporting this opinion. It has been thought to be significant that Copernicus addressed his work to the Pope. It is, of course, quite (B) conceivable/conceivably that the aged astronomer might have wished by this means to demonstrate that he wrote in no spirit of hostility to the church. His address to the Pope might have been considered as a desirable shield precisely because the author recognized (C) that/what his work would have to confront criticism from the Church.

	(A)	(B)	(C)
①	led	...... conceivable	...... what
②	led	...... conceivably	...... that
③	led	...... conceivable	...... that
④	leading	...... conceivably	...... that
⑤	leading	...... conceivably	...... what

068 기출

다음 글의 밑줄 친 부분 중, 어법상 틀린 것은?

The latest studies indicate that ① what people really want is a mate that has qualities like their parents. Women are ② after a man who is like their father and men want to be able to see their own mother in the woman of their dreams. Cognitive psychologist David Perrett studies what makes faces ③ attractively. He has developed a computerized morphing system that can endlessly adjust faces to suit his needs. Perrett suggests that we ④ find our own faces charming because they remind us ⑤ of the faces we looked at constantly in our early childhood years—Mom and Dad.

069 기출

(A), (B), (C)의 각 네모 안에서 어법에 맞는 표현으로 가장 적절한 것은?

One day last summer when I was in the bathroom, the lock on the door jammed. I couldn't get it unlocked (A) how/however hard I tried. I thought about my predicament. I didn't think the neighbors could hear me if I shouted. Then I remembered the small window on the back wall. The basin (B) near/nearly the window provided an easy step up. After climbing out the window, I hung from the window sill for a few seconds and then easily dropped to the ground. Later my mother came home and asked me what I (C) have/had been doing. Laughing, I responded, "Oh, just hanging around."

*predicament: 곤경

	(A)	(B)	(C)
①	how	...... near	...... have
②	how	...... nearly	...... had
③	however	...... nearly	...... have
④	however	...... near	...... have
⑤	however	...... near	...... had

070

다음 글의 밑줄 친 부분 중, 어법상 틀린 것은?

Through summit meetings of the Association of South East Asian Nations (ASEAN), Korea ① has been achieving an influential status within the international community in many respects: A Korean is the U.N. Secretary General; Korea was the host of the Group of 20 Summit ② in 2010; it has signed a free-trade deal with the European Union; it is seeking a big increase in its voting power at the International Monetary Fund ③ to reflect its role in global trade. All of these factors have helped ④ shifting the global focus on Korea away from the problems of the peninsula and North Korea's nuclear ambitions toward South Korea's role ⑤ as a normal middle-ranking power. ASEAN is a particularly fertile ground for enhancing Korea's influence.

⑩ 형용사 / 부사 / 비교

1 형용사의 중요 사항

1. 한정적 용법: 명사를 앞 또는 뒤에서 직접 수식
- **only** child 외동아들, 외동딸
- from the **very** beginning 맨 처음부터

cf. only, very elder(손위의), lone, drunken 등은 한정적으로 쓰인다.

2. 서술적 용법: 주격 보어나 목적격 보어로 쓰임
① **afraid, alike, alive, asleep, alone, ashamed, awake...**
   (주로 'a~'로 시작하는 형용사)
   - The baby was asleep in her cradle.[1]
② **content, unable, worth, fond...**
   - I'm content with my life.[2]

3. 형용사의 일반적인 순서:
「지시사-수량-크기-성질, 상태-신구(新舊)-재료-소속+명사」
- those two large fine old stone houses
  저 돌로 지은 크고 멋진 오래된 집 두 채

2 부사의 중요 사항

1. very와 much
- It is a **very** large building.[3] (원급 수식, 현재분사 수식, 구어체의 과거분사(형용사화 되어 감정을 의미하는 분사) 수식)
- He is **much** better today.[4] (비교급과 최상급, 과거분사, 동사 수식)

2. (부사) ago, before / (전치사) in, after
① **ago**: (지금부터) ~ 전에
   - I saw him two days **ago**.[5]
② **before**: (과거 또는 미래의 어느 시점부터) ~ 전에
   - He got back from Japan the day **before** yesterday.[6]
③ **in**: (지금부터) ~ 후에
   - I'll be with you **in** a minute.[7]
④ **after**: (과거 또는 미래의 어느 시점부터) ~ 후에
   - I went home **after** an hour.[8]

3 원급과 비교급을 사용하여 최상급의 의미를 표현할 수 있다.
- Mt. Everest is **the highest** mountain in the world.[9]
- = **No (other)** mountain in the world is **as[so]** high **as** Mt. Everest.
- = **No (other)** mountain in the world is higher than Mt. Everest.
- = Mt. Everest is **higher than any other** mountain in the world.
- = Mt. Everest is **the highest of all** the mountains in the world.

1. 아기는 요람에서 잠을 자고 있었다. 2. 나는 내 삶에 만족한다. 3. 그것은 매우 큰 건물이다. 4. 그는 오늘 훨씬 더 좋아 보인다. 5. 나는 이틀 전에 그를 보았다. 6. 그는 그제 일본에서 돌아왔다. 7. 내가 네가 있는 곳으로 곧 갈게. 8. 나는 한 시간 후에 집에 갔다. 9. 에베레스트 산은 세계에서 가장 높은 산이다.

Check Point
1. It may sound [strange / strangely], but it is true.
2. Julie is [not / less] tall than Sarah.

---

071 기출
(A), (B), (C)의 각 네모 안에서 어법에 맞는 표현으로 가장 적절한 것은?

A choice of works from the mainstream repertory is unlikely to (A) surprise/surprising people. Realistically, most performers will have to play this repertory in order to secure some credibility. However, mainstream repertory is not necessarily the same as the (B) best/most repertory. There are several reasons why some works, and not others, have become popular, and these reasons have as (C) many/much to do with the historical availability of music as with its enduring quality.

	(A)	(B)	(C)
①	surprise	best	many
②	surprise	best	much
③	surprise	most	much
④	surprising	most	much
⑤	surprising	most	many

072 기출
다음 글에서 밑줄 친 부분 중, 어법상 틀린 것은?

Wherever the ad is placed, many members of the target market may miss it, so by increasing the frequency of an ad, advertisers increase the likelihood ① which members of the target market will be exposed to it. If advertising is on television, the more ② frequently a commercial is run, the more people it will reach. If advertising is on a bulletin board, the location will affect ③ how many people see the ad. If it is placed in a high-traffic zone, more people will see it, and if it is placed in a low-traffic zone, ④ fewer people will see it. However, ⑤ increasing the frequency of advertising costs more money, and advertising is most expensive where it is most effective. Therefore, careful planning is necessary when allocating funds for advertising.

Answers 21p

073 기출

(A), (B), (C)의 각 네모 안에서 어법에 맞는 표현으로 가장 적절한 것은?

When we enter a room, we immediately recognize the floor, chairs, furniture, tables, and so forth. But when a robot scans a room, it sees nothing but a vast collection of straight and curved lines, (A) which/what it converts to pixels. It takes an enormous amount of computing time to make sense out of this jumble of lines. A computer sees only a collection of circles, ovals, spirals, straight lines, curly lines, corners, and so on. (B) Spending/Spent an enormous amount of computing time, a robot might finally recognize the object as a table. But if you rotate the image, the computer has to start all over again. In other words, robots can see, and in fact they can see (C) much/very better than humans, but they don't understand what they are seeing.

*jumble: 혼잡, 뒤범벅

	(A)		(B)		(C)
①	what	……	Spent	……	very
②	what	……	Spending	……	much
③	which	……	Spending	……	much
④	which	……	Spent	……	very
⑤	which	……	Spending	……	very

074 기출

다음 글의 밑줄 친 부분 중, 어법상 틀린 것은?

We have ① long known about IQ and rational intelligence. And, in part ② because of recent advances in neuroscience and psychology, we have begun to appreciate the importance of emotional intelligence. But we are largely ③ ignorant of that there is such a thing ④ as visual intelligence. Vision is normally so swift and sure, so dependable and informative, and apparently so effortless that we take it for ⑤ granted.

*neuroscience: 신경과학

075

(A), (B), (C)의 각 네모 안에서 어법에 맞는 표현으로 가장 적절한 것은?

Food customs (A) vary/are varied from place to place. In a country such as Zaire, Africa, people ordinarily use their fingers to eat, while elsewhere that would be considered (B) rude/rudely. For them the way one eats is very important, so if you eat food in the same way as them, people will recognize you better. It is sensible to follow the way of the people you are eating with—if they use their fingers, you had better do the same, but only (C) using/used the right hand. In Indonesia, it is important to leave some food on your dish when you finish eating; if you do not, it is a sign that you want more food. In other places, that would be considered bad-mannered.

	(A)		(B)		(C)
①	vary	……	rude	……	used
②	are varied	……	rudely	……	using
③	vary	……	rudely	……	using
④	vary	……	rude	……	using
⑤	are varied	……	rude	……	used

076 기출

다음 글의 밑줄 친 부분 중, 어법상 틀린 것은?

Is quicksand for real? Yes, but it's not as deadly as it is in the movies. Quicksand forms when sand gets mixed with too much water and ① becomes loosened and soupy. It may look like normal sand, but if you were to step on it, the pressure from your foot would cause the sand ② to act more like a liquid, and you'd sink right in. Pressure from underground sources of water would separate and suspend the granular particles, ③ reduced the friction between them. In quicksand, the more you struggle, the ④ deeper you'll sink. But if you remain still, you'll start to float. So if you ever do fall into quicksand, remember to stay calm, and don't move until you've stopped ⑤ sinking.

11 특수구문

1 어순 도치

1. 대응 표현으로 인한 도치: 「So[Neither]+동사+주어」

A I saw the movie.[1]
B **So did I.**[2] (= I saw the movie, too.)

A He will not go there.[3]
B **Neither will I.**[4] (= I won't go there, either.)

2. 보어를 문두로 도치: 「보어+동사+주어」

· **Happy is the man** who is satisfied with his job.[5]

3. 부정어 도치

· **Not a word** did he say at the meeting.[6]
· **No sooner** had he left the house than the phone rang.[7]

4. 부사(구)가 문두로 나올 때의 도치

· **Down** came the shower in torrents.[8] (자동사 도치)
· **In vain** did he try to persuade her.[9]

5. 조건문, 양보구문에서의 도치

① 조건문 (If 생략, 도치)
· **Had I known** it, I should have told it to you.[10]
 (=If I had known it, ~)

② 양보 구문 (주격 보어가 as 앞으로 도치, 관사 생략)
· **Woman** as I am, I may be of help to you.[11]
 (=Though I am a woman, ~)

2 강조

1. 강조의 조동사 do 및 강조의 어구들

· **I do** think you ought to do it.[12]
· He is **the very** man that I want to meet.[13]
· I will do it **myself**.[14]

2. 부정문의 강조 어구

· I don't know her **at all**.[15]
 (「부정어구(not, no, nothing)+at all, whatever」)

3. 「It is ~ that ...」 강조 구문

· **It** is <u>you</u> that[who] I like best of all.[16]
 cf. It is **not until** we lose our health **that** we know its value.
 = We don't know the value of our health **until** we lose it.
 = **Not until** we lose our health do we know its value.[17]

1. 나는 그 영화를 봤어. 2. 나도 그 영화를 봤어. 3. 그는 그곳에 가지 않을 거야. 4. 나도 그곳에 가지 않을 거야. 5. 자신의 직업에 만족하는 사람은 행복하다. 6. 그는 회의에서 한 마디도 말하지 않았다. 7. 그가 집을 떠나자마자 전화벨이 울렸다. 8. 소나기가 억수같이 내린다. 9. 그는 그녀를 설득하려고 했지만 헛수고였다. 10. 내가 그것을 알았더라면, 네게 말해줬을 텐데. 11. 나는 여자이지만, 내가 네게 도움이 될 수도 있다. 12. 나는 정말 네가 그것을 해야 한다고 생각한다. 13. 그가 바로 내가 만나기를 원한 그 남자이다. 14. 나는 그것을 내 스스로 할 것이다. 15. 나는 그녀에 대해서 전혀 모른다. 16. 모든 사람 중에서 내가 가장 좋아하는 사람은 바로 너. 17. 우리는 건강을 잃고 나서야 그것의 가치를 안다.

Check Point

1. No sooner [he had / had he] seen me than he ran away.
2. Had [I known / known I] her address, I could write to her.

077

다음 글에서 밑줄 친 부분 중, 어법상 틀린 것은?

　The phrase, 'jack-of-all-trades' is a ① <u>shortened</u> version of 'jack of all trades and master of none.' It refers to those who ② <u>claim</u> to be proficient at countless tasks, but cannot perform a single one of them well. The phrase was first used in England at the start of the Industrial Revolution. A large number of efficiency experts set up shop in London, ③ <u>advertising</u> themselves as knowledgeable about every type of new manufacturing process, trade, and business. For a substantial fee, they would impart their knowledge to their clients. But it soon became ④ <u>evident</u> that their knowledge was limited and of no practical value. Doubtful industrialists started calling these self-appointed experts 'jacks of all trades and masters of none.' These experts are still with us, and as a result so ⑤ <u>does</u> the phrase.

078 기출

(A), (B), (C)의 각 네모 안에서 어법에 맞는 표현으로 가장 적절한 것은?

　We anticipate the future as if we found it too slow in coming and we were trying to hurry it up. (A) So / Such imprudent are we that we wander about in times that are not ours and do not think of the one that belongs to us. We try to support the present with the future and (B) think / thinking of arranging things we cannot control, for a time we have no certainty of reaching. Examine your thoughts, and you will find them wholly (C) to occupy / occupied with the past or the future. We almost never think of the present, and if we do so, it is only to shed light on our plans for the future. The past and the present are our means; only the future is our end.

	(A)	(B)	(C)
①	So	thinking	occupied
②	So	think	to occupy
③	So	think	occupied
④	Such	thinking	occupied
⑤	Such	thinking	to occupy

079

다음 글의 밑줄 친 부분 중, 어법상 틀린 것은?

Louis Pasteur's greatest discovery was serendipitous. ① Upon leaving a culture of bacteria out too long, he killed it. However, deciding ② not to waste it, he tried injecting healthy chickens with the germs. Surprisingly, not only ③ the chickens did not become ill, but they also gained immunity from the disease. The use of vaccines was not new, as the English physician Edward Jenner ④ had previously discovered a vaccination to prevent smallpox. But Pasteur's work was so significant because he was able to create vaccines artificially. This enabled scientists to protect people from a host of dangerous and potentially life-threatening pathogens. In time, a number of them would be ⑤ nearly completely eradicated.

080 기출

(A), (B), (C)의 각 네모 안에서 어법에 맞는 표현으로 가장 적절한 것은?

Language never stands still. Every language, until it ceases to (A) speak/be spoken at all, is in a state of continual change. The English which we speak and write is not the same English that was spoken and written by our grandfathers. Nor (B) was their English/their English was precisely like that of Queen Elizabeth's time. The farther back we go, (C) the little/the less familiar we find ourselves with the speech of our ancestors. So finally we reach a kind of English that is quite strange to us, as if it were a foreign tongue.

	(A)	(B)	(C)
①	speak	their English was	the less
②	speak	was their English	the little
③	be spoken	was their English	the less
④	be spoken	was their English	the little
⑤	be spoken	their English was	the little

081

다음 글의 밑줄 친 부분 중, 어법상 틀린 것은?

The residents of Mountain View were evacuated yesterday as forest fires headed towards the town. ① Such was the heat of the approaching blaze that trees more than fifty feet away began to smoke. Only once in recent years, during 2008, ② has a town of this size had to be evacuated because of forest fires. Dozens of coaches and trucks rushed into the town in the early morning. Into these vehicles ③ climbed the sick and elderly first, before they left for safe areas. Residents with cars left by mid-morning, as ④ was all non-requisite firefighters. ⑤ Hardly had the evacuation been completed when fortunately the wind changed direction and it became clear that the fire would leave Mountain View untouched.

082 기출

(A), (B), (C)의 각 네모 안에서 어법에 맞는 표현으로 가장 적절한 것은?

I was five years old when my father introduced me to motor sports. Dad thought (A) it/which was a normal family outing to go to a car racing event. It was his way of spending some quality time with his wife and kids. (B) Few/Little did he know that he was fueling his son with a passion that would last for a lifetime. I still remember the awesome feeling I had on that day in May when my little feet (C) carried/were carried me up the stairs into the grandstands at the car racing stadium.

	(A)	(B)	(C)
①	it	Little	carried
②	it	Few	were carried
③	it	Little	were carried
④	which	Few	carried
⑤	which	Little	were carried

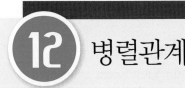

12 병렬관계

1 병렬 구조

병렬 구조는 두 어구 이상이 접속사로 연결된 것이다.

1. 연결되는 어구들은 문장의 균형과 일관성을 유지하기 위해 같은 형태를 유지하는 것이 바람직하다.

- Hellena is beautiful, intelligent, kind, and talented.[1]

cf. Hellena is beautiful, intelligent, kind, and talent. (X)

2. 명사(구)의 병렬 구조

- Honeybees are best known for their production of honey **and** their skill at constructing elaborate hives.[2]

3. 동사(구)의 병렬 구조

- The students asked each other about the names of the fossils, took pictures of them, **and** sometimes played games related to the fossils.[3]

4. 부정사구와 동명사구의 병렬 구조

- What he really wants is **to** make a lot of money and retire early.[4]
- I **prefer** traveling by subway **to** driving a car.[5]

cf. What he really wants is to make a lot of money and ~~retiring~~ early. (X)

5. 등위접속사의 병렬 구조

- Jenny was busy talking with Professor Chris, so I waited for her in the library.[6]

6. 상관접속사의 병렬 구조

- Many young people stayed up late **either** working at the office **or** enjoying nighttime on the street.[7]

2 기타 병렬 구조(도치가 포함된 구조)

- Among the reasons Mike quit his job were that he got bored with it, that he had no more chance for promotion, and that he had a better offer from another company.[8]

1. Hellena는 아름답고, 지적이고, 친절하고, 재능이 있다.   2. 꿀벌은 꿀의 생산과 정교한 벌통을 짓는 능력으로 가장 잘 알려져 있다.   3. 그 학생들은 서로에게 화석의 이름을 물어보고, 화석의 사진을 찍고, 때때로 화석과 관련된 게임을 했다.   4. 그가 정말로 원하는 것은 돈을 많이 벌고, 일찍 은퇴하는 것이다.   5. 나는 차를 운전하는 것보다 지하철로 이동하는 것을 더 좋아한다.   6. Jenny는 Chris 교수님과 이야기하느라 바빠서, 나는 그녀를 도서관에서 기다렸다.   7. 많은 젊은 사람들이 사무실에서 일하거나 거리에서 밤을 즐기며 밤늦게까지 깨어 있었다.   8. Mike가 일을 그만둔 이유 중에는 그가 그 일에 싫증이 났고, 승진할 기회가 더 이상 없으며, 다른 회사에서 더 나은 제시를 해왔다는 것이 있다.

Check Point

1. The aim of art is not to instruct, but [to allow / allowing] people to appreciate the works of art.
2. We should impose limits on technology and industrial production so as to conserve natural resources, preserve the ecological balances, and [favor / to favor] the development and autonomy of communities and individuals.

---

083 기출

다음 글의 밑줄 친 부분 중, 어법상 틀린 것은?

Gas stations are a good example of an impersonal attitude. At many stations, attendants have even stopped ① pumping gas. Motorists pull up to a gas station where an attendant is ② enclosed in a glass booth with a tray for taking money. The driver must get out of the car, pump the gas, and ③ walk over to the booth to pay. And customers with engine trouble or a non-functioning heater are ④ usually out of luck. Why? Many gas stations have gotten rid of on-duty mechanics. The skillful mechanic has been replaced by a teenager in a uniform ⑤ which doesn't know anything about cars and couldn't care less.

084 기출

다음 글의 밑줄 친 부분 중, 어법상 틀린 것은?

While manned space missions are more costly than unmanned ① ones, they are more successful. Robots and astronauts use ② much of the same equipment in space. But a human is much more capable of operating those instruments correctly and ③ to place them in appropriate and useful positions. Rarely ④ is a computer more sensitive and accurate than a human in managing the same geographical or environmental factors. Robots are also not equipped with capabilities like humans to solve problems ⑤ as they arise, and they often collect data that are unhelpful or irrelevant.

085 기출

(A), (B), (C)의 각 네모 안에서 어법에 맞는 표현으로 가장 적절한 것은?

William Kamkwamba (A) left/leaving school at 14 as his family was unable to pay the school fees, but that didn't stop him from doing something remarkable. Armed only with his intelligence, a book on electricity, and some plastic pipes, Kamkwamba built his first windmill, (B) where/which generated enough power to run a light in his room. He used a bicycle to increase efficiency for his second windmill. The windmill was able to generate power for his parents' house. His next goal is to provide enough energy for his entire village and eventually (C) go/goes to college.

	(A)	(B)	(C)
①	left	...... which	...... go
②	left	...... where	...... go
③	left	...... where	...... goes
④	leaving	...... which	...... go
⑤	leaving	...... where	...... goes

086 기출

다음 글의 밑줄 친 부분 중, 어법상 틀린 것은?

A book review is a personal assessment which explains ① how well an author has covered a specific topic. As a reviewer, you analyze the book for how it tells a story and ② evaluates the quality of writing and organization. The book review should also feature an objective description of the storyline, so readers can understand the review's context. You need to make things ③ concrete. Remember, you're writing for people who have not yet read the book, so providing unclear comments won't be helpful ④ unless some specifics are also included. Feel free ⑤ to cite direct text and quotations from the book, but don't go overboard. Just cutting long quotations from the book will bore your readers.

087

(A), (B), (C)의 각 네모 안에서 어법에 맞는 표현으로 가장 적절한 것은?

The Big Bang Theory, the (A) prevailed/prevailing scientific theory about the origin of the universe, suggests the universe was created about 14 billion years (B) ago/before due to a single cosmic explosion. In 1929, astronomer Edwin Hubble discovered that the universe is incessantly expanding, and that the speed at which a galaxy is moving away from us is proportional to the distance it is from us. Such observations provided the basis of the Big Bang Theory. Then, while the Big Bang Theory is well established and widely accepted, it is still being, and (C) continue/will continue to be, constantly studied and updated in the future. There are many areas in which the current theory has difficulty explaining and providing answers.

	(A)	(B)	(C)
①	prevailed	...... ago	...... continue
②	prevailed	...... before	...... will continue
③	prevailing	...... ago	...... continue
④	prevailing	...... before	...... continue
⑤	prevailing	...... ago	...... will continue

088 기출

다음 글의 밑줄 친 부분 중, 어법상 틀린 것은?

The walls on either side of the front window ① are lined with pictures from her father's job. He had worked with cameras at the Space Center, and after each big launch he was given photographs, framed in thin black metal, ② which hung like award certificates all over the living room: trios of smiling, orange-suited astronauts; the enormous building ③ where they constructed the rockets; silver capsules ④ drifting down over the ocean beneath orange-and-white-striped parachutes. Above the television is a large picture of Neil Armstrong standing on the surface of the moon and ⑤ salutes a stiff American flag.

089

다음 글의 밑줄 친 부분 중, 어법상 틀린 것은?

Four young children under 12 auctioned their toys online to help their mother ① pay for their father's funeral. Before that, their mother had already had her cellular phone and broadband Internet connections cut and had sold the family's pets. ② Worst of all, their home could be repossessed and they may be left without a roof over their heads ③ due to the fact that they have delayed the mortgage payment for several months. The young daughters saw their mother feel heartbroken over the father's death and financial risk and ④ decide to sell their playthings to help their mother. When a boss of a certain website company heard of the family's sad plight, he ⑤ set up the online auction for them under the heading Daddy's Funeral Fund.

090

(A), (B), (C)의 각 네모 안에서 어법에 맞는 표현으로 가장 적절한 것은?

Many women color their hair. (A) If/Unless the color is extraordinary, it is not significant. But a woman who chooses to let her hair go gray may be making a strong statement. She is comfortable with herself and her age. She doesn't rely on the opinion of others but decides for herself (B) what/that looks good on her. Women who go gray may also be doing so for practical reasons, in which case their clothing will be practical too. Some women, allergic to hair dye, have (C) little/few choice in the matter, so their graying hair says nothing about their personalities.

	(A)	(B)	(C)
①	If	that	few
②	Unless	what	little
③	Unless	what	few
④	Unless	that	few
⑤	If	what	little

091

다음 글의 밑줄 친 부분 중, 어법상 틀린 것은?

As folklore ① has it, "teddy" was born in 1902, when President Theodore "Teddy" Roosevelt was taking a well-deserved break on a shooting trip in Mississippi. When the local game failed to show up, the president's aides captured and stunned a bear cub and ② offered it to Roosevelt to finish off. ③ Deemed this "unsporting," the president declined. His act of mercy was caricatured in the next day's Washington Post. The cartoon caught the eye of New York sweet shop owner Morris Michtom, ④ who asked his wife to make a toy "Teddy's bear." Then Michtom decided to sell the new toy. The decision ⑤ to make and sell Teddy's bears was so successful that the couple closed their candy store and started a new company, a toy company called Ideal Novelty and Toy.

092

(A), (B), (C)의 각 네모 안에서 어법에 맞는 표현으로 가장 적절한 것은?

Many parents have difficulty (A) to determine/determining the choice of sending their children to a normal high school or a special-purpose high school. This is (B) because/because of the competition associated with university acceptance. This decision can have an important impact on (C) whether/which their children enter prestigious universities or not in three years. Parents do not seem interested in the fact that the special-purpose high schools are more intended for foreign languages or elite scientific training than normal high schools. They only care which one provides a higher percentage of acceptance into renowned universities.

	(A)	(B)	(C)
①	to determine	because of	whether
②	determining	because of	whether
③	determining	because of	which
④	to determine	because	which
⑤	determining	because	which

093

다음 글의 밑줄 친 부분 중, 어법상 틀린 것은?

National currencies are vitally important to ① the way modern economies operate. They allow us ② to express the value of an item consistently across borders, oceans, and cultures. Wealth can be easily stored or transported as currency. Currencies are also deeply embedded in our cultures and our psyche. Have you ever thought about ③ how familiar are you with the price of things? If you've grown up in the United States, you think of everything in "dollars," ④ just as you think about distances in inches and miles. On January 1, 2002, the euro became the single currency of 12 member states of the European Union. It was also the largest currency event in the history of the world. Twelve national currencies evaporated and ⑤ were replaced by the euro.

094

(A), (B), (C)의 각 네모 안에서 어법에 맞는 표현으로 가장 적절한 것은?

Do you know how people make the impossible (A) happen / to happen in movies and make it look completely real? For example, they made it look totally real when the boys' bicycles began flying in the movie *E.T.* Even on the weather news, it looks completely real when the weather forecaster is standing in front of an animated weather map full of computer graphics. In these cases, the illusion is created by a special effects technique known as traveling matte or blue screen. This technique allows actors and scale models to find (B) them / themselves in totally imaginary situations, such as in space ships, dangling from rope bridges over gorges or flying through the air, and have it look completely real in the theater. The technique (C) is used / used so often now that you don't even realize it.

	(A)	(B)	(C)
①	happen	...... themselves	...... used
②	happen	...... them	...... used
③	happen	...... themselves	...... is used
④	to happen	...... themselves	...... is used
⑤	to happen	...... them	...... used

095

다음 글의 밑줄 친 부분 중, 어법상 틀린 것은?

Supporters of genetically modified (GM) foods argue that the use of biotechnology in the production of food products has many benefits. It promotes the process of raising plants and animals with desirable features, ① is used to introduce new characteristics that products wouldn't ordinarily have, and ② improve the nutritional value of products. However, people who advocate ③ against the use of GM foods don't see things quite the same way. They ④ point to studies that argue GM foods could be detrimental to people's health. To the groups on this side of the issue, the word "could" ⑤ provides enough reason to go forward with extreme caution. GM critics also say not enough time has passed to study the long-term effects of those foods.

096

(A), (B), (C)의 각 네모 안에서 어법에 맞는 표현으로 가장 적절한 것은?

In the long run, we will make thoughtcrime virtually impossible (A) since / that there will be no words to express it. Every concept will be expressed by precisely one word, with its meaning strictly (B) defined / defining and all its supplementary meanings wiped out and forgotten. The process will still be continuing long after all of us are dead. Every year there will be fewer and fewer words, and the range of consciousness will gradually become smaller. Even now, of course, there's no reason or excuse for committing thoughtcrime. It's merely a question of self-discipline or reality-control. But in the end there won't be any need even for that. The Revolution will be complete (C) when / though the language is perfect.

	(A)	(B)	(C)
①	since	...... defining	...... when
②	since	...... defined	...... when
③	since	...... defining	...... though
④	that	...... defined	...... though
⑤	that	...... defining	...... when

단기간에 수능 어법어휘 마스터하기

어법
실전
모의고사

Answers 27p

097

다음 글의 밑줄 친 부분 중, 어법상 틀린 것은?

Alison Benjamin and Brian McCallum explained in their recent book *A World Without Bees*, if the honeybees did disappear, agriculture ① will collapse. More than 90 commercial crops—from apples, peaches, and citrus fruits to strawberries and blackberries, to nuts, carrots, broccoli, and onions—are pollinated by bees. ② So are cotton and much livestock fodder such as clover. Without bees, wind-pollinated grasses would continue ③ to grow, but flowers and vegetables would be demolished, and there would be ④ far less food for birds and mammals ⑤ to eat. In Sichuan in China, where honeybees were wiped out by insecticides, pear trees have to be pollinated by hand, an immense labor.

098

(A), (B), (C)의 각 네모 안에서 어법에 맞는 표현으로 가장 적절한 것은?

Egypt's ancient mummies have disclosed their astonishing secret (A) that/where ancient populations did not tend to suffer from cancer. Out of the hundreds of mummies from Egypt and South America examined by the authors of a new study, in only one case was death caused by a tumor. By contrast, today, cancer kills one in four people. The study authors thus asserted that cancer is "a modern disease," created from modern lifestyles. Cancers, they add, are "limited to societies that are affected by modern lifestyle issues, such as tobacco use and pollution (B) resulted/resulting from industrialization." The first case of nasal cancer, they note, (C) arose/raised in the 18th century. In fact, now the main causes of several kinds of cancers are believed to be related to obesity, lack of exercise, heavy alcohol use, exposure to the sun, pollution, and smoking.

	(A)	(B)	(C)
①	that	resulting	arose
②	that	resulted	arose
③	that	resulted	raised
④	where	resulted	raised
⑤	where	resulting	arose

099

다음 글의 밑줄 친 부분 중, 어법상 틀린 것은?

Talking to yourself is often referred to ① as the first sign of madness, but it can actually be good for your mental well-being. Recent research in the U.S. has shown that ② five-year-old children perform better at certain simple tasks while ③ talking to themselves, than if they attempt them in silence. Other studies have shown that, in moderation, "self-talking" can help adults, too, improving their concentration and ④ lifting their spirits. Scientists at Nottingham Trent University conducted a survey of commuters and found that commuters rated talking to themselves among ⑤ its top three methods for coping with the stress of travel—along with singing and humming.

100

(A), (B), (C)의 각 네모 안에서 어법에 맞는 표현으로 가장 적절한 것은?

Romania has declared war on obesity. The government is planning to introduce Europe's first "fat tax"—a charge on fast food, sweets, and sugary drinks. Junk-food sales in schools will also be banned. Other European countries seem (A) impressing/impressed by this measure and will be watching the results (B) keen/keenly . But they shouldn't get their hopes up. Not only is Romanian cuisine incredibly unhealthy, but the standard cookbook is full of fatty horrors like sausages cooked in lard or goose stuffed with cabbage rolls. The politicians are well aware of the scale of the problem; they pretend (C) caring/to care about public health, but in fact they are only interested in raising extra revenue.

	(A)	(B)	(C)
①	impressing	keen	caring
②	impressing	keen	to care
③	impressed	keen	to care
④	impressed	keenly	to care
⑤	impressed	keenly	caring

101

다음 글의 밑줄 친 부분 중, 어법상 틀린 것은?

What is the link between genetics and lung cancer? Scientists seem to agree that the answer ① lies within human chromosome 15, but researchers at the Icelandic Genomics Company ② argue that the key factor is a variation in a gene for one of the receptor molecules ③ which nicotine attaches. However, ④ another study has found that a second receptor gene in chromosome 15 is also involved and while the Icelandic study holds that the genetic variation indirectly leads to lung cancer, the study shows that it acts directly on a person's susceptibility to the disease. Either way, it looks as if genetic testing will soon tell us just ⑤ how irrational we are being when we decide to take up smoking.

102

(A), (B), (C)의 각 네모 안에서 어법에 맞는 표현으로 가장 적절한 것은?

Glaciers are melting at a faster rate than at any time in history. Scientists from the World Glacier Monitoring Service (WGMS), which tracks 30 glaciers in nine mountain ranges, (A) estimate/ estimates that from 1850 to 1970 glaciers were shrinking at an average rate of 30cm a year. Between 1970 and 2000, losses rose to 60cm-90cm a year; since then, the average has been more than one meter a year—and last year (B) saw/was seen the biggest losses, of 1.3m. Professor Wilfried Haeberli, director of the WGMS, anticipated potentially disastrous consequences. In the short term, there are likely to be more floods and in the long term, rivers will dry up, (C) leading/led to acute water shortages.

	(A)	(B)	(C)
①	estimate	saw	leading
②	estimates	saw	leading
③	estimate	saw	led
④	estimates	was seen	led
⑤	estimate	was seen	led

103

다음 글의 밑줄 친 부분 중, 어법상 틀린 것은?

American scientists have taken the first tentative steps towards developing a mind-reading machine. In an experiment at the University of California, researchers hooked volunteers up to an MRI brain scanner and found they were able to identify which image the volunteers were ① looking. Professor Jack Gallant began his experiment by asking subjects to look at several thousand photographs and ② used an MRI scanner to measure brain activity in their visual cortex. Using the new scans, he was able to accurately predict ③ which picture they were seeing. Eventually, says Gallant, ④ it may be possible to create a program that can reconstruct an image from someone's mind ⑤ to read his or her thoughts, or even his or her dreams.

*cortex: (식물의) 껍질. (뇌 등의) 피질

104

(A), (B), (C)의 각 네모 안에서 어법에 맞는 표현으로 가장 적절한 것은?

In 1951, a poor 31-year-old African-American woman named Henrietta Lacks (A) died/had died from cervical cancer at Johns Hopkins Hospital. Unknown to her family, a piece of her tumor was removed, and her cells were cultured in the lab. Previously, (B) growing/grown human cells had been frustratingly difficult, but hers grew with a "mythological intensity." They (C) sent/were sent to other hospitals around the world and used in test after test. They quickly became the primary tool of medical research, contributing to developments in cancer treatment, in the polio vaccine and countless other conditions. In death, Henrietta now weighs many tons more than she did in life.

	(A)	(B)	(C)
①	died	growing	sent
②	had died	growing	were sent
③	had died	grown	were sent
④	died	growing	were sent
⑤	died	grown	sent

105

다음 글의 밑줄 친 부분 중, 어법상 틀린 것은?

Plastic bags take many years to decay, and they cause litter. On top of that, they kill numerous marine mammals and ① millions of birds a year, but there is no proof to ② back it up. The source of this assertion is a 1989 study which found that 100,000 animals had been killed by abandoned fishing nets between 1982 and 1986. Fifteen years later, this study was quoted in a New Zealand government report, ③ where erroneously replaced "plastic litter" with "plastic bags." The mistake was recognized by journalists and has been ④ doing the rounds ever since. The fact is ⑤ that although marine mammals have been found with plastic bags in their stomachs, no one knows how many have been killed by them.

106

(A), (B), (C)의 각 네모 안에서 어법에 맞는 표현을 골라 짝지은 것으로 가장 적절한 것은?

To keep your child as (A) safe / safely as possible on car journeys, fasten him or her to the middle of the back seat. Parents often try to avoid putting their children in the middle position, perhaps fearing that in the event of a crash the child would fly forward through the space between the two front seats; at the same time, children complain (B) which / it is the least comfortable position. But a recent analysis of 5,000 car crashes involving children under three found they were 43% less likely to be injured if they were strapped in the middle position. This is (C) why / because the gravest dangers come from side-on collisions, according to researchers at the University of Pennsylvania.

	(A)	(B)	(C)
①	safe	which	why
②	safely	which	why
③	safe	which	because
④	safely	it	because
⑤	safe	it	because

107

다음 글의 밑줄 친 부분 중, 어법상 틀린 것은?

Many people believe that ① spanking a child can impede his or her development and cause behavioral problems in later life. Yet a new study has found no evidence for this. The survey of 2,600 people ② was carried out by a psychology professor at a university in Michigan showed that people who had never been physically spanked performed worse at school and ③ were less likely to engage in volunteer work than those who had occasionally been smacked up ④ until the age of six. The study showed that although corporal punishment did not necessarily create good children, parents who avoided it on principle might be less likely to instill the self-discipline ⑤ needed to succeed in life in their children.

108

(A), (B), (C)의 각 네모 안에서 어법에 맞는 표현을 골라 짝지은 것으로 가장 적절한 것은?

Why do giraffes have such extraordinarily long necks? It's generally held that they evolved to enable the animals (A) to eat / eating high leaves that their rivals could not reach. But the evidence supporting this theory is weak. For instance, studies have shown that giraffes in most regions of Africa rarely take their food from the tops of trees, even (B) when / where lower leaves are scarce. A more recent theory is that it's concerned with sexual selection. To compete for female favors, male giraffes strike each other's ribs and legs (C) violent / violently with their heads. Those with the longest necks deliver the hardest blows. However, this theory also has a problem in that it doesn't explain why females also have long necks.

	(A)	(B)	(C)
①	to eat	where	violently
②	to eat	when	violent
③	to eat	when	violently
④	eating	where	violent
⑤	eating	when	violently

109

다음 글의 밑줄 친 부분 중, 어법상 틀린 것은?

Half of Europe's frogs and toads ① could become extinct within the next 40 years as a result of habitat loss, disease, and climate change. A number of British natterjack toads ② are also predicted to die out, with infections caused by ranaviruses which have wiped out large numbers of amphibians. The loss of amphibians is already having an impact on animals higher up the food chain, such as fish, snakes, and birds and ③ are likely to lead to a proliferation of insects. "As ④ many of the things that amphibians eat are the things that destroy our crops or bite us, we may be feeling some of the effects more ⑤ directly than we've expected," said Trent Garner of the Zoological Society of London.

110

(A), (B), (C)의 각 네모 안에서 어법에 맞는 표현을 골라 짝지은 것으로 가장 적절한 것은?

Could police identify criminals from the bacteria they (A) leave / are left behind at the crime scene? That is the intriguing possibility raised by the discovery that we each have a personalized community of bacteria living on our hands, and that this barely changes over time, regardless of how (B) good / well we scrub. According to research studies, a human hand contains an average of about 150 different types of bacteria, and only about 13% of that makeup is shared between any two people. In tests, researchers wiped bacterial DNAs from three computer keyboards and compared them with the bacteria on the fingertips of their owners. They found the bacteria on the keyboards (C) was / were nearly similar to those on their owners' hands.

	(A)	(B)	(C)
①	leave	well	was
②	are left	good	was
③	leave	well	were
④	are left	good	were
⑤	are left	well	were

111

다음 글의 밑줄 친 부분 중, 어법상 틀린 것은?

British scientists ① have discovered a simple, cheap, and revolutionary way of avoiding the worst effects of Alzheimer's disease: vitamin B tablets to stop the shrinking of the brain which ② is often a precursor to the disease. Scientists at Oxford University gave patients with mild cognitive impairment, ③ considered an early warning signal for Alzheimer's, a large daily dose of Vitamin B6, Vitamin B12, and folic acid. They found this reduced brain shrinkage by 30% on average, and up to 50% in some cases. The scientists said more research is needed ④ to show a direct link between taking Vitamin B and ⑤ reduced the symptoms of Alzheimer's, such as memory loss and confusion.

112

(A), (B), (C)의 각 네모 안에서 어법에 맞는 표현을 골라 짝지은 것으로 가장 적절한 것은?

We're always being warned about the dangers of being overweight, but when you're getting on in years, (A) a few / a little extra pounds may actually be good for you. There was a study showing (B) that / those who were slightly overweight were likely to live longer than those of a normal weight. For the study, men and women were divided into categories depending on their body mass index (BMI) using weight and height measurements. A BMI of less than 18.5 is classified as "underweight," and above 25 is "overweight," while above 30 is "obese." The results showed that the obese (C) was / were no more at risk than those of optimal weight, while being underweight was linked with the highest rate of death.

	(A)	(B)	(C)
①	a few	those	were
②	a few	that	were
③	a few	those	was
④	a little	that	was
⑤	a little	those	was

113

다음 글의 밑줄 친 부분 중, 어법상 틀린 것은?

In a cave in northern Israel, archaeologists have uncovered the shells of 71 tortoises ① arranged around the remains of a woman who was buried 12,000 years ago. Burn marks indicate that the reptiles had been roasted before ② eating, presumably at an event to mark the woman's passing. The site indicates that the Neolithic wake ③ occurred around the time our nomadic ancestors began settling down in farming communities. The new way of living ④ would have created new frictions, said the lead researcher at the University of Connecticut. No longer able to move on simply, our ancestors may have developed rituals of communal feasting as a mechanism for community integration, figuring out ways ⑤ to get along.

114

(A), (B), (C)의 각 네모 안에서 어법에 맞는 표현을 골라 짝지은 것으로 가장 적절한 것은?

If you exercise to lose weight, choose your sport carefully. New research shows that certain forms of exercise cause participants to feel hungrier than others because any calories lost are likely (A) to replace/ to be replaced quickly. Swimming in cold water, for instance, tends to make people (B) desired/desire high-fat foods such as biscuits, while walking has no impact on appetite. Meanwhile, running on a hot day actually suppresses hunger. The findings are related to the production of the appetite hormone ghrelin, (C) what/which is suppressed by running and stimulated by swimming. Therefore, runners perform better if they have a low body weight, whereas people who swim in cold water would benefit from protective fat.

	(A)	(B)	(C)
①	to replace	...... desire	...... what
②	to be replaced	...... desire	...... which
③	to replace	...... desire	...... which
④	to be replaced	...... desired	...... which
⑤	to replace	...... desired	...... what

115

다음 글의 밑줄 친 부분 중, 어법상 틀린 것은?

Researchers have ① long ascribed the successful job accomplishment of the honeybees to the division of labor within their society. Now, they have found a particular specialist bee which can determine the roles of bees within the hive. Heater bees act ② like radiators, but they don't merely warm the hive; they raise their body temperatures and occupy empty cells next to sealed cells containing pupae. In doing so, they determine ③ that roles the pupae will eventually undertake. For instance, a pupa kept at a heat of 35°C will turn into a "housekeeper bee," while ④ one kept at 36°C will become a "forager bee," which ⑤ flies in search of their food.

*pupa: 번데기(복수형은 pupae or pupas)

116

(A), (B), (C)의 각 네모 안에서 어법에 맞는 표현을 골라 짝지은 것으로 가장 적절한 것은?

Marriage can be good for your health, but only if it's a happy one. Researchers at Brigham Young University asked 204 married adults about the state of their unions, and then compared their blood pressure to (A) that/those of 99 single people. The people describing (B) them/themselves as happily married had consistently lower blood pressure than the single people—but the unhappily married had higher blood pressure than both other groups. Married people (C) thought/are thought to encourage healthy habits in each other, and to give each other valuable emotional support—but that's not likely to happen if the marriage is miserable. "What makes them happy is the quality of the marriage, not the marriage itself," said Professor Julianne Holt-Lunstad.

	(A)	(B)	(C)
①	that	...... them	...... are thought
②	that	...... themselves	...... are thought
③	that	...... themselves	...... thought
④	those	...... them	...... thought
⑤	those	...... themselves	...... are thought

117

다음 글의 밑줄 친 부분 중, 어법상 틀린 것은?

Have you ever suffered a sudden discomfort in your leg at night? That is called Restless Leg Syndrome (RLS), ① which is a neurologic disorder disturbing up to 10% of the population. Patients ② repeatedly express the uncomfortable feelings in their legs as burning, poking needles, electric shocks, and itching. Some describe these sensations as being painful as well. They ③ result in a strong urge to move because voluntary movement brings some relief. Symptoms occur only during ④ rest. RLS erodes quality of life. Sleep difficulties and nighttime awakenings, leading to daytime fatigue and the inability to concentrate, ⑤ is common among RLS patients. Several medications for RLS relief are now available without prescription.

118

(A), (B), (C)의 각 네모 안에서 어법에 맞는 표현으로 가장 적절한 것은?

Chapped lips can occur in any season, (A) though / through they are particularly common during the winter months. Chapped lips are painful, embarrassing, and uncomfortable. They may sometimes cause difficulty in talking, eating, and drinking. The outer layer of the lips causes the chapped lips (B) for / while lips do not produce oils as the skin does to protect it from drying out. Thus, it is easy for moisture to evaporate from the lips, and the lips can dry out quickly and easily. Varieties of over-the-counter products are available for treating or preventing chapped lips. These products typically contain ingredients that (C) assist / is assisted in healing such as moisturizers, pain relievers, and sunscreens.

	(A)	(B)	(C)
①	though	for	assist
②	though	for	is assisted
③	though	while	is assisted
④	through	while	assist
⑤	through	while	is assisted

119

(A), (B), (C)의 각 네모 안에서 어법에 맞는 표현으로 가장 적절한 것은?

Even as many around the world are just learning about the fascinating life and recent trials of a chimpanzee named Gaia, we must already say goodbye, after the sudden, sad death of the 14-year-old chimpanzee last week. "Gaia (A) has / had been lying ill for the last two days, very weak, hiding in the bushes and avoiding people, and not eating though we tried to feed her," wrote Dr. Anthony Collins from Gombe National Park. Especially Dr. Jane Goodall felt desperately sad that the chimp had died so young (B) because / that she was one of her favorite living chimpanzees at Gombe. Dr. Goodall and other Gombe scientists had been eager to observe Gaia's next pregnancy since she lost her firstborn in a (C) high / highly unusual occurrence.

	(A)	(B)	(C)
①	has	because	highly
②	has	that	high
③	had	that	highly
④	had	because	highly
⑤	had	that	high

120

(A), (B), (C)의 각 네모 안에서 어법에 맞는 표현으로 가장 적절한 것은?

On a windy and darkening evening in December, I brushed the snow away from my mother's gravestone. I could see her name beautifully (A) inscribed / inscribing in it. I was fifty-five, the same age my mother had been when the doctor first (B) has found / found the cancer in her breast. I was only five years younger than she had been at her death. I was a mother of two children who looked at me, as I looked at her, only as their parent not someone with a completely independent life, most of (C) them / which had preceded their arrival. At the age of fifty-five, I realized that she was also a woman like me who had her own dreams and free will.

	(A)	(B)	(C)
①	inscribed	has found	them
②	inscribed	has found	which
③	inscribed	found	which
④	inscribing	found	which
⑤	inscribing	has found	them

121

다음 글의 밑줄 친 부분 중, 어법상 틀린 것은?

We are looking for full-time Project Development Officers ① who are responsible for strategy development, policy formulation, performance reporting, and public promotion. They ② looked upon to ensure that the operational procedures are designed to bring out teamwork, emphasize shared values, make known programming priorities, and ③ reward innovation. Project Development Officers must be able to apply leadership and management skills in order to ensure that program activities are designed and implemented to achieve ④ stated objectives, within resource constraints and in a timely manner. Applicants are selected based on academic credentials, experience, and other relevant factors. Successful applicants will be interviewed on ⑤ their related knowledge, skills, and abilities.

122

(A), (B), (C)의 각 네모 안에서 어법에 맞는 표현으로 가장 적절한 것은?

I grew up in a city, but my parents had been farmers before they moved into the city. I felt farming must be in my genes. Therefore, when I got my job in a rural area, I decided I would (A) rise/raise garden produce, enough to fill our fruit cellar and feed my family. Well, it did not quite work out that way. One of my early mistakes (B) were/was planting sweet corn and popcorn next to each other. You should not plant sweet corn and popcorn side by side. The reason is that corn should cross-pollinate with corn in rows nearby; planting sweet corn and popcorn next to each other (C) result/results in an unwanted mix on the same cob.

*cob: 옥수수의 속대(corncob)

	(A)		(B)		(C)
①	rise	……	were	……	result
②	rise	……	were	……	results
③	raise	……	were	……	result
④	raise	……	was	……	result
⑤	raise	……	was	……	results

123

다음 글의 밑줄 친 부분 중, 어법상 틀린 것은?

The seasonal flu is a respiratory infection caused by the influenza virus. Seasonal flu outbreaks occur most ① commonly in the fall and winter. It can cause complications such as ear and sinus infections, pneumonia, and even serious conditions such as asthma and heart failure. The flu has the ability to change and create multiple strains easily, which protects ② them from the body's immune system. Some flu types have been ③ known to be able to infect different species, such as the "avian flu" (H5N1), which can spread from birds to humans. The emergence of the "swine flu" in 2009, ④ to which many people may not be properly immune, made everyone ⑤ fearful of an influenza epidemic.

124

(A), (B), (C)의 각 네모 안에서 어법에 맞는 표현으로 가장 적절한 것은?

Early this week, supermodel Naomi Campbell traded her stilettos for work boots as she reported for duty at the sanitation garage (A) where/when she spent five days mopping floors as part of her sentence for throwing a cell phone at her maid. In order to clean up her legal troubles, Campbell followed the court order and made a punctual entrance to the place in New York. She was on her feet most of the day, with a big broom, sweeping the floor. In addition to the five days of community service, Campbell was made (B) attend/to attend anger management counseling. According to a press account, Campbell still blames her temper on lingering resentment toward her father for abandoning her as a child. We'll have to wait and see (C) if/that the notoriously fiery tempered Campbell has really changed.

*stiletto (heel): 여자들의 굽 높은 신발

	(A)		(B)		(C)
①	where	……	attend	……	if
②	when	……	to attend	……	that
③	where	……	to attend	……	if
④	where	……	to attend	……	that
⑤	when	……	attend	……	that

125

다음 글의 밑줄 친 부분 중, 어법상 틀린 것은?

① Most of the trouble in my married life can be attributed to my husband's unwillingness to do work around the house, ② where he believes is a woman's responsibility. This was not too bad until I had our third baby within five years. My husband slept in a different room ③ so as not to be disturbed by the babies' crying. I became so ④ exhausted because I got very little sleep and still I had to get up early with the other two little ones. With the children's care, housework, repairs, cooking and laundry, I became physically and emotionally worn out. My husband refused to get up with the children or let me ⑤ stay in bed even one morning.

126

(A), (B), (C)의 각 네모 안에서 어법에 맞는 표현으로 가장 적절한 것은?

In Korea, more than two million smart phones are being used right now. There are also 350,000 subscribers to Twitter and 710,000 to Facebook. (A) The number/A number of people using smart phones and subscribing to social network services (SNS) is expected to continuously skyrocket. As SNS are extremely popular nowadays, TGIF (Thank God It's Friday!) is now an acronym of Twitter, Google, I-phone and Facebook. In reaction to the change, Korean IT companies have been (B) spurred/spurring the development of smart phone applications and strategic use of social networking services as a means of company promotion, information transmission, and communication. Research institutions under the government are also constructing a new mobile system (C) using/used the smart phone and SNS, and developing various kinds of applications.

	(A)	(B)	(C)
①	The number	spurred	using
②	The number	spurred	used
③	The number	spurring	using
④	A number	spurring	used
⑤	A number	spurred	using

127

다음 글의 밑줄 친 부분 중, 어법상 틀린 것은?

The curriculum in France is highly centralized throughout the school years up to the postsecondary level. Students from kindergarten through college follow a state-mandated program, which generally ① includes lists of materials to cover, papers to read, and skills to demonstrate. This centralized curriculum requires ② formalized writing activities and text recognition even for preschool children. These activities for native speakers are central to their education throughout the formal schooling process. In college years, students can choose their foreign language courses but ③ otherwise share a curriculum. The curriculum is so standardized that parents can receive lists of texts and ④ supplies for the coming school year at the end of the current one and ⑤ going to any local supplier to buy them.

128

(A), (B), (C)의 각 네모 안에서 어법에 맞는 표현으로 가장 적절한 것은?

We have been asking you (A) to pledge/pledging to make small changes that will make our city a better place. We would like to remind you of action needed during the upcoming election. The city is at a crossroads, and this year's election will (B) be determined/determine who is going to lead our city as it passes through this critical time. Do not forget to check the list of candidates. The candidates with the most votes from each party will go on to campaign until the general election and (C) reappear/be reappeared on a general election ballot. Every ballot is important, so never abandon your civil rights as a proud citizen!

	(A)	(B)	(C)
①	to pledge	be determined	reappear
②	to pledge	determine	reappear
③	to pledge	determine	be reappeared
④	pledging	determine	be reappeared
⑤	pledging	be determined	be reappeared

129

다음 글의 밑줄 친 부분 중, 어법상 틀린 것은?

'What is personal or private' is not always self-evident. ① That one considers to be normal can be abnormal or different from the social norms and values shared by others. In other words, 'what is personal' is socially and culturally defined. When does it feel like personal matters should be made public? A simple answer is ② when they connect with public matters. But is there any expectation ③ that others should know all kinds of personal things? We have to make our own choices about ④ what parts of our personal background, identity, and life details we will make public. When we compose stories of our lives, we are making choices as to ⑤ how we will describe the aspects of our experiences.

130

(A), (B), (C)의 각 네모 안에서 어법에 맞는 표현으로 가장 적절한 것은?

Sung-Yeup Lee officially joined the Yomiuri Giants on January 19. The team originally planned to welcome Lee as its new player at a fan meeting that was (A) to hold / to be held a few days later. But he wanted to sign his contract as soon as possible and begin training. The team's head coach, Tatsunori Hara, told Lee that he couldn't make a pledge (B) guarantee / to guarantee him a position in the first group during the season. At that time, Joe Dillon's presence on the team was daunting (C) because of / because his impressive hitting and contact skills which no other player on the team could match. However, Lee had led the home run and RBI categories at the World Baseball Classic in March with five homers and 10 RBIs, and went on to display his talent as the fourth batter of the Giants.

	(A)	(B)	(C)
①	to be held	to guarantee	because of
②	to hold	guarantee	because of
③	to hold	to guarantee	because of
④	to hold	guarantee	because
⑤	to be held	to guarantee	because

131

다음 글의 밑줄 친 부분 중, 어법상 틀린 것은?

Overactive bladders can affect people of all ages. Overactive bladders in toddlers are the cause of a frequent, urgent need to use the bathroom. If your toddler ① experiences leaking or dripping as a result of overactive bladder, ② chances are good he or she will not even feel the need to urinate before, during, or after the leaking itself. Most toddlers grow out of overactive bladders, but some of them don't so you may consider ③ speaking to his or her pediatrician if the problem persists until the toddler ④ near his or her first day of school. There are drugs available to help people overcome overactive bladders, but these medicines are typically withheld ⑤ unless necessary, and even then are mostly prescribed to adults with ongoing problems.

132

(A), (B), (C)의 각 네모 안에서 어법에 맞는 표현으로 가장 적절한 것은?

Pizza is nothing more than a circle of thin bread, covered with a topping and baked in the oven. The Italian word, pizza, loosely (A) translated / translating, means "flattened" or "pie." Theories about its origin are mostly anecdotal, but pizza as we know it probably developed in Naples, (B) which / where pizza shops became quite common by the mid eighteenth century. Initially a combination of inexpensive ingredients meant for simple daily nourishment (C) to be eaten / to eat out of hand, the pizza has been transformed over the last 10 years into something highly creative and often distinctive. Choices range from the basic tomato pizza with mozzarella and basil to more venturesome combinations like salad pizza, wild mushroom pizza and shrimp pizza with salsa as the sauce.

	(A)	(B)	(C)
①	translated	which	to be eaten
②	translated	where	to be eaten
③	translated	which	to eat
④	translating	where	to eat
⑤	translating	which	to be eaten

133

다음 글의 밑줄 친 부분 중, 어법상 틀린 것은?

People with chronic disease can face quite serious pain and distress or have limits and circumstances ① are brought on by the illness or disability. There are various kinds of chronic illnesses. While there are diseases ② where there is little way to relieve stress and pain, some of them, if managed well, don't cause a lot of discomfort and distress. There also exist fatal kinds of chronic illnesses ③ which are progressive, leading to new disabilities or eventual death. Diabetes is a good example of an illness that can ④ be managed with little distress and discomfort. A person with diabetes certainly ⑤ has ongoing symptoms and difficulties, but if cared for, the personal stress and discomfort can be greatly minimized.

134

(A), (B), (C)의 각 네모 안에서 어법에 맞는 표현으로 가장 적절한 것은?

In today's society, grammar is often considered an indication of one's class and cultural background. I cannot ignore the view of grammar in modern society, and I would not allow my students (A) experienced / to experience bias against them because I have not done my job (B) proper / properly —by omitting the teaching of grammar. Thus, I'm laboring to teach my students to use proper pronunciation, vocabulary, and word usage. Every time my students give an oral presentation before their peers in the classroom, I will expect them to speak using standard language. Also, (C) whatever / whenever I assign my students a writing assignment, they will be expected to write their papers using standard language that is grammatically correct.

	(A)	(B)	(C)
①	experienced	proper	whenever
②	experienced	properly	whatever
③	to experience	properly	whatever
④	to experience	properly	whenever
⑤	to experience	proper	whatever

135

다음 글의 밑줄 친 부분 중, 어법상 틀린 것은?

Living Water is a non-governmental organization that uses storytelling to forward its cause. It has an ambitious goal of providing 100 million people with clean drinking water in the developing world ① over the next ten years. By telling more than 1,000 personal stories of the challenges ② faced by people who don't have clean drinking water, they are using people's stories ③ to induce action and donations. Through video, photography, and compelling first-hand stories, Living Water has earned worldwide attention. It recognizes the importance of organizational backing, and most of ④ their members have notable writing skills. Also, everyone on its staff ⑤ is a regular contributor to his or her web site.

136

(A), (B), (C)의 각 네모 안에서 어법에 맞는 표현으로 가장 적절한 것은?

I work from home as the Director of Risk Management for an Aquatic Safety Agency. I have a team of about thirty adults who run around the U.S. (A) done / doing safety reviews on swimming pools that have opted to use our lifeguard and swim lesson programs. My busiest time is the spring and summer, but (B) general / overall I only work part time, sometimes not even part time especially in the fall and winter. I have also been teaching swim lessons to kids from ages 5 to 13 at the Athletic Club around twelve hours a week. That is my part-time job (C) in which / which I find a great joy. I would say that I am an aquatic person all around.

	(A)	(B)	(C)
①	done	general	in which
②	done	general	which
③	doing	general	which
④	doing	overall	which
⑤	doing	overall	in which

단기간에 수능 어법어휘 마스터하기

어휘
특강

13 그림 어휘

1 그림 어휘 문제 파악하는 방법

1. 그림의 제목이나 그림의 내용을 간단히 살펴본 다음에 지문의 요지를 생각하면서 해당 어휘의 쓰임이 정확한지 파악한다.

2. 그림으로 확인할 수 있는 선택지를 답으로 선택하게 되어 있으므로 그림 자체에 나타나 있는 모든 단어는 매우 중요한 힌트가 된다. 놓치지 않고 확실히 이해하는 것이 중요하다.

3. 그림 어휘는 thick을 thin으로, increased를 decreased로, complex를 simple로 나타내는 등 반의어를 사용하여 혼동을 주는 경우가 있으므로 반의어에 유의하면서 지문과 그림을 대조해 본다.

2 그림 어휘 기출 익히기

다음 그림에 대한 글의 내용 중, 밑줄 친 낱말의 쓰임이 적절하지 않은 것은?

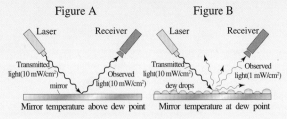

Figure A   Figure B

Figures A and B demonstrate how dew point is measured by a dew point hygrometer. In Figure A, light is transmitted from a laser and ① reflected off the mirror onto a receiver that measures the intensity of the observed light. When the mirror temperature is above dew point and the intensity of the transmitted light is 10 mW/cm2, the intensity of the observed light is ② the same. In Figure B, when the mirror temperature is at dew point, dew drops cover the ③ surface of the mirror. When the transmitted light hits the dew drops, it becomes ④ scattered. As a consequence, compared to the intensity of the transmitted light, that of the observed light measured by the receiver is ⑤ increased.

*hygrometer: 습도계 **mW/cm2: 빛의 세기 단위

⇒ 그림 B에서 거울의 온도가 이슬점의 온도에 이를 때(when the mirror temperature is at dew point) Receiver 쪽의 변화된 숫자를 통해 전송된 빛의 반사는 감소됨을 알 수 있다. Observed light (1mW/㎠)의 수치가 그림 A의 observed light(10mW/㎠)의 수치에 비교하면 현저히 감소되었다. 따라서 ⑤ increased를 decreased로 고쳐야 한다.

---

137 기출

다음 바이올린 줄의 그림에 대한 글의 내용 중, 밑줄 친 낱말의 쓰임이 적절하지 않은 것은?

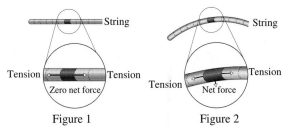

Figure 1   Figure 2

A violin creates tension in its ① strings and gives each of them an equilibrium shape: a straight line. A tight violin string can be viewed as composed of many individual pieces that are connected in a chain as in the above two figures. When the string is ② straight, as in Figure 1, its tension is uniform, and the two outward forces on a given piece sum to zero; they have equal magnitudes and point in ③ opposite directions. With no net forces acting on its pieces, the string is in equilibrium. But when the string is ④ curved, as in Figure 2, the outward forces on its pieces no longer sum to zero. Although the string's uniform tension still gives those outward forces equal magnitudes, they now point in slightly different directions, and each piece experiences a ⑤ zero net force. The net forces on its pieces are restoring forces, which will cause the string to vibrate and thus make sounds.

*equilibrium: 평형 **magnitude: 크기

---

138 기출

다음 그림을 바탕으로 한 글의 흐름으로 보아, 밑줄 친 단어의 쓰임이 적절하지 않은 것은?

If you connect a primitive digital camera to your PC and aim it at a happy face, your computer might perceive the image as it appears on the right-hand side of the given drawing. The digitized image of the face is ① rough because the computer thinks in terms of ones and zeros and makes all-or-nothing approximations. This will, in some cases, ② enhance subtle information about light versus dark differences, hence the ③ lack of detail in the eyes and mouth, and in other cases ④ exaggerate such differences, as shown in the edges of what should be a ⑤ smooth, gradually curving face.

139 기출

다음 그림에 대한 글의 내용 중, 밑줄 친 낱말의 쓰임이 적절하지 <u>않은</u> 것은?

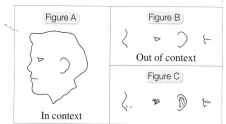

Figure A	Figure B
	Out of context
	Figure C
In context	

Object identification rarely occurs in isolation. Face perception seems to work the same way. Notice that when seen as ① <u>part</u> of a face presented in Figure A, any bump or line will be sufficient to depict a feature. However, the result may be different when the features are ② <u>separated</u> from the context as shown in Figure B. The features in Figure B are basically ③ <u>identical</u> with those in Figure A, but, out of context, they are less identifiable. As in Figure C, we actually require a more ④ <u>simplified</u> presentation than in Figure B, to identify facial features unambiguously when presented in isolation. Thus, our understanding of context compensates for ⑤ <u>lack</u> of detail in the feature identification process.

140

다음 그림에 대한 글의 내용 중, 밑줄 친 낱말의 쓰임이 적절하지 <u>않은</u> 것은?

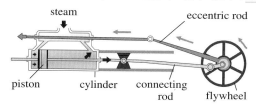

steam   eccentric rod

piston   cylinder   connecting rod   flywheel

In 1970, Thomas Newcomen built the first successful piston-operated steam engine. The first engines ran on steam, which is produced when water is boiled. When steam is produced in an enclosed space, it pushes out on the steam engine because it needs the wider space. The performance property of Newcomen's engine is as follows. The steam ① <u>flows</u> into the cylinder, ② <u>pressing</u> a piston, which is like a stopper ③ <u>sliding</u> back and forth inside the cylinder of the steam engine, toward the right side of the cylinder. That pushes the connecting rod which ④ <u>detaches</u> one end of the piston to a flywheel. Consequently, the flywheel begins to be influenced by the connecting rod and starts ⑤ <u>turning</u> left. As the flywheel turns, the eccentric rod moves to the left as well.

*steam engine: 증기기관

141 기출

다음 그림에 대한 글의 내용 중, 밑줄 친 낱말의 쓰임이 적절하지 <u>않은</u> 것은?

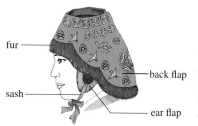

fur
back flap
sash
ear flap

The *Nambawi* is one of the oldest traditional winter hats in Korea. At first, only men and women of the upper classes wore it. Later, it was worn by the commoners, and still later only by women. The hat protects the head and ① <u>forehead</u> from freezing winds and has a round opening at the top. There is a long back flap for the back of the neck, and ear flaps on both sides ② <u>reveal</u> the ears. Silk sashes are ③ <u>attached</u> to the ear flaps. The sashes are ④ <u>tied</u> under the chin to hold the hat tightly in place. The bottom of the *Nambawi* is bordered with fur, and the hat is ⑤ <u>decorated</u> with flower and bird patterns.

*sash: 띠, 끈 **flap: 덮개

142 기출

다음 동토층 그림에 대한 글의 내용 중, 밑줄 친 낱말의 쓰임이 적절하지 <u>않은</u> 것은?

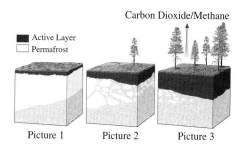

Carbon Dioxide/Methane

■ Active Layer
□ Permafrost

Picture 1   Picture 2   Picture 3

The three pictures above represent a model of the effects of global warming on permafrost regions. Permafrost is frozen ground that remains at or below 0°C for more than two years. Most of the world's permafrost has been frozen for millennia, trapping massive amounts of carbon in organic material. In areas of extreme cold presented in Picture 1, permafrost is thousands of feet thick and lies ① <u>below</u> a layer of soil a few feet deep called the active layer, which freezes and thaws with the seasons. Where the average annual air temperature is slightly below freezing, permafrost is ② <u>scattered</u> as in Picture 2. Compared to Picture 1, the permafrost in Picture 2 is topped by a ③ <u>shallower</u> active layer. In Picture 3, in permafrost regions that now experience shorter, milder winters, the area of permafrost is ④ <u>reduced</u> further, compared to Picture 2. Carbon dioxide and methane are freed into the atmosphere and ⑤ <u>more</u> trees and plants grow as in Picture 3.

*thaw: 녹다

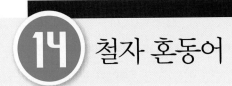

철자 혼동어

1 앞부분이 다른 혼동어

1. ☐ **transmit** 부치다, 전달하다
   ☐ **submit** 복종시키다; 제출하다
2. ☐ **liver** (해부) 간장, 간
   ☐ **river** 강
3. ☐ **prove** 입증하다, 증명하다
   ☐ **approve** 승인하다, 인가하다; 찬성하다
4. ☐ **change** 바꾸다; 변하다
   ☐ **range** 열; 범위; 정렬시키다; 한 줄로 늘어서다
5. ☐ **assist** 돕다, 원조하다
   ☐ **resist** 저항하다, 반대하다
6. ☐ **prescribe** 처방하다
   ☐ **subscribe** 구독하다

2 중간 부분이 다른 혼동어

1. ☐ **compliment** 칭찬
   ☐ **complement** 보충, 보완하는 것
2. ☐ **shift** 바꾸어 놓다, 바꾸다, 이동시키다
   ☐ **sift** 체질하다, 거르다, 선별하다
3. ☐ **peasant** 소작농
   ☐ **pheasant** 꿩
4. ☐ **assess** 평가하다, (세금을) 부과하다
   ☐ **access** 접근; 접근하다; 이용하다
5. ☐ **adopt** 채택하다; 양자로 삼다
   ☐ **adapt** 적응시키다; 적응하다; 개작하다
6. ☐ **expand** 팽창하다
   ☐ **extend** 뻗다
   ☐ **expend** 소비하다

3 뒷부분이 유사한 혼동어

1. ☐ **principal** 중요한; 교장
   ☐ **principle** 원리
2. ☐ **commend** 칭찬하다; 추천하다
   ☐ **command** 명령하다; 통솔하다; 마음대로 하다
   ☐ **comment** 설명, 논평, 의견; 비평하다
3. ☐ **alter** 바꾸다; 개조하다(= change)
   ☐ **altar** (교회의) 제단
4. ☐ **moral** 도덕의; 교훈
   ☐ **mortal** 죽어야 할 운명의; 치명적인; 인간의
   ☐ **morale** (군대나 집단의) 사기, 의욕
5. ☐ **industrial** 산업(상)의, 공업(상)의
   ☐ **industrious** 근면한, 부지런한
6. ☐ **considerable** 상당한
   ☐ **considerate** 사려 깊은

Check Point

1. I have two [complimentary / complementary] tickets for the show.
2. The deal between the two companies was a [momentous / momentary] event.

---

143 기출

(A), (B), (C)의 각 네모 안에서 문맥에 맞는 낱말로 가장 적절한 것은?

Although most people recognize it as a jewel, the diamond most directly affects our daily lives as a tool. Industrial diamonds are so important that a (A) shortage / strength would cause a breakdown in the metal-working industry and would destroy mass production. Industrial diamonds are crushed and powdered, and then used in many grinding and polishing operations. Their use (B) changes / ranges from the drill in a dentist's office to saws for cutting rocks, and to glass cutters. The great (C) hardness / hardship of a diamond makes it one of the most important industrial materials known.

	(A)	(B)	(C)
①	shortage	ranges	hardness
②	shortage	changes	hardship
③	strength	changes	hardness
④	strength	ranges	hardship
⑤	strength	ranges	hardness

144 기출

(A), (B), (C)의 각 네모 안에서 문맥에 맞는 낱말로 가장 적절한 것은?

The shapes of Korean kites are based on scientific (A) particles / principles which enable them to make good use of the wind. One particular Korean kite is the rectangular "shield kite," which has a unique hole at its center. This hole helps the kite fly fast regardless of the wind speed by (B) concentrating / contaminating the wind on days when the wind is light, and letting it pass through when the wind is blowing hard. The center hole also allows the kite to respond quickly to the flyer's (C) commands / comments . For these reasons, Korean kites such as the shield kite are good at "kite fighting."

	(A)	(B)	(C)
①	particles	concentrating	commands
②	particles	contaminating	comments
③	particles	concentrating	comments
④	principles	contaminating	comments
⑤	principles	concentrating	commands

145 기출

(A), (B), (C)의 각 네모 안에서 문맥에 맞는 낱말로 가장 적절한 것은?

I have been asked to (A) assist/resist in creating a committee to improve the Sunshine Charity. We are trying to form a strong committee, and I have been asked to request you to join it. I know you will be interested in the (B) objective/objection of our committee. We all know how invaluable your advice and help will be. The first meeting will be held here at 11 a.m. next Thursday. I hope you will be able to come, and that you will agree to (C) sit/seat on the committee.

	(A)	(B)	(C)
①	assist	objective	sit
②	assist	objection	sit
③	assist	objective	seat
④	resist	objection	seat
⑤	resist	objective	seat

146 기출

(A), (B), (C)의 각 네모 안에서 문맥에 맞는 낱말로 가장 적절한 것은?

A blind spot is not the same as a simple lack of knowledge. A blind spot emerges from a (A) resistance/connection to learning in a particular area. At the root of many of our blind spots are a number of emotions or attitudes—fear being the most obvious, but also pride, self-satisfaction, and anxiety. A manager, for example, might have unsurpassed knowledge in the financial field, but her understanding of people management might be (B) flooded/limited . Her people find her cold and aloof and want her to become more consultative and involved with the team. She, however, is not willing to accept feedback about her management style and refuses to even consider the (C) prospect/retrospect of changing her management style.

*aloof: 냉담한

	(A)	(B)	(C)
①	resistance	limited	prospect
②	resistance	flooded	retrospect
③	resistance	limited	retrospect
④	connection	flooded	prospect
⑤	connection	limited	retrospect

147 기출

(A), (B), (C)의 각 네모 안에서 문맥에 맞는 낱말로 가장 적절한 것은?

Although we eat bananas often, few of us know much about them. The banana tree is the largest plant on earth without a woody stem. The trunk contains a large amount of water and is extremely (A) deliberate/delicate . Though it can reach a full height of 20 feet in one year, even moderate winds can (B) blow/glow it down. The fruit stem or bunch is made up of seven to nine hands, each containing 10 to 20 fingers which grow slowly (C) thorough/through a mass of tightly packed leaf covers. Just before they ripen, they are picked, packaged, and finally delivered to our local supermarkets.

	(A)	(B)	(C)
①	delicate	blow	through
②	delicate	glow	through
③	delicate	blow	thorough
④	deliberate	glow	thorough
⑤	deliberate	blow	thorough

148

(A), (B), (C)의 각 네모 안에서 문맥에 맞는 낱말로 가장 적절한 것은?

What would you say to three weeks of golfing, swimming, science experiments, computer training, and English conversation lessons with foreign instructors? You can experience all of these on our campus! Also you won't have to pay for every class. For three weeks beginning the 10th of January, 700 junior high school students from all across Kangwon-do will be invited to our campus to experience and participate in the first ever free of charge winter camp! You will be especially impressed with the state-of-the-art technology our computer (A) laps/labs have. From spreadsheet to Power Point presentation skills, the students will be given (B) suburb/superb lessons by a university professor! Please visit our website and download an (C) appliance/application .

	(A)	(B)	(C)
①	labs	superb	application
②	laps	suburb	application
③	labs	superb	appliance
④	laps	suburb	appliance
⑤	labs	suburb	appliance

15 동의어 및 반의어

1 동의어

- [ ] intricate = complicated, complex 복잡한
- [ ] attain = achieve, accomplish 달성하다, 이루다
- [ ] avoid = evade, escape, shun 피하다
- [ ] lament = mourn, moan 슬퍼하다, 한탄하다
- [ ] detached = separate 떨어져있는, 독립한
- [ ] neglect = disregard, ignore 무시하다
- [ ] optimal = best 최선의, 최적의
- [ ] contaminate = pollute 오염시키다
- [ ] command = order 명령하다
- [ ] objective = goal, aim 목적, 목표
- [ ] hostile = antagonistic 적대적인
- [ ] bias = prejudice, partiality 편견
- [ ] change = alter 바꾸다, 변화시키다
- [ ] damage = harm 손해, 손상, 손상을 입히다
- [ ] effect = impact 효과, 영향
- [ ] effect = result 결과

2 반의어

- [ ] intricate 복잡한 ↔ simple 단순한, 간단한
- [ ] minimal 최소량의 ↔ maximal 최대한의
- [ ] demand 수요 ↔ supply 공급
- [ ] lend 빌려주다 ↔ borrow 빌리다
- [ ] optimistic 낙관적인 ↔ pessimistic 비관적인
- [ ] valid 타당한 ↔ invalid 타당하지 않은
- [ ] accept 받아들이다 ↔ reject 거절하다
- [ ] legal 법적인 ↔ illegal 불법의
- [ ] loss 손해 ↔ profit 이익
- [ ] neglect 무시하다, 소홀히 하다
  ↔ attend to, heed ~에 주의를 기울이다
- [ ] respect 존경하다 ↔ despise 경멸하다
- [ ] include 포함하다 ↔ exclude 제외하다
- [ ] increase 증가하다 ↔ decrease 감소하다
- [ ] intentional 고의적인 ↔ accidental 우발적인
- [ ] meaningful 의미 있는 ↔ meaningless 의미 없는
- [ ] beneficent 자선심이 많은, 인정 많은 ↔ maleficent 나쁜 짓을 하는
- [ ] permission 허락, 허가 ↔ prohibition 금지
- [ ] objective 객관적인 ↔ subjective 주관적인
- [ ] temporary 일시적인, 임시의 ↔ permanent 영구적인, 영원한
- [ ] construct 건설하다 ↔ destroy 파괴하다
- [ ] encourage 격려하다 ↔ discourage 낙담시키다

Check Point

1. The dress was designed with [intricate / intrigue] patterns.
2. He hated the victim, so the murder was not [intentional / accidental].

149 기출

(A), (B), (C)의 각 네모 안에서 문맥에 맞는 낱말로 가장 적절한 것은?

Responses to survey questions are influenced by events, and we should consider this when reviewing the results of a survey. The reputation of an airline, for example, will be (A) damaged / recovered if a survey is conducted just after a plane crash. A computer company lost its reputation in company surveys just after major news coverage about a defect in its products. On the positive side, surveys by a beverage company about its image showed very (B) hostile / favorable public attitudes just after its massive investment in the Olympics. Consequently, surveys should be conducted when the organization is not in the news or connected to a significant event that may influence public opinion. In neutral context, a more (C) valid / biased survey can be conducted about an organization's reputation, products, or services.

	(A)	(B)	(C)
①	damaged	hostile	biased
②	damaged	hostile	valid
③	damaged	favorable	valid
④	recovered	hostile	biased
⑤	recovered	favorable	valid

150 기출

(A), (B), (C)의 각 네모 안에서 문맥에 맞는 낱말로 가장 적절한 것은?

Like all other industries, the rose business must (A) adopt / adapt to changing conditions in the marketplace. In the past, a florist shop was most likely a local, independently owned business that bought roses from a wholesaler who purchased them from a farmer. On special days like Valentine's Day, the cost of a dozen roses rose twofold or more as a result of high (B) supply / demand. Today, suppliers of roses include large supermarket chains, wholesalers who sell directly at many locations, and direct telephone marketers. The romance of roses has been replaced by (C) economic / economics realities.

	(A)	(B)	(C)
①	adopt	supply	economic
②	adopt	demand	economics
③	adopt	supply	economics
④	adapt	demand	economic
⑤	adapt	supply	economic

Answers 41p

151 기출

(A), (B), (C)의 각 네모 안에서 문맥에 맞는 낱말로 가장 적절한 것은?

Efficiency means producing a specific end rapidly, with the (A) least / most amount of cost. The idea of efficiency is specific to the interests of the industry or business, but is typically advertised as a (B) loss / benefit to the customer. Examples are plentiful: the salad bars, filling your own cup, self-service gasoline, ATMs, microwave dinners and convenience stores which are different from the old-time groceries where you gave your order to the grocer. The interesting element here is that the customer often ends up doing the work that previously was done for them. And the customer ends up (C) saving / spending more time and being forced to learn new technologies, remember more numbers, and often pay higher prices in order for the business to operate more efficiently, or maintain a higher profit margin.

	(A)	(B)	(C)
①	least	loss	saving
②	least	loss	spending
③	least	benefit	spending
④	most	loss	saving
⑤	most	benefit	spending

152 기출

(A), (B), (C)의 각 네모 안에서 문맥에 맞는 낱말로 가장 적절한 것은?

More than one and a half million tickets have already been sold for the Olympic Games in Beijing this August. Many have been bought by (A) generous / genuine sports fans. But others have not. Some ticket holders are already selling off their seats on the black market for inflated prices. A ticket for the opening ceremony that originally cost less than $400 is now on sale for more than $4,000. This is not supposed to be happening. Olympic rules say people can (B) transfer / transform a ticket to somebody else, but not for financial gain. Anyone caught faces a huge fine, but this has not (C) encouraged / discouraged selling their seats openly on the Internet.

	(A)	(B)	(C)
①	generous	transfer	encouraged
②	genuine	transform	discouraged
③	genuine	transfer	discouraged
④	genuine	transfer	encouraged
⑤	generous	transform	encouraged

153 기출

(A), (B), (C)의 각 네모 안에서 문맥에 맞는 낱말로 가장 적절한 것은?

A case of the negative impact of an innovation was reported by a researcher examining the spread of the snowmobile among the Skolt Lapps in northern Finland. The snowmobile offered considerable relative advantages to the Lapps who used reindeer sleds as their primary means of transportation. It was much faster, making trips for supplies more efficient. However, the snowmobile had (A) beneficial / disastrous effects on the Lapps. First, the noise of the snowmobile frightened the reindeer, who in turn exhibited health problems and produced fewer calves each year. Herd sizes were (B) reduced / increased further by herders who sold some of their reindeer to buy a snowmobile. With smaller herds, the Lapps found it more difficult to survive, and the snowmobile was eventually viewed as a product that drove the Lapps into (C) poverty / wealth .

	(A)	(B)	(C)
①	beneficial	reduced	poverty
②	disastrous	reduced	poverty
③	disastrous	increased	wealth
④	disastrous	increased	poverty
⑤	beneficial	reduced	wealth

154

(A), (B), (C)의 각 네모 안에서 문맥에 맞는 낱말로 가장 적절한 것은?

Girls are socialized to watch body language and other subtle (A) verbal / nonverbal messages that are often overlooked by boys. Girls are able to quickly tune in to the feelings of others that are constantly swirling around them—in class, on the field, and at the dinner table, especially. However, these skills can also be (B) determined / detrimental , causing girls to be more easily distracted, and making them more (C) vulnerable / venerable to fail a task. A high school student named Clara says, "We have parents and teachers who always pressure us to be great in school, and they want us to be great in everything we do after school too. This pressure is what keeps us too much focused on our success."

	(A)	(B)	(C)
①	verbal	detrimental	vulnerable
②	verbal	determined	venerable
③	nonverbal	detrimental	vulnerable
④	nonverbal	detrimental	venerable
⑤	nonverbal	determined	venerable

16 의미 혼동어 및 기타

1 의미를 혼동하기 쉬운 어휘

1. ☐ **successful** 성공적인 ☐ **successive** 연속적인
2. ☐ **economic** 경제의 ☐ **economical** 절약하는
3. ☐ **historic** 역사상 유명한 ☐ **historical** 역사의
4. ☐ **classic** 일류의, 유명한 ☐ **classical** 고전적인
5. ☐ **practicable** 실행 가능한 ☐ **practical** 실용적인
6. ☐ **sensible** 분별력이 있는 ☐ **sensitive** 민감한
   ☐ **sensuous** 감각적인, 미적인 ☐ **sensual** 육감적인
7. ☐ **considerate** 동정심이 있는, 마음씨 좋은
   ☐ **considerable** 상당한
8. ☐ **comprehensible** 이해할 수 있는
   ☐ **comprehensive** 종합적인, 포괄적인
9. ☐ **imaginary** 상상의
   ☐ **imaginable** 상상할 수 있는
   ☐ **imaginative** 상상력이 풍부한
10. ☐ **beneficial** 유익한, 수익의
    ☐ **beneficent** 자선을 행하는, 인정 많은
    ☐ **benevolent** 호의적인
11. ☐ **literal** 글자 그대로의
    ☐ **literate** 읽고 쓸 줄 아는
    ☐ **literary** 문학의
12. ☐ **intelligent** 총명한
    ☐ **intelligible** 이해할 수 있는
    ☐ **intellectual** 지적인

2 유사 형태 및 대조 되는 어휘

1. ☐ **diary** 일기 ☐ **dairy** 낙농의 ☐ **daily** 매일의
2. ☐ **latitude** 위도 ☐ **longitude** 경도
3. ☐ **contract** 계약 ☐ **contact** 접촉
4. ☐ **altitude** 고도, 해발 ☐ **aptitude** 적성, 소질
5. ☐ **ethnic** 인종의 ☐ **ethics** 윤리
6. ☐ **genuine** 진짜의 ☐ **genius** 천재
7. ☐ **different** 다른 ☐ **indifferent** 무관심한
8. ☐ **valuable** 귀중한 ☐ **invaluable** 매우 귀중한
9. ☐ **affect** 영향을 주다 ☐ **effect** (결과를) 초래하다
10. ☐ **desert** 사막 ☐ **dessert** 후식
11. ☐ **ingenious** (장치 등이) 교묘한; (사람이) 영리한
    ☐ **ingenuous** 진지한, 순진한
12. ☐ **numerous** 매우 많은
    ☐ **innumerous = innumerable** 무수히 많은, 헤아릴 수 없는
13. ☐ **imitate** 모방하다
    ☐ **irritate** 화나게 하다
    ☐ **irrigate** 물을 대다

Check Point

1. Don't forget to ask for the [receipt / recipe] when you buy something.
2. The organization was [found / founded] in 2006.

---

155 기출

(A), (B), (C)의 각 네모 안에서 문맥에 맞는 낱말로 가장 적절한 것은?

The first experiments in television broadcasting began in France in the 1930s, but the French were slow to employ the new technology. There were several reasons for this (A) hesitancy / consistency . Radio absorbed the majority of state resources, and the French government was reluctant to shoulder the financial burden of developing national networks for television broadcasting. Television programming costs were too high, and program output correspondingly low. Poor (B) distribution / description combined with minimal offerings provided little incentive to purchase the new product. Further, television sets were priced beyond the means of a general public whose modest living standards, especially in the 1930s and 1940s, did not allow the acquisition of luxury goods. Ideological influences also factored in; elites in particular were (C) optimistic / skeptical of television, perceiving it as a messenger of mass culture and Americanization.

	(A)	(B)	(C)
①	hesitancy	distribution	optimistic
②	hesitancy	distribution	skeptical
③	hesitancy	description	optimistic
④	consistency	description	optimistic
⑤	consistency	distribution	skeptical

156 기출

(A), (B), (C)의 각 네모 안에서 문맥에 맞는 낱말로 가장 적절한 것은?

The Amber Alert system started in 1996 as a local effort in Texas to get the public involved when children were kidnapped. In order for an Amber Alert to be issued, (A) faculties / authorities must know the child's age and believe the child has been kidnapped and is under serious physical threat. If these criteria are met, police officers (B) notify / classify local media—radio and TV stations. They then issue special broadcasts with details of the kidnapping and advise the public to look out for the child and the suspect. This alert system has been quite (C) successive / successful in recovering missing children and is now in place all over the U.S.

	(A)	(B)	(C)
①	faculties	notify	successive
②	authorities	notify	successful
③	authorities	notify	successive
④	authorities	classify	successive
⑤	faculties	classify	successful

157 기출

다음 글의 밑줄 친 부분 중, 문맥상 낱말의 쓰임이 적절하지 <u>않은</u> 것은?

Many people take numerous photos while traveling or on vacation or during significant life celebrations to ① preserve the experience for the future. But the role of photographer may actually detract from their ② delight in the present moment. I know a father who devoted himself earnestly to photographing the birth of his first and only child. The photos were beautiful but, he ③ lamented afterward he felt that he had missed out on the most important first moment of his son's life. Looking through the camera lens made him ④ detached from the scene. He was just an observer, not an experiencer. Teach yourself to use your camera in a way that ⑤ neglects your ongoing experiences, by truly looking at things and noticing what is beautiful and meaningful.

158 기출

(A), (B), (C)의 각 네모 안에서 문맥에 맞는 낱말로 가장 적절한 것은?

There are few people who do not react to music to some degree. The power of music is diverse and people respond in different ways. To some it is mainly an (A) instinctive/inactive , exciting sound to which they dance or move their bodies. Other people listen for its message, or take an intellectual approach to its form and construction, (B) appreciating/confusing its formal patterns or originality. Above all, however, there can be hardly anyone who is not moved by some kind of music. Music (C) covers/removes the whole range of emotions: It can make us feel happy or sad, helpless or energetic, and some music is capable of overtaking the mind until it forgets all else. It works on the subconscious, creating or enhancing mood and unlocking deep memories.

	(A)	(B)	(C)
①	instinctive	appreciating	covers
②	instinctive	confusing	removes
③	instinctive	appreciating	removes
④	inactive	appreciating	covers
⑤	inactive	confusing	removes

159

(A), (B), (C)의 각 네모 안에서 문맥에 맞는 낱말로 가장 적절한 것은?

The snake's tail had to follow the directions of his head. One day the tail began to complain why the head must be his leader. Then, the head said, "Then make it for once yourself." So the tail took the lead. However, his first (A) exploit/exploitation was to drag the body into a muddy pond. Escaping from the unpleasant place, he (B) crept/cropped into a fiery furnace. And when relieved from there, he fell into briers and thorns. What caused all these accidents? It was because the head was (C) guarded/guided by the tail. This is also true with people in the real world. One can fancy that he should lead the way, as he thinks he leads better than other people. Due to his immaturity, inexperience, and ignorance of the grim realities, he makes wrong choices and drags other people into severe adversity.

	(A)	(B)	(C)
①	exploit	cropped	guarded
②	exploitation	crept	guided
③	exploit	crept	guided
④	exploitation	crept	guarded
⑤	exploitation	cropped	guided

160 기출

(A), (B), (C)의 각 네모 안에서 문맥에 맞는 낱말로 가장 적절한 것은?

Learning Korean may be difficult for English speakers because in Korean, unlike in English, (A) considerable/considerate differences exist in both grammar and vocabulary depending on the relationship between the two people (B) evolved/ involved . A Korean speaker, for instance, may have to use different verb forms depending on his or her relationship to the person whom he or she speaks to. This indicates that Korean speakers at times use a more (C) elaborate/simplified system for addressing each other.

	(A)	(B)	(C)
①	considerable	involved	elaborate
②	considerable	evolved	elaborate
③	considerate	evolved	simplified
④	considerate	evolved	elaborate
⑤	considerate	involved	simplified

161

다음 그림에 대한 글의 내용 중, 밑줄 친 낱말의 쓰임이 적절하지 <u>않은</u> 것은?

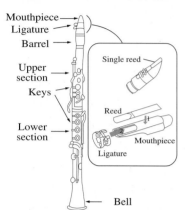

The clarinet consists of a ① <u>cylindrical air column</u> with a bell-shaped opening at one end. Its mouthpiece holds a single reed. The reed is ② <u>attached</u> to the mouthpiece by the ligature and the top half-inch or so of this assembly is held in the player's mouth. Next is the ③ <u>short</u> barrel. This part of the instrument may be extended in order to fine-tune the clarinet. The main body of most clarinets is ④ <u>divided</u> into the upper section whose holes and most keys are operated by the left hand, and the lower section whose holes and most keys are operated by the right hand. Finally, the ⑤ <u>pointed</u> end is known as the bell.

162

(A), (B), (C)의 각 네모 안에서 문맥에 맞는 낱말로 가장 적절한 것은?

At the hunt, Dunstan met Bryce, the horse dealer, who had long had his eye on Wildfire. "You're on your brother's horse today. How's that?" asked Bryce. "I've exchanged it with my horse," said Dunstan. Dunstan knew that Bryce wanted to buy the horse. After long (A) bargaining/trade , Bryce agreed to buy it for a hundred and thirty pounds. The money was to be paid when Dunstan (B) delivered/relieved the horse to Bryce's stables. In high spirits, Bryce went on the hunt with his friends. He boasted that he had a fine horse that could jump better than any other horse. He tried to jump over the highest fence but failed. The horse fell on a pointed post. It died on the (C) site/spot .

	(A)	(B)	(C)
①	trade	relieved	spot
②	bargaining	delivered	spot
③	trade	delivered	site
④	bargaining	delivered	site
⑤	trade	relieved	site

163

다음 그림에 대한 글의 내용 중, 밑줄 친 낱말의 쓰임이 적절하지 <u>않은</u> 것은?

Anatomy of the Lung

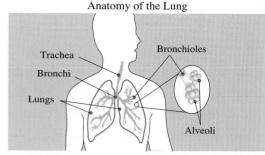

The lungs are a ① <u>pair</u> of sponge-like organs found in the chest on either side of the heart. The trachea is the windpipe where O_2 and CO_2 are coming in and going out. The bronchi (the plural form of bronchus) are tubes ② <u>leading from</u> the windpipe into the lungs. The bronchi continue to ③ <u>combine</u> within the lung, and after multiple divisions, give rise to bronchioles. Bronchioles are smaller tubes ④ <u>branching</u> off the bronchi, and alveoli are tiny air sacs at the ⑤ <u>end</u> of bronchioles. The right lung is a bit larger than the left lung.

*alveoli(alveolus의 복수): 폐포

164

(A), (B), (C)의 각 네모 안에서 문맥에 맞는 낱말로 가장 적절한 것은?

I personally suggest that if you want to give an (A) impression/expression of being a nice person, you should start with a bright smile. You may sport expensive clothes. Or you may be wealthy and famous. But if you sport a sour face, you'll get the same treatment in return, as sour as vinegar. Wouldn't you agree that a smile is a universal language expressed in the form of a gesture that greets and welcomes everyone? Smiling is the best option to attract people. Never forget to (B) exclude/include a smile into your daily engagements. When you make a (C) board/broad smile your trademark, success and victory will always be on your side. Moreover, a smile also binds and maintains friendships and love.

	(A)	(B)	(C)
①	expression	exclude	board
②	impression	include	broad
③	expression	include	board
④	impression	exclude	broad
⑤	expression	include	broad

165

다음 그림에 대한 글의 내용 중, 밑줄 친 낱말의 쓰임이 적절하지 <u>않은</u> 것은?

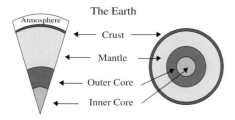

The Earth consists of several layers. The three main layers are the core, the mantle, and the crust. The core is the inner part of the earth, the crust is the outer part, and ① <u>between</u> them is the mantle. The earth is ② <u>surrounded</u> by an atmosphere. The Earth's hard outer shell is crust. The crust, which consists of two parts, the oceanic and the continental crust, lays ③ <u>below</u> the mantle and is made up of solid material like various kinds of rock. The mantle behaves more like a solid than a liquid. The mantle goes down nearly ④ <u>half way</u> to the Earth's center. The core is a dense cord of the elements iron and nickel. It is ⑤ <u>divided</u> into two layers, the inner core and the outer core. The inner core—the center of the earth— is solid and about 1,250 km thick.

166

(A), (B), (C)의 각 네모 안에서 문맥에 맞는 낱말로 가장 적절한 것은?

Your muscles are at their coldest and most stiff in the morning. And if you exercise excessively when your muscles are (A) rigid/ridged , you are more likely to be injured. So if you love to do morning exercises, the best thing to do is to have a light jog or do some stretching. Try to avoid exercising too much as it may (B) impair/repair your joints. If you choose to work out in the morning, eat a small snack rich in carbohydrates. This will maintain your body's blood sugar level as you work out. A candy bar and a glass of orange juice or a bagel and a piece of fruit will give you the needed (C) boost/boast to get through that high quality workout.

	(A)	(B)	(C)
①	rigid	...... impair	...... boost
②	ridged	...... impair	...... boost
③	rigid	...... impair	...... boast
④	ridged	...... repair	...... boast
⑤	rigid	...... repair	...... boast

167

다음 그림에 대한 글의 내용 중, 밑줄 친 낱말의 쓰임이 적절하지 <u>않은</u> 것은?

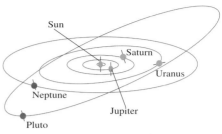

Uranus and Neptune had been declared planets based on their ① <u>circular</u> orbits, large masses, and proximity to the ecliptic plane. None of these applied to Pluto, a tiny, icy world in a region of gas giants with an orbit that carried it high above the ecliptic plane and even inside that of Neptune. Normally, Neptune is ② <u>closer</u> to the Sun and thus to the Earth. Pluto, located ③ <u>beyond</u> Neptune, is ④ <u>farther away</u> from both the Sun and the Earth. But because of the shape of its orbit, Pluto does, upon certain cycling, move inside the orbit of Neptune, therefore moving ⑤ <u>distant from</u> the Sun and to the Earth than Neptune.

168

(A), (B), (C)의 각 네모 안에서 문맥에 맞는 낱말로 가장 적절한 것은?

As a great web page becomes so important and new online elements like social media tools demand your attention, it becomes harder and harder to invest in a web page within a (A) limited/unlimited budget. Our outstanding services help you navigate the possibilities and make the choices that advance your organization best. We will evaluate your goals, (B) access/assess your current Internet presence, optimize our technology initiatives, and develop a plan to succeed. The result will be a (C) comprehensible/comprehensive communications strategy that supports your mission, extends your brand, and increases your impact. The moment you choose our service, you take a step towards success!

	(A)	(B)	(C)
①	limited	...... access	...... comprehensible
②	limited	...... assess	...... comprehensible
③	limited	...... assess	...... comprehensive
④	unlimited	...... assess	...... comprehensive
⑤	unlimited	...... access	...... comprehensible

단기간에 수능 어법어휘 마스터하기

어휘
실전
모의고사

169

(A), (B), (C)의 각 네모 안에서 문맥에 맞는 낱말로 가장 적절한 것은?

A new study has shown that second-hand smoke can cause lung cancer to non-smokers. Just 8 percent of male non-smokers got lung cancer, while up to 20 percent of women who develop lung cancer have never smoked. Researchers said it is not clear why women may be more (A) susceptible / suspicious to getting lung cancer even though they have never smoked. According to an expert, women may be more likely to be (B) exposed / imposed to second-hand smoke because more men smoke than women. "We know that it does increase the risk of lung cancer, so it's likely that a lot of these cases we observe are (C) attributable / attentive to it," she said.

	(A)	(B)	(C)
①	susceptible	…… exposed	…… attributable
②	suspicious	…… exposed	…… attentive
③	susceptible	…… exposed	…… attentive
④	suspicious	…… imposed	…… attributable
⑤	susceptible	…… imposed	…… attentive

170

다음 그림에 대한 글의 내용 중, 밑줄 친 낱말의 쓰임이 적절하지 <u>않은</u> 것은?

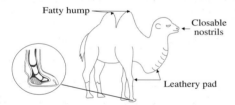

A camel is known for representing life in the desert. It is more suited to life in the desert than almost any other beast, with a hump full of ① <u>fat</u> on its back as a permanent storage for fluids. But when it travels a distance without food, its humps get smaller and smaller, and actually disappear. The camel's enormous stomach can hold huge amounts of grass and water. Camels are very strong animals with long sturdy legs and ② <u>two-toed</u>, hoofed feet. They also have thick leathery pads on their ③ <u>knees</u> and chest. With eyes and ears set ④ <u>high</u> on the head, they can detect danger from a distance. They have nostrils that can open and close, protecting them from the desert environment. Camels have thick fur that keeps them warm at night and cool during the day and a long, ⑤ <u>erect</u> neck that allows a camel to reach for food plants.

171

(A), (B), (C)의 각 네모 안에서 문맥에 맞는 낱말로 가장 적절한 것은?

Korea's online advertising market is expected to (A) reach / search $1 billion this year. LKM Korea, the nation's largest online marketer, conducted a survey for special (B) overturns / overtures recently on the country's online ad market. The survey found that online ad sales are expected to grow 12 percent to 977.8 billion won or $1 billion, from last year's 849 billion won. Keyword ads, or search-based ads, refer to a new web-based way of selling ads related to Internet query results. Keywords are shown only when a user puts a specific (C) conquest / request into the search engine. That means a user won't see an unwanted ad unless he or she is searching for information on that specific topic.

	(A)	(B)	(C)
①	reach	…… overtures	…… conquest
②	reach	…… overturns	…… request
③	search	…… overtures	…… conquest
④	search	…… overturns	…… conquest
⑤	reach	…… overtures	…… request

172

다음 그림에 대한 글의 내용 중, 밑줄 친 낱말의 쓰임이 적절하지 <u>않은</u> 것은?

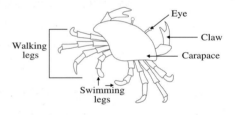

Crabs are fast-moving animals whose bodies are ① <u>covered</u> with hard shells. A crab has three main body parts covered by a large shell called a carapace. The head section has two moveable tentacles that ② <u>support</u> the eyes and are able to move up and down and right and left. Thus, their eyes can support a broad view. Crabs are crustacea; they have 10 limbs ③ <u>attached</u> to the thorax. Crabs also have five pairs of legs; four pairs are walking legs ④ <u>including</u> swimming legs, and the remaining pair of legs, called claws, is used to capture prey, hold food, and defend themselves. The two big claws are so strong that they never lose their prey once they capture it. Among the walking legs are the two ⑤ <u>front</u> swimming ones. Crabs walk sideways rather than forward and when they feel their lives are threatened, they cut their legs by themselves, but new legs come into existence.

*thorax: 흉부 **crustacea: (새우, 게 등의) 갑각류

173

(A), (B), (C)의 각 네모 안에서 문맥에 맞는 낱말로 가장 적절한 것은?

Anxiety is described as a hostile, emotional, and motivational state occurring in perceived threatening circumstances. Anxiety has often been dichotomized into trait and state anxiety. State anxiety reflects a temporary emotional state characterized by (A) objective/ subjective , consciously perceived feelings of tension and nervousness, and enhanced autonomic nervous system activity. It may change over time and can vary in intensity. In contrast, trait anxiety means relatively stable individual differences in anxiety and refers to a general tendency to respond (B) stably/unstably with anxiety toward perceived threats in the environment. Contrary to the traditional trait-state anxiety dichotomy, a (C) contemporary/temporary model of anxiety holds that both trait and state anxiety are multidimensional and interactive, consisting of various components including social evaluation.

*dichotomize: 둘로 나누다

	(A)		(B)		(C)
①	objective	……	unstably	……	temporary
②	objective	……	stably	……	temporary
③	subjective	……	stably	……	contemporary
④	subjective	……	stably	……	temporary
⑤	subjective	……	unstably	……	contemporary

175

(A), (B), (C)의 각 네모 안에서 문맥에 맞는 낱말로 가장 적절한 것은?

Though it is difficult to connect specific weather events to global warming, an increase in global temperatures will cause the polar ice caps to melt and sea levels to rise. Changes in the amount and pattern of precipitation may result in flooding and drought. Other (A) causes/effects may include changes in agricultural yields, reduced summer stream flows, extinction of species, and (B) increases/decreases in the range of disease vectors. Some effects on both the natural environment and human life are, at least in part, already being attributed to global warming. A report by the IPCC suggests that melting glaciers, ice shelf (C) corruption/disruption , rising sea levels, changes in rainfall patterns, increased intensity and frequency of extreme weather events can be attributed in part to global warming.

	(A)		(B)		(C)
①	causes	……	increases	……	corruption
②	causes	……	increases	……	disruption
③	causes	……	decreases	……	corruption
④	effects	……	decreases	……	disruption
⑤	effects	……	increases	……	disruption

174

다음 그림에 대한 글의 내용 중, 밑줄 친 낱말의 쓰임이 적절하지 않은 것은?

Male

Titanis (frightful crane) is the name suited to this animal. Its head was as big as that of the present-day horse and its bill was very big and ① crooked. This bird had no teeth but a sharp hook at the end of the bill, which enabled it to tear its prey. Its wings were rather ② small so it was unable to fly. Titanis only possessed fingers on its arm bone. Each wing had a pair of fingers ③ armed with sharp nails. The nails were short, but they helped Titanis grasp and hold its prey more effectively. The bird also had a ④ short neck compared with its body length, and there was a decoration ⑤ crest on the top of the male's head. Its three toes featured long claws.

176

다음 글의 밑줄 친 부분 중, 문맥상 낱말의 쓰임이 적절하지 않은 것은?

A recent ① upsurge in agricultural product prices has been witnessed globally this year. A strong ② supply for biofuels due to concerns over climate change has driven the prices of rice, wheat, and maize to record highs. This situation is especially distressing for Africa, which is home to more than 200 million people suffering from ③ chronic malnourishment. In order to ④ mitigate its widespread food crises, Africa needs to promote its agricultural potential and turn these price hikes into an opportunity for economic development. While the extraordinary price rises of the past six months have been partly ⑤ instigated by temporary factors, a number of structural phenomena affecting both supply and demand give reason to believe that these higher prices will continue in the coming decades.

177

(A), (B), (C)의 각 네모 안에서 문맥에 맞는 낱말로 가장 적절한 것은?

To feel good about life you must first feel good about yourself. You may not be able to (A) alter/altar the situation, but you can always change the way you feel about it. If you accept the situation and remain positive, your world will become positive. The way we feel about something (B) effects/affects our daily lives. If you hate anyone, it will not only infect you and others around you but also poison those who love you. On the other hand, if you love and forgive others, then you can start to grow, to love, and to feel good about yourself. Let go of the past and (C) reject/embrace the future. The future is what you make it.

	(A)		(B)		(C)
①	alter	……	effects	……	reject
②	alter	……	affects	……	reject
③	alter	……	affects	……	embrace
④	altar	……	effects	……	reject
⑤	altar	……	affects	……	embrace

178

다음 그림에 대한 글의 내용 중, 밑줄 친 낱말의 쓰임이 적절하지 않은 것은?

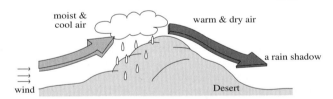

Air rises in a process called "orographic lifting" when it ① flows over a mountain range. As the air rises, it cools, and water vapor may condense into clouds that ② produce rain or snow. These conditions create abundant precipitation on the ③ windward side and at the top of the range. When air passes over the top onto the leeward side, it ④ sinks. This air has already lost much of its moisture. But it warms as it falls, absorbing moisture on the leeward side of the range. Therefore a rain shadow desert forms where the air rises over a mountain range because the dry, ⑤ ascending air on the leeward side absorbs moisture. Thus, a mountain ridge can be a sharp border between a hot, dry climate and a cooler, wetter climate.

*orographic lifting: 지형 상승

179

(A), (B), (C)의 각 네모 안에서 문맥에 맞는 낱말로 가장 적절한 것은?

Depression is a temporary response to life's stresses. Adolescent depression is common due to the process of (A) maturing/manuring and its related stresses, the influence of hormones, and conflicts with parents over (B) independence/dependence issues. Stress is also caused by a tragic event, such as the death of a close friend or relative, the (C) spilt/split between a boyfriend or girlfriend, and trouble at school. Particularly at risk are those youths who have low self-esteem and are highly self-critical. They feel as though they have little power over negative events in their lives. Because of the fluctuating moods that are common in normal teenagers, depression is often difficult to diagnose.

	(A)		(B)		(C)
①	maturing	……	independence	……	split
②	manuring	……	independence	……	spilt
③	manuring	……	independence	……	split
④	maturing	……	dependence	……	split
⑤	manuring	……	dependence	……	spilt

180

다음 그림에 대한 글의 내용 중, 밑줄 친 낱말의 쓰임이 적절하지 않은 것은?

Beibei   Jingjing   Huanhuan   Yingying   Nini

The above characters are the official Mascots of the Beijing 2008 Olympic Games, called Fuwa. These dolls represent the natural characteristics of four of China's most popular animals—the Fish, the Panda, the Tibetan Antelope, and the Swallow—and the Olympic flame. Beibei carries the blessing of prosperity, and the ornamental lines of the ① water-wave designs are taken from well-known Chinese paintings of the past. Jingjing is a ② panda that is a protected species and a national treasure. The lotus designs in Jingjing's ③ headdress symbolize the lush forest and the harmonious relationship between man and nature. Huanhuan symbolizes the Olympic flame and the passion of sport. The ④ fiery designs of his head ornament are drawn from the famed murals. The Yingying ⑤ standing pose reflects Yingying's fast and agile character. It can swiftly cover great stretches of land as he races across the earth.

181

(A), (B), (C)의 각 네모 안에서 문맥에 맞는 낱말로 가장 적절한 것은?

Most feminists maintain that traditional gender roles are (A) oppressive / unrestricted for women. They believe that the female gender role was formed as an opposite to an ideal male role and helps to (B) perpetuate / perpetrate patriarchy. For about the last century, women have been fighting for the same rights as men and have altered the traditionally accepted feminine gender role. But most feminists now say something remains to be done. Many studies and statistics show that even though the situation for women has improved during the last century, discrimination is still prevalent: Women earn a smaller percentage of (C) aggregate / segregate income than men, occupy lower-ranking job positions than men, and do most of the housekeeping work.

	(A)	(B)	(C)
①	unrestricted	...... perpetuate	segregate
②	unrestricted	...... perpetrate	aggregate
③	oppressive	...... perpetuate	segregate
④	oppressive	...... perpetuate	aggregate
⑤	oppressive	...... perpetrate	segregate

183

(A), (B), (C)의 각 네모 안에서 문맥에 맞는 낱말로 가장 적절한 것은?

During my college years, I was active in many student organizations. Being active in extra-curricular activities (A) enriched / engaged my overall experience and enabled me to hone my time management skills. After graduating, I began studying dentistry at the City School of Dental Medicine. Its curriculum is very (B) demanding / suspending, and it is one of the best experiences of my life. During my dental training, I developed a strong interest in reconstructive dentistry. Currently, I am a partner in New York's most (C) reputable / respectful multi-specialty dental group practice. I am fortunate to affiliate with such an outstanding group of professionals who all strive to provide the absolute best dental care to every patient.

	(A)	(B)	(C)
①	enriched	...... demanding	respectful
②	enriched	...... demanding	reputable
③	enriched	...... suspending	reputable
④	engaged	...... suspending	reputable
⑤	engaged	...... suspending	respectful

182

다음 그림에 대한 글의 내용 중, 밑줄 친 낱말의 쓰임이 적절하지 <u>않은</u> 것은?

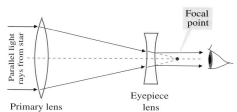

A telescope is a device that collects light from a wide area and then focuses it where it can be detected. Detection devices may be simple, such as your eye or a photographic plate. In other instances, complex instruments analyze the images. Galileo and many other early astronomers used refracting telescopes, which ① employ two lenses. The first spherical lens, called the primary lens, ② collects light from a distant object like stars, and then ③ magnifies it. Light bends, or refracts, when it ④ passes through the curved surface of the primary lens. The bent light rays ⑤ converge on the focus, forming an image of a distant object. The eyepiece lens then makes the concentrated light ray parallel again.

184

다음 그림에 대한 글의 내용 중, 밑줄 친 낱말의 쓰임이 적절하지 <u>않은</u> 것은?

Yoruba people are one of the largest ethnic groups in West Africa, and they have developed their own particular style of art. Yoruba artists often make sculptures that are ① abstract. It is easy to tell that this sculpture shows a human head, but the figure is not entirely ② realistic. When we look at this sculpture, we can't see the wrinkles, the contour of cheekbones, eyebrows, and a chin that a real human face has. Instead, the artist carved the human face as if it were made up of basic geometric shapes. The mouth is in the shape of a rectangle. The nose is a vertical ridge with two half-spheres for the nostrils. The face is rounded, almost a perfect ③ oval. The eyes, exaggerated to be ④ smaller than life, are roughly the shape of half-circles and have ⑤ thick eyelids. The eyes are so large that we tend to pay the most attention to them.

*Yoruba: 나이지리아 원주민 족속

185

(A), (B), (C)의 각 네모 안에서 문맥에 맞는 낱말로 가장 적절한 것은?

Music is the inner or universal language of God. In other words, the vibration of air is the breath of God. When we are with music, we do not need any other forms of outer communication; the inner (A) companion/communion of the heart is enough. Expressing the (B) inexpressible/inescapable is music. This has tremendous power. With fire we can burn ourselves, or we can cook and do many other things. It is the same with this. This immediately (C) elevates/alleviates our consciousness, hearts, and mind. This talks to our inner soul and creates an instinctive response. Many people believe that music is one of the most personal art forms in our life because it comes from our soul with sincere joy.

	(A)	(B)	(C)
①	companion	inexpressible	elevates
②	companion	inescapable	alleviates
③	companion	inexpressible	alleviates
④	communion	inescapable	elevates
⑤	communion	inexpressible	elevates

186

다음 그림에 대한 글의 내용 중, 밑줄 친 낱말의 쓰임이 적절하지 않은 것은?

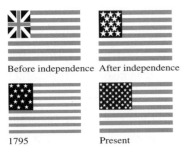

Before independence   After independence

1795   Present

On the earliest U.S. flag, ① before independence, the 13 stripes represented the original states and the Union Jack showed that they belonged to Britain. After independence, the British flag was ② replaced with 13 stars. After the state of Vermont and Kentucky joined the Union, the flag ③ acquired another two stars and two stripes as of 1795. In 1818, President James Monroe approved a bill that the U.S. flag would have 7 red stripes, 6 white stripes and 20 stars, and a star would be ④ omitted whenever a state joined the Union. 30 states had joined the Union by 1848. Presently, the U.S. flag consists of ⑤ 13 stripes and 50 stars.

*Union Jack: 영국국기

187

(A), (B), (C)의 각 네모 안에서 문맥에 맞는 낱말로 가장 적절한 것은?

Teens, especially high school students in Korea, are suffering from tremendous stress from (A) constant/contrast competition and the burden of study. They don't have enough time to eat or sleep, not to mention any time for entertainment. The reality of high school is that students are mentally and physically exhausted to the point that they tend to become (B) passive/active learners regardless of their enthusiasm for learning. What students really need is some fun and hearty words of encouragement to keep them going. It's the teacher's role to make them enjoy the class rather than (C) ensure/endure it. Maybe teachers are the only hope for students, as they are teammates of worn-out runners.

	(A)	(B)	(C)
①	contrast	passive	ensure
②	contrast	active	endure
③	constant	passive	endure
④	constant	active	ensure
⑤	constant	passive	ensure

188

다음 그림에 대한 글의 내용 중, 밑줄 친 낱말의 쓰임이 적절하지 않은 것은?

The incandescent light bulb produces light from electricity using a conductor that allows electricity or heat to flow through it. An electrical current ① passes through this conductor, a filament of thin wire, and heats it by releasing photons in thermal equilibrium. The enclosing glass bulb is filled with an inert gas ② injected through an exhaust tube, and the insulation reduces evaporation of the filament by preventing oxygen in the air from reaching the heated filament. A glass mount on the inside called a stem ③ dangles the filament with two support wires and two connecting wires lest it ④ move and allows

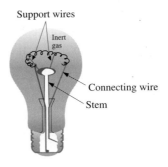

Support wires

Inert gas

Connecting wire

Stem

the electrical contacts to run through the glass enclosure without gas or air leaks. The filament of fine tungsten wire is usually ⑤ coiled doubly to improve the efficacy of the light bulb.

189

(A), (B), (C)의 각 네모 안에서 문맥에 맞는 낱말로 가장 적절한 것은?

Crops need a high (A) quality/quantity of water irrespective of source, for normal crop growth and harvesting. Water is either provided by precipitation or by (B) irrigation/irritation. Water is needed mainly to meet the demands of the transpiration and metabolic needs of plants, collectively known as consumptive use. Since water used in the metabolic activities of plants is negligible, being less than one percent of the amount of water passing through a plant, (C) evacuation/evaporation and transpiration are considered as equal to consumptive use. Besides these two, water requirement includes losses during the application of supplying water to a field and water required for special operations such as land preparation and transplanting.

	(A)	(B)	(C)
①	quality	irrigation	evacuation
②	quality	irritation	evaporation
③	quantity	irrigation	evacuation
④	quantity	irritation	evaporation
⑤	quantity	irrigation	evaporation

190

다음 그림에 대한 글의 내용 중, 밑줄 친 낱말의 쓰임이 적절하지 않은 것은?

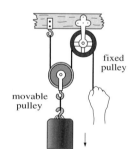

fixed pulley

movable pulley

A pulley is a device that binds the groove of a wheel with a chain or a rope in order to decrease the extent of the force or change the direction of the force. A complex pulley is a ① combination of a movable pulley and a fixed pulley. The spindle of the fixed pulley is ② fixed. The fixed pulley can change the direction of the force. The spindle of the movable pulley is fixed on ③ the load which is to be lifted. Lower the rope to bind the downside of the movable pulley and ④ raise the rope to bind the upside of the fixed pulley. Then, ⑤ loosen the rope in order to lift the load.

*pulley: 도르래 **spindle: 축

191

(A), (B), (C)의 각 네모 안에서 문맥에 맞는 낱말로 가장 적절한 것은?

The strong influence of Zaire on the Great Lakes Region (Rwanda, Zaire, Uganda, and Burundi) has always been a (A) figure/feature of the political landscape of the region. These four countries share geographical boundaries and culture, and three of them share a colonial history. Until 1960, Rwanda, Burundi, and Zaire were all under the same colonial administration, that of the Belgium. Zaire is by far the largest of the four countries. In fact, it is the second largest in size in Africa, and the richest of the four in natural resources. It became (B) dependent/independent before Rwanda and Burundi, two of the smallest but most densely populated countries in Africa. For five years until 1965, Zaire (C) adopted/adapted and preached a policy of non-interference in the internal affairs of neighboring countries.

	(A)	(B)	(C)
①	figure	dependent	adopted
②	figure	independent	adapted
③	feature	independent	adopted
④	feature	independent	adapted
⑤	feature	dependent	adapted

192

다음 글의 밑줄 친 부분 중, 문맥상 낱말의 쓰임이 적절하지 않은 것은?

In our modern world, nobody would deny that wealth and power are what everybody is after. We all desire something in our lives. Everyone ① strives to get what he or she does not possess and, in almost all cases, what we want is somehow related to money, fame, and success. A society naturally ② breaks up into various social groups forming lower to upper classes, and many want to belong to the ③ former one. The American dream is usually ④ interpreted as being the passage to high social status. Being a member of the upper class means not only having huge amounts of money, but also possessing its culture. In this sense, the dream involves ⑤ attaining a balance between spiritual strength and physical strength.

단기간에 수능 어법어휘 마스터하기

어법어휘
실전
모의고사

193

다음 글의 밑줄 친 부분 중, 어법상 틀린 것은?

A severe deficiency of donated organs in wealthy countries ① is causing a worrisome increase in the suspicious and illegal physical organ trade. Rich foreigners with life-threatening illnesses are depending on poorer people in China, Colombia, Egypt, Pakistan, the Philippines, and other countries to obtain organs that will give them a new lease on life. The World Health Organization lately estimates that about 20,000 liver transplants ② are carried out annually. Medical experts say this figure is greatly understated and ③ put annual worldwide demand at more than 90,000. Medical tourists, who need transplants, are ④ finding easier to get new body parts because the number of poor people willing to sell their organs such as their liver or kidney to escape from poverty ⑤ is increasing.

194

(A), (B), (C)의 각 네모 안에서 어법에 맞는 표현으로 가장 적절한 것은?

In 1957, the Soviet Union launched the world's first artificial satellite, known as Sputnik. Experiencing a national inferiority complex, the United States began to explore various ways to (A) narrow / narrowing the "science gap." In response, U.S. President Dwight D. Eisenhower formed the Advanced Research Projects Agency to plan, fund, and organize scientific projects. ARPA brought together some of the most brilliant scientific minds in the United States. Within a few years, it began focusing on networking communication and computer technology. In 1962, Dr. J. C. Licklider wrote a series of memoranda (B) which / in which he described what he called a "galactic network." Licklider envisioned a global system of interconnected computers (C) to which / through which people could access information from any site.

	(A)	(B)	(C)
①	narrow	...... which	...... through which
②	narrow	...... in which	...... through which
③	narrow	...... which	...... to which
④	narrowing	...... in which	...... through which
⑤	narrowing	...... which	...... to which

195

(A), (B), (C)의 각 네모 안에서 문맥에 맞는 낱말로 가장 적절한 것은?

There are two functions in education: one is utility, and the other is culture. Through education a man can become more efficient and achieve the desired goals of his life. Moreover he will be trained for resolute and effective thinking. Education must enable one to (A) shift / sift and evaluate evidence, to distinguish the true from the false, the real from the unreal, and facts from fiction. The function of education, thus, is to teach one to think intensively and critically. But education which stops with only efficiency may (B) prove / disprove the greatest threat to society. The most dangerous criminal may be the man gifted with reason, but with no (C) morals / morale .

	(A)	(B)	(C)
①	shift	...... prove	...... morals
②	shift	...... disprove	...... morale
③	shift	...... disprove	...... morals
④	sift	...... prove	...... morals
⑤	sift	...... disprove	...... morale

196

다음 그림에 대한 글의 내용 중, 밑줄 친 낱말의 쓰임이 적절하지 않은 것은?

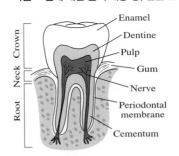

This figure shows the layers of the tooth and its ① internal structure, and the way the tooth relates to the gum. The tooth is divided into three main parts: crown, neck, and root. The crown is the visible part of the tooth that is above the gum, the root is the ② invisible part of the tooth that is below, and the gum is the region between the root and the crown. The crown has a coating of enamel, which protects the ③ underlying dentine. The dentine is a bone-like structure that contains tiny tubules that connect with the central nerve of the tooth ④ outside the pulp. Below the gum, the dentine of the root is covered with a thin layer of cementum, a hard bone-like substance, to which the periodontal membrane ⑤ is attached. This membrane bonds the root of the tooth to the bone of the jaw.

*dentine: 상아질 **periodontal membrane: 치근막

197

다음 글의 밑줄 친 부분 중, 어법상 틀린 것은?

Obesity rates increased in most states over the last few years, and ① few states showed a decline. "Regrettably, most of us ② are dealing with obesity like it's a mere inconvenience instead of the emergency that it is," said Dr. Jeremy Collins, Senior Vice President at the Jacob Benjamin Johnson Foundation, a philanthropy dedicated to ③ improve health care. Officials at many health-related organizations want the government to play a larger part in preventing obesity. People who are ④ overweight are facing an increased risk of diabetes, heart diseases, and other chronic problems ⑤ that contribute to greater health care costs.

198

(A), (B), (C)의 각 네모 안에서 어법에 맞는 표현으로 가장 적절한 것은?

Many of the smart features of vehicles are safety-related. Some systems mean to prevent collisions use sonar, radar, lasers, computers, or video cameras. These systems beep or warn drivers with a voice signal if the vehicle gets too close to an object. Another safety device is a smart airbag system. (A) To use / Using airbags with the minimum necessary force, sensors determine an occupant's weight and size, and the intensity of impact. This system should reduce the number of children hurt by airbags (B) it opens / that open too vigorously. Another system can automatically inform emergency services (C) that / what an accident has happened and, using a GPS, can spot the location of the vehicle for police and rescue units.

	(A)	(B)	(C)
①	To use	it opens	what
②	Using	that open	what
③	To use	it opens	that
④	To use	that open	that
⑤	Using	that open	that

199

(A), (B), (C)의 각 네모 안에서 문맥에 맞는 낱말로 가장 적절한 것은?

We play notes on a piano, but did you know that notes are also a musical symbol describing perfume? A "note" is the labeling used to portray the order of (A) emitting / dropping fragrance, duration of perfume, and sense of fragrance. Essential oils are looked upon as "top notes," "middle notes" or "base notes" depending on their perfumed qualities. The top notes are the first to be (B) perceived / received after application. They evaporate within three hours. They are effective in the summer when one feels depressed or spiritless. When applying perfume, it is appropriate to (C) spray / spread it on a spot of your body that is a little hot.

	(A)	(B)	(C)
①	emitting	perceived	spray
②	emitting	perceived	spread
③	emitting	received	spray
④	dropping	received	spread
⑤	dropping	received	spray

200

다음 글의 밑줄 친 부분 중, 문맥상 낱말의 쓰임이 적절하지 않은 것은?

Hydrogen bonds, which are ① weak bonds of a very special sort, play a key role in living systems. They differ from ionic and covalent bonds in that they ② link molecules together rather than atoms. In a water molecule, oxygen forms covalent bonds with two hydrogen atoms. The ③ shared electrons in water are more strongly attracted by the oxygen nucleus than by the hydrogen nuclei. Water molecules act like a molecular ④ magnet, with positive and negative ends, or "poles." Molecules that have unequal areas of charge, like water, are polar molecules. A hydrogen bond is a weak chemical bond that forms between two polar molecules. Hydrogen bonds are weak, so they don't form if there are ⑤ short distances between molecules.

*covalent bond: 공유결합
(화학결합의 하나로 2개의 원자 간에 몇 개의 전자를 공유하고 있는 결합)

201

다음 글의 밑줄 친 부분 중, 어법상 틀린 것은?

According to UNESCO, half of today's languages ① have fewer than 10,000 speakers, and a quarter ② has fewer than 1,000. UNESCO classifies languages as follows: When the number of people speaking a language ③ is actively growing, it is considered healthy. When there are no longer children to learn a language, it is considered endangered. When a language is spoken by only a handful of elderly people, it is considered moribund. When no one at all speaks a language as a first language, it is considered extinct. About 50% of the world's tongues ④ are considered endangered or moribund. However, if people had made more efforts to preserve languages, there ⑤ would be far fewer extinct languages than there are now.

202

(A), (B), (C)의 각 네모 안에서 어법에 맞는 표현으로 가장 적절한 것은?

After a short greeting and a handshake, it is common to exchange business cards. In many Asian countries including Hong Kong, Singapore, and Korea, this is a common and important practice among business people. Holding your card in both hands, hand it over to each person at a meeting, (A) to start/starting with the most senior. Put your card in front of the person with the print (B) facing/faced him or her. When a card is given to you, (C) look over it/look it over. Don't put it in your wallet or back pocket, and don't write on it. The customs of exchanging business cards are important all over Asia. A Chinese executive said straightforwardly, "Were it not for a business card, you would be a nobody."

	(A)	(B)	(C)
①	to start	...... facing	...... look over it
②	starting	...... faced by	...... look over it
③	to start	...... facing	...... look it over
④	starting	...... faced by	...... look it over
⑤	starting	...... facing	...... look it over

203

(A), (B), (C)의 각 네모 안에서 문맥에 맞는 낱말로 가장 적절한 것은?

According to analysts, record high oil prices are taking a (A) tolerance/toll on poor countries that rely on imports, while having little effect on the world's industrialized nations and benefiting oil-producing emerging economies. Due to the needs of emerging economies, in particular China, and because of the growing world economy, demand for oil has (B) soared/soured in recent years. Oil-producing economies such as Algeria, Venezuela, and Libya have profited greatly from high prices. But many analysts say that the price rises are a disaster for developing countries that rely on imports for their energy needs. Their oil bills have skyrocketed, worsening their debts and (C) hampering/protecting their fight against poverty.

	(A)	(B)	(C)
①	tolerance	...... soared	...... hampering
②	tolerance	...... soured	...... hampering
③	toll	...... soared	...... protecting
④	toll	...... soured	...... protecting
⑤	toll	...... soared	...... hampering

204

다음 그림에 대한 글의 내용 중, 밑줄 친 낱말의 쓰임이 적절하지 않은 것은?

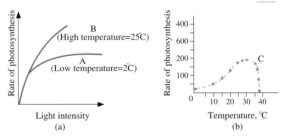

Three factors—light intensity, carbon dioxide concentration, and temperature—mainly affect the rate of photosynthesis. Generally the more light a plant gets, the ① faster the rate of photosynthesis is. In figure (a), line B on the graph shows that with high temperature, the rate of photosynthesis ② increases as light intensity increases. However, line A shows that with low temperature, the rate of photosynthesis levels ③ off even though light intensity keeps on increasing. Now look at figure (b). Line C shows that as the temperature increases past 40°Celcius, the rate of photosynthesis ④ inclines sharply. The rate of photosynthesis is controlled by enzymes, which are affected by temperature. As seen in figure (b), very high temperature ⑤ slows down the rate because if enzymes are overheated, they are destroyed.

*photosynthesis: 광합성

205

다음 글의 밑줄 친 부분 중, 어법상 틀린 것은?

Antiglobalizationists insist that conglomerates simply ① should have too much power. Many large international companies are actually more economically powerful than many national governments. Because of their size, global corporations can sell their products ② even cheaper than local companies. This puts local companies at a disadvantage, and many go bankrupt. Thus, standardized Western products—from fast food to movies—dominate world markets. But globalizationists argue that when local companies ③ are forced to compete in the global marketplace, they become stronger and more efficient companies. They also say that problems that ④ occur as a result of the power of global companies are outweighed by the benefits ⑤ that these companies bring.

*antiglobalizationist: 반세계화주의자

206

(A), (B), (C)의 각 네모 안에서 어법에 맞는 표현으로 가장 적절한 것은?

Just who is the Arab world listening to? Well, they're not listening to only radical sheikhs and militant politicians. A man whose voice (A) is/has captivated the Arab public is a Cairo dentist by day and a novelist by night. Alaa Al Aswany's novel *The Yacoubian Building* is a phenomenon—the best-selling novel in the Middle East for two years. The novel portrays a poignant and uncompromising picture of life in modern Cairo, as (B) seeing/seen through the eyes of many characters in a carnival. An outspoken critic of the Mubarak regime and a friendly, self-effacing man, Dr. Al Aswany studied dentistry and the American way of life in U.S. He has a humanist's love of pondering (C) what/that he makes people do what they do.

*sheikh: (회교도 민족의) 족장, 수장

	(A)		(B)		(C)
①	has	......	seeing	......	what
②	is	......	seen	......	what
③	has	......	seen	......	what
④	is	......	seen	......	that he
⑤	has	......	seeing	......	that he

207

(A), (B), (C)의 각 네모 안에서 문맥에 맞는 낱말로 가장 적절한 것은?

The study by the Joint Committee on Human Rights warns that many older people are facing maltreatment (A) ranging/changing from physical neglect to malnutrition and dehydration through lack of help with eating. Lack of dignity, especially for personal care needs, inappropriate medication designed more to (B) subdue/survive patients than treat them, and overly hasty discharge from hospitals are also causing suffering for many older people, the Members of Parliament and Peers conclude. The report, highlighting severe levels of neglect and abuse of the elderly in Britain, argues that the law should be strengthened to (C) compel/compile hospitals and homes to protect the human rights of older people in their care.

	(A)		(B)		(C)
①	changing	......	survive	......	compile
②	ranging	......	subdue	......	compel
③	ranging	......	survive	......	compile
④	changing	......	subdue	......	compel
⑤	ranging	......	subdue	......	compile

208

다음 글의 밑줄 친 부분 중, 문맥상 낱말의 쓰임이 적절하지 않은 것은?

When a seed first begins to germinate, it ① increases in weight. This is because it ② absorbs water from the soil. As soon as it begins to grow, it starts to ③ use its food stores. The seed, like all living organisms, gets its energy by breaking down glucose, in respiration. Quite a lot of the glucose from the stored starch will be used up in respiration, so the seed ④ decreases in weight. After a few days, the primary shoot of the seed grows above the surface of the ground. The first leaves open out and begin to photosynthesize. The plant can now make its own food ⑤ slower than what it is using up. It begins to increase in weight.

*glucose: 포도당

209

다음 글의 밑줄 친 부분 중, 어법상 틀린 것은?

On Zheng's first trip, he sailed ① south to Vietnam and established a base at Malacca. On one voyage, he traveled to India and Ceylon, and he took the monarch of Ceylon back to China for "instruction." On ② another, he explored the southern coast of Australia. Records say that the sailors observed men ③ to hunt there with boomerangs. In all, Zheng traveled to thirty-seven countries. Whenever he visited them, he dispensed and received goods, and at the same time, he presented gifts of gold, silver, porcelain and silk in return. Among his most exotic souvenirs ④ were zebras, ostriches, lions, giraffes, and other gifts from the ruler of Somalia. When he returned to China, he came with merchants from many countries. After their arrival, the Chinese started to barter with Indian, Arab, and African merchants, ⑤ obtaining spices, ivory, pearl, medicines, and hardwoods that were prized by the imperial court.

210

(A), (B), (C)의 각 네모 안에서 어법에 맞는 표현으로 가장 적절한 것은?

Military vehicles patrolled the streets before dawn with loudspeakers blaring: "We have photographs. We are going to make arrests!" Shari Villarosa, the acting U.S. ambassador in Myanmar, said in a telephone interview. "This action made people in Yangon (A) terrifying / terrified ." "From (B) that / what we understand, military police are traveling around the city in the middle of the night, going into homes and picking up people," she said. Residents living near the Shwedagon Pagoda reported that police swept through dozens of homes in the middle of the night, dragging away several men for questioning. The homes were located above shops at a marketplace (C) where / which sell robes and begging bowls to monks at the nearby pagoda.

	(A)	(B)	(C)
①	terrifying	that	where
②	terrifying	what	which
③	terrified	what	where
④	terrified	what	which
⑤	terrified	that	where

211

(A), (B), (C)의 각 네모 안에서 문맥에 맞는 낱말로 가장 적절한 것은?

Like all inventions, e-mail has resulted in some (A) intentional / accidental results. One of the least desirable features of the Internet is spam. Spam can be (B) defined / refined as electronic junk mail, or unwanted commercial messages sent to a large number of e-mail addresses. It takes its name from SPAM, a canned lunch meat made by the Hormel Company of Minnesota. The lunch meat was (C) populated / popularized by a British comedy group known as Monty Python's Flying Circus. In one Monty Python skit, a group of Vikings in a restaurant keeps singing the word "SPAM, SPAM, SPAM, SPAM" over and over, drowning out other conversations, until they are told to shut up. Unsolicited e-mail has many of the same characteristics as this chorus.

	(A)	(B)	(C)
①	intentional	defined	populated
②	accidental	refined	populated
③	intentional	defined	popularized
④	accidental	refined	popularized
⑤	accidental	defined	popularized

212

다음 그림에 대한 글의 내용 중, 밑줄 친 낱말의 쓰임이 적절하지 않은 것은?

There are many different kinds of problems that people may have with their eyes. Two of the common are long-sightedness and short-sightedness. Long-sighted people can see objects in the distance very clearly but cannot focus on objects ① close to their eyes. So long-sighted people need to wear glasses for reading. The usual reason for this is that the eyeball is

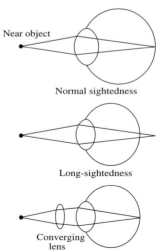

Near object

Normal sightedness

Long-sightedness

Converging lens

② shorter than normal, so that even when the eye's own lens is at its ③ fattest, it cannot bend light rays ④ sharply enough to focus them onto the retina. Long-sightedness can be easily corrected by wearing glasses or contact lenses with converging lenses. The lens bends the light rays ⑤ outwards, doing some of the work for the eye's own lens.

*retina: 망막

213

다음 글의 밑줄 친 부분 중, 어법상 틀린 것은?

Rastafarians are members of a Jamaican religious movement that started in the 1930s. The Rastafarians can be described as a religious group popularly characterized by their special hairstyle and music. According to Rastafarian belief, no comb or razor must touch their hair or beards. Following this rule, Rastafarians let their hair ① grow long and only wash it, leaving it ② to dry naturally. Reggae songs express one or two ideas of Rastafarianism, which ③ are repeated over and over again. A reggae concert resembles a religious ceremony where the musicians are ④ like priests repeating the message of their God in the reggae rhythm. Bob Marley and his group popularized reggae music internationally. Marley died in 1982, but his music still keeps the spirit of Rastafarians ⑤ live.

214

(A), (B), (C)의 각 네모 안에서 어법에 맞는 표현으로 가장 적절한 것은?

When Santo heard the story that Santa Claus was giving away toys to children, he was amazed; he desperately wanted to know (A) that/whether children had to pay for the toys. A carol singer said to him, "No. The toys are gifts." In the village, one thing was exchanged for another, but (B) at no time/in no time of the year did people give things away for nothing. "Who is the man that comes with all the toys?" he asked a girl from the city. The girl said to him and the other children, "The man is Father Christmas, and he comes from far away, in a country that is cold and covered with snow. If you (C) went/had gone there, you would freeze to death owing to the freezing temperature."

	(A)	(B)	(C)
①	that	at no time	went
②	whether	at no time	had gone
③	that	in no time	went
④	whether	at no time	went
⑤	that	in no time	had gone

215

(A), (B), (C)의 각 네모 안에서 문맥에 맞는 낱말로 가장 적절한 것은?

In an (A) effect/effort to clarify the mystery of the Roswell incident, the U.S. government has made innumerable authorized investigations into it. The most comprehensive investigation was conducted by the Air Force in 1994. The paper titled "The Roswell Report: Fact Versus Fiction in the New Mexico Desert" concluded that there had been coverage in 1947, but not for the reasons that the UFOlogists believed. A top-secret operation called Project Mogul involved high (B) evaluation/elevation "balloon trains" equipped with apparatuses to spot nuclear explosions in the Soviet Union. Because of the secrecy of the mission, the government took extreme actions to (C) conceal/reveal the crash.

	(A)	(B)	(C)
①	effect	evaluation	reveal
②	effort	elevation	reveal
③	effort	evaluation	conceal
④	effort	elevation	conceal
⑤	effect	evaluation	conceal

216

다음 글의 밑줄 친 부분 중, 문맥상 낱말의 쓰임이 적절하지 않은 것은?

In the 1980s, expanding technology drove ① precedented numbers of Americans into the age of computers and information. ② Thanks to the microchip, computers that used to be the size of a room could now be placed on a desktop. It was actually in 1971 that the world's first microprocessor, containing all the main ③ components of a computer, was developed. Microchips became smaller and smaller with time, so computers became more and more ④ affordable and convenient for handheld electronic gadgets that changed everyday life. Calculators, once the size of a box on a desk, shrank to the size of a credit card. Much of this occurred south of San Francisco in what has become known as Silicon Valley, a ⑤ mecca of high-technology start-up operations.

217

다음 글의 밑줄 친 부분 중, 어법상 틀린 것은?

Most people of average intelligence can figure out the expected conventional response to a given problem. For example, when (A) asking / asked "What is one half of 15?" most of us immediately answer seven and a half. That's because we tend to think reproductively. When (B) confronted / confronting with a problem, we put through what we've been taught and what has worked for us in the past, select the most promising approach, and work toward the solution. Reproductive thinking leads to uncreative thinking. This is (C) because / why we often fail when we encounter a new problem that appears on the surface to be similar to others we've solved, but is, in fact, significantly different.

	(A)		(B)		(C)
①	asking	......	confronted	......	because
②	asked	......	confronting	......	because
③	asking	......	confronted	......	why
④	asked	......	confronting	......	why
⑤	asked	......	confronted	......	why

218

(A), (B), (C)의 각 네모 안에서 어법에 맞는 표현으로 가장 적절한 것은?

Whether we like it or not, the world has developed a lot in the last few centuries, and we're likely to face an even more developed world in the future. Some people want to go back to (A) that / what they see as a purer and simpler age. But as you know, the past was not that wonderful. Anyhow, even if one wanted to, one cannot turn the clock back to an earlier age. We can't just forget knowledge and techniques. (B) So / Nor can we prevent further advances in the future. Even if all government budgets for research were cut off, the force of competition would still instigate advances in technology. Moreover, one cannot stop (C) to inquire / inquiring about various fields of basic science.

	(A)		(B)		(C)
①	that	......	So	......	to inquire
②	what	......	So	......	inquiring
③	that	......	Nor	......	to inquire
④	what	......	Nor	......	inquiring
⑤	what	......	Nor	......	to inquire

219

(A), (B), (C)의 각 네모 안에서 문맥에 맞는 낱말로 가장 적절한 것은?

It was very encouraging news for the U.S. House of Representatives to (A) anonymously / unanimously approve a resolution Monday asking Japan to formally acknowledge and apologize to tens of thousands of "comfort women" forced into sexual slavery during World War II. The resolution proved that justice has won in the end with the support of (B) conscientious / conscious U.S. lawmakers who must be applauded for their efforts in reproaching Japan's wartime crimes against humanity. The Japanese side saw its prospect fall short, although it has managed to impede the (C) adaptation / adoption of such a resolution in previous House sessions.

	(A)		(B)		(C)
①	anonymously	......	conscientious	......	adaptation
②	unanimously	......	conscious	......	adoption
③	unanimously	......	conscious	......	adaptation
④	unanimously	......	conscientious	......	adoption
⑤	anonymously	......	conscientious	......	adoption

220

다음 그림에 대한 글의 내용 중, 밑줄 친 낱말의 쓰임이 적절하지 않은 것은?

DNA is the substance that holds genes, and it is considered the building block of the human body. DNA is short for deoxyribonucleic acid. Figure 1 details a representation of a DNA molecule. It consists of two strands with backbones made of sugar and phosphate groups ① joined by hydrogen bonds. The two strands are twisted together into a ② spiral. These two strands run in ③ the same direction to each other. Four different types of molecule, which are called bases, are ④ attached to each sugar. The four kinds of bases in DNA are adenine (A), thymine (T), cytosine (C) and guanine (G). The bases are different in size and shape, so that A will only fit ⑤ next to T, and C will only fit next to G.

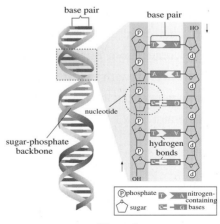

base pair   base pair

nucleotide

sugar-phosphate backbone

hydrogen bonds

Ⓟ phosphate / sugar / nitrogen-containing bases

Figure 1

*deoxyribonucleic acid: 디옥시리보핵산
**phosphate: 인산염

221

다음 글의 밑줄 친 부분 중, 어법상 틀린 것은?

At a time ① <u>when</u> productivity is the world's largest religion, the siesta tradition continues. In Spain, working is ② <u>less important</u> than living, instead of the other way around. No task is so critical that it can't wait a couple of hours while you take care of more important matters like eating, catching up on sleep, or relaxing. ③ <u>Taking</u> a long break in the middle of the day is not only healthier than the conventional lunch; it's apparently more natural. Sleep researchers have found that Spanish people's biorhythms may be tuned more closely ④ <u>than</u> our natural circadian rhythms. Studies suggest that humans are "biphasic" creatures, ⑤ <u>requiring</u> days broken up by two periods of sleep instead of one "monophasic" shift. That is, there are two peaks of sleepiness and decreases in alertness; the primary peak is at the end of the day, and the secondary peak is in the early afternoon. So, for some people, it's difficult to remain awake in the early afternoon, and this is the reason for siestas.

*circadian rhythm: 24시간 주기의 생활 리듬 **biphasic: 양면성의

222

(A), (B), (C)의 각 네모 안에서 어법에 맞는 표현으로 가장 적절한 것은?

The children were always looking forward to the arrival of August 23, every year. (A) | However / Because | it was on this day that the terrific silver spacecraft carrying Professor Hugo's Interplanetary Zoo (B) | settling down / settled down | for its annual six-hour visit to the Chicago area. Before dawn the crowds would form long lines of children and adults, each one grasping his or her dollar, and (C) | waited / waiting | with awe to see what race of creatures the Professor had brought this year. In the past, they had sometimes been treated to three-legged creatures from Venus, or tall, thin men from Mars, or even snakelike horrors from somewhere more distant.

	(A)	(B)	(C)
①	However	settling down	waiting
②	However	settled down	waiting
③	However	settling down	waited
④	Because	settled down	waiting
⑤	Because	settling down	waited

223

(A), (B), (C)의 각 네모 안에서 문맥에 맞는 낱말로 가장 적절한 것은?

When you add some kinds of spices to your meal, they can help (A) | curve / curb | your appetite, make stronger muscles, enhance your brainpower, and get you in a better mood. In addition, you get instant great (B) | flavor / favor | for a few calories and nearly zero fat. A study in the British Journal of Nutrition found that when women added 2 teaspoons of dried red pepper to their food, they used up fewer calories and fat in later meals. Start with a light diet including wet hot sauce on your morning omelet. The curcuma that turns yellow also helps reduce swelling and aids muscle healing after heavy exercise, researchers at the University of South Carolina say. Enjoy the Indian spice for a few days before a big (C) | walkout / workout |.

*curcuma: 생강

	(A)	(B)	(C)
①	curve	flavor	walkout
②	curve	flavor	workout
③	curb	favor	walkout
④	curb	flavor	workout
⑤	curb	favor	workout

224

다음 글의 밑줄 친 부분 중, 문맥상 낱말의 쓰임이 적절하지 않은 것은?

We usually know about ① <u>cruel</u> things in history through the testimony of victims. For example, through acts of ② <u>witness</u> by survivors like Primo Levi and Alexander Solzhenitsyn, we can imagine what life was like in Auschwitz and the gulag. There is no great remnant of record by retired concentration camp guards. By contrast, from a much more prolonged period of suffering, there is the ③ <u>infamous</u> Middle Passage across the Atlantic in which more than 12 million enslaved Africans ④ <u>embarked</u> on a journey to the Americas over a period of three centuries. We know a lot about this due to information left behind by the perpetrators. A surprisingly large body of evidence remains from those who trafficked in human beings: letters, ⑤ <u>dairies</u>, memoirs, captains' logbooks, shipping company records, and testimony before British Parliamentary investigations.

225

다음 글의 밑줄 친 부분 중, 어법상 틀린 것은?

A prisoner, Jimmy Valentine, was brought to the warden's office. There the warden ① was handed Jimmy his pardon, which had been signed that morning by the governor. He had served nearly ten months of a ② four-year sentence. He had expected to stay only about three months. When a man with ③ as many friends on the outside as Jimmy Valentine had is received in the "stir," it is ④ hardly worthwhile to cut his hair. "Now, Valentine," said the warden," you'll go out in the morning. Stop cracking safes, and live straight." "Me?" said Jimmy, in surprise. "Why, I never cracked a safe in my life." "Oh, no," laughed the warden. "Of course not. Let's see, now. How ⑤ was it you happened to get imprisoned on that Springfield job?"

*stir: 교도소

226

(A), (B), (C)의 각 네모 안에서 어법에 맞는 표현으로 가장 적절한 것은?

Upon checking my notes about the seventy abnormal cases (A) which / in which I have during the last nine years studied the methods of my friend Sherlock Holmes, I find many tragic, some comic, a large number merely strange, but none routine; for he worked rather for the love of art than for the gaining of wealth, and he refused (B) associating / to associate himself with any investigation which did not tend towards the unusual. The events in question occurred in the early days of my association with Holmes when we were sharing rooms as bachelors in Baker Street. It is possible that I (C) may place / may have placed them upon record before but a promise of secrecy was made at the time.

	(A)	(B)	(C)
①	in which	to associate	may have placed
②	in which	to associate	may place
③	which	to associate	may have placed
④	which	associating	may place
⑤	which	associating	may have placed

227

(A), (B), (C)의 각 네모 안에서 문맥에 맞는 낱말로 가장 적절한 것은?

A total of 169 countries have until now (A) rated / ratified the Kyoto Protocol to the United Nations Framework Convention on Climate Change. It was established on December 11, 1997 in Kyoto, Japan for the reduction of greenhouse gas emissions. The (B) accord / discord came into effect in 2005 after many countries began consultations. South Korea is also a signatory of the treaty. But as it obtained developing country (C) status / statue , it was exempted from the obligation to reduce greenhouse gas emissions to 5.2 percent below its 1990 level during the 2008-12 period. However, the nation will have to prepare for such an obligation after the expiration of this privilege.

	(A)	(B)	(C)
①	rated	discord	statue
②	ratified	accord	statue
③	ratified	discord	status
④	rated	accord	status
⑤	ratified	accord	status

228

다음 글의 밑줄 친 부분 중, 문맥상 낱말의 쓰임이 적절하지 않은 것은?

Swimming in water is very different from walking on land like a human, or flying in air like a bird. Herrings have several ① adaptations which help them swim. Because of a ② flexible vertebral column, most fish swim by moving their bodies from side to side. The vertebral column has to be able to bend and has to allow the fish's body to curve. They have a swim bladder, or air-filled sac. This helps to keep them ③ afloat in the water. The more air in the swim bladder, the ④ farther they will stay to the surface. Because the buoyancy of the water ⑤ supports them, fish do not need to be as strong as those of skeletons as mammals and birds. They are also streamlined, so they can glide easily through the water.

*herring: 청어 **buoyancy: 부력

229

다음 글의 밑줄 친 부분 중, 어법상 틀린 것은?

The world is full of people who are favorable and sentimental about the horse. They believe that God in His wisdom charged the horse tribe ① with two duties; the first is to serve man generally, and the second is to eat lump sugar from the palms of kindly strangers. For centuries the horse ② has fulfilled these obligations with little complaint, and as a result his reputation has become static, like ③ that of a compassionate mountain, or of an ancient book ④ whose genuine qualities most people accept without either reservation or investigation. The horse is "kind" and "noble," but at the same time is wild and aggressive. His virtues are so ⑤ emphasizing that people have forgotten his other characteristics.

230

(A), (B), (C)의 각 네모 안에서 어법에 맞는 표현으로 가장 적절한 것은?

After I was married and had lived in Japan for a while, my Japanese gradually improved to the point (A) when/where I could take part in simple conversations with other people. Then I began to notice that when I joined in, the others would look startled, and the conversation would stop. But I didn't know what was wrong. The fact is that even if I was speaking Japanese, I was handling the conversation in a Western way. Japanese-style conversations develop quite (B) different/differently from Western-style conversations. I realized that (C) just where/just as I kept trying to hold Western-style conversations even when I was speaking Japanese, so my English students kept trying to hold Japanese-style conversations even when they were speaking English.

	(A)	(B)	(C)
①	when	different	just where
②	when	differently	just as
③	where	differently	just where
④	where	differently	just as
⑤	where	different	just where

231

(A), (B), (C)의 각 네모 안에서 문맥에 맞는 낱말로 가장 적절한 것은?

More than 35% of recalls by the U.S. Consumer Product Safety Commission, together with all the toys recalled this year and 75% of toys last year, involved products from China. The quantity of consumer goods from China has tripled since 1997, but the agency's budget has increased just 12%, to $62 million, over the past five years. "There's no question it's (A) striped/strapped ,"says Eric Rubel, a former general counsel to the commission. Shipments of FDA-regulated products from China have jumped fourfold over the past decade. But the FDA has only 1,317 field investigators for 320 ports of entry. The agency inspects just 0.7% of all (B) exports/imports , half of what it did 10 years ago. The U.S. has dropped its (C) guard/guaranty .

	(A)	(B)	(C)
① striped	imports	guaranty
② striped	imports	guard
③ striped	exports	guard
④ strapped	imports	guard
⑤ strapped	exports	guaranty

232

다음 글의 밑줄 친 부분 중, 문맥상 낱말의 쓰임이 적절하지 않은 것은?

Humans and other more advanced animals such as chimps have the ability to learn in the most complex way of all: through reasoning. It is the process of forming ① conclusions based on information and experience. ② Reasoning allows us to build on previous knowledge, to put information together to come up with ③ existing information—for example, to add 2 and 2 to get 4. One of the important results of reasoning is that it enables animals to ④ solve problems and respond to difficulties in their environment even when those difficulties are new to them. It is sometimes hard to determine whether an animal is able to reason. Scientists are very careful not to ⑤ assume this ability in a species until they have experimental evidence to prove it exists.

memo

memo

memo

수준별 학습을 위한
현대 영문법의 결정판!

▶ 실생활에서 쓰는 문장과 대화, 지문으로 구성된 예문

▶ 핵심 문법 포인트를 보기 쉽게 도표와 타임 라인으로 구성

▶ 다양하고 유용한 연습문제 및 리뷰, 리뷰 플러스 문제 수록

▶ 중·고등 내신에 꼭 등장하는 어법 포인트 철저 분석 및 총정리

▶ 회화, 독해, 영작 실력 향상의 토대인 문법 지식의 체계적 설명

최고의
베스트셀러
★★★★★
최신판

바짝 수능

단기간에 수능 어법어휘 마스터하기

어법어휘

모의고사

정답 및 해설

NEXUS Edu

바짝 수능 어법어휘 모의고사

단기간에 수능 어법어휘 마스터하기

정답 및 해설

NEXUS Edu

LESSON 01
수의 일치

P.8

001 ②　　　002 ③

001 ②

해설

(A) 앞서 언급된 명사를 받을 때 그 명사가 단수이면 that, 복수이면 those를 쓴다. the grass는 단수이므로 지시대명사 that이 적절하다.

(B) both 뒤에는 복수명사가, either 뒤에는 단수명사가 온다. sides가 복수명사이므로 both가 적절하다.

(C) '야생화의 향기'라는 의미로, 주어가 The perfume이므로 단수동사 fills가 적절하다.

해석

이 정원에 들어오자마자 내가 처음 알아차린 것은 발목 높이의 풀이 울타리 반대편의 풀보다 더 푸르다는 것이다. 무수히 다양한 품종의 야생화 수십 송이가 길 양편을 덮고 있다. 덩굴 식물이 윤이 나는 은빛 대문을 덮고 있고, 거품을 내며 흐르는 물소리가 어디선가 들려온다. 야생화의 향기가 공기 중에 가득하고, 풀은 산들바람에 춤을 춘다. 풀이 들어 있는 큰 바구니가 서쪽 울타리에 기대어 놓여 있다. 나는 이 정원으로 걸어들어올 때마다 "낙원에 사는 것이 어떤 것인지를 이제야 알겠어."라고 생각한다.

어휘

ankle-high a. 발목 높이의　**on the other side of** 반대편에　**dozens of** 수십의, 많은　**wildflower** n. 야생화, 들꽃　**countless** a. 셀 수 없는, 무수한　**variety** n. 품종, 변종; 변화, 다양성　**cover** v. 뒤덮다; 싸다, 씌우다; 감추다　**creep** v. (덩굴, 식물 등이) 얽히다, 뻗어 퍼지다; 기다　**polish** v. 윤이 나다, 세련되게 하다　**bubble** v. 거품을 내며 흐르다　**perfume** n. 향기; 향수　**gentle breeze** n. 산들바람　**rest** v. 기대어 놓여 있다; 휴식을 취하다

002 ③

해설

(A) '당신이 찢어진 청바지를 입든 시 암송을 좋아하든 간에'라는 뜻으로, 「Whether A or B(A이든지 B이든지 간에)」의 구조가 사용되었다. 네모 뒤에 완전한 절이 나오므로 Whatever는 쓸 수 없다.

(B) 이 문장의 주어는 의문사절(Who we believe we are)이고, 명사절 주어는 단수 취급하므로 is가 적절하다. we believe는 삽입절이다.

(C) '모든 피상적인 차이점에 근거를 둔 정체성'이라는 뜻으로 identity가 grounded가 이끄는 구의 수식을 받는다. 「ground+목적어+on+명사구」는 '~의 기초를 ~에 두다'라는 뜻으로 an identity는 ground의 목적어에 해당한다. 따라서 an identity를 수식하는 과거분사 grounded가 적절하다. an identity와 grounded 사이에 which is가 생략된 것으로도 볼 수 있다.

해석

우리가 어떤 상품을 사려고 하던 간에, 우리가 선택하는 것은 대체로 상표가 아니라 문화나 오히려 그 문화와 관련된 사람들이다. 당신이 찢어진 청바지를 입든 시를 암송하기를 좋아하든 간에, 그렇게 함으로써, 당신이 어떤 한 집단의 사람들에게 속해 있다는 것을 말해 준다. 우리가 생각하기에 우리가 누구인가 하는 것은 우리가 되고 싶은 사람에 대해 우리가 선택한 결과이며, 그 결과, 우리는 다양하고 종종 미묘한 방법으로 다른 사람들과 비슷해지려는 마음을 표현하게 된다. 비록 이런 과정이 인위적이지만, 이것은 우리의 '정체성', 즉 우리가 우리 자신과 다른 사람들을 구별해 주는 모든 피상적인 차이점에 근거를 둔 정체성이 되는 것이다. 요컨대, 이것이 우리가 상품을 사려고 하는 것, 즉 자아 정체성이자 우리가 누구인지에 대해 아는 것이다.

어휘

primarily ad. 주로, 우선　**associate** v. ~과 연관 지어 생각하다　**tear** v. 찢다; 할퀴다(tear – tore – torn)　**recite** v. 암송하다, 낭독하다　**poetry** n. 시, 시가　**make a statement** 성명을 내다　**belong to** ~에 속하다　**subsequently** ad. 결과로서, 그 뒤에, 이어서　**demonstrate** v. 표시하다; 내색하다; 증명하다, 논증하다　**likeness** n. 비슷함, 유사　**subtle** a. 미묘한; 미세한　**artificial** a. 인위적인, 인공의　**identity** n. 정체성; 동일함　**superficial** a. 피상적인; 외견상의　**distinguish** v. 구별하다, 식별하다　**after all** 결국

> ### Check Point
> 1. **is**　20마일은 걷기에 먼 거리이다.
> 2. **have**　학생들 대부분은 자신의 방을 가지고 있다.

실전감각 익히기

P.9

003 ④　　　004 ②　　　005 ④　　　006 ②

003 ④

해설

① 명사 emissions를 수식하여 '감소된 배출가스'라는 의미로 쓰였다.

② 명사 demand를 수식하여 '지속적인 수요'라는 의미로 쓰였다.

③ for anybody는 to say의 의미상의 주어로 쓰였다.

④ are의 주어는 for anybody to say이므로 단수동사 is로 고쳐야 한다.

⑤ '새로운 규정을 지키려고 노력을 하면서 수요를 충족시키려고 노력하고 있다'는 의미로 접속사 while 뒤에 they are가 생략되었다고 볼 수 있다.

해석

연료의 효율성과 감소된 배출가스가 올해 북미 국제 자동차 쇼에서 강조되고 있지만, 자동차 회사들은 큰 화물 트럭과 SUV, 기름을 많이 먹는 고급 차량을 많이 전시하고 있다. 일부 전문가들은 그것이 그러한 차량들의 지속적인 수요에 대한 반응일 뿐이라고 말한다. 그들은 "사실 미국인들은 크고, 힘이 있고, 성능이 좋고, 차를 견인하고 짐을 실어 나를 수 있는 성능이 있는 차량을 좋아한다."라고 말한다. "그래서 누구라도 우리는 이러한 큰 트럭을 생산하는 것을 중단하고 작고 연비가 좋은 차량을 생산해야 한다고 말하는 것은 우스운 일이다. 시장은 큰 차량을 원한다." 그들은 미국 자동차 회사들이 연료 효율성을 개선하라고 요구하는 워싱턴의 새로운 규정을 지키려고 노력을 하면서 더 큰 차량에 대한 수요를 충족시키려고 노력하고 있다고 말한다.

어휘

efficiency n. 효율(성)　**emission** n. 배출, 방출　**emphasize** v. 강조하다, 중시하다, 역설하다　**automaker** n. 자동차 제조업자[회사]　**display** v. 전시하다; 장식하다, 진열하다　**cargo** n. 화물, 짐　**guzzle** v. 폭음하다, 게걸스럽게 먹다　**performance** n. (기계의) 성능, 효율; 연주; 상연　**tow** v. 끌다　**haul** v. 끌어당기다, 운반하다　**capability** n. 성능; 능력, 재능　**mileage** n. 연비(燃比)　**ridiculous** a. 우스운, 어리석은; 터무니없는　**satisfy** v. 만족시키다, 충족시키다　**regulation** n. 규제, 규정　**call for** ~을 요구하다

004 ②

해설

(A) '우리가 받은 과제 중 하나'라는 의미이고, 이 문장의 주어는 one이므로 was가 적절하다.

(B) '네가 좋아하는 것은 무엇이든'이라는 의미로, liked의 목적어가 되는 선행사(anything that)를 포함한 복합관계대명사이자, put의 목적어절을 이끄는 접속사가 되는 whatever가 적절하다. however가 복합관계부사로 쓰일 때는 '아무리 ~하더라도'라는 의미로, 뒤에 형용사나 부사가 온다.

(C) 앞에 있는 something이 무엇인가를 나에게 행하는 것이 아니라, 나에게 '행해진[벌어진]' 것이므로 과거분사 done이 적절하다.

해석

내 어린 시절로부터 얻은 가장 유용한 것은 글 읽기에 있어서의 자신감이었다. 얼마 전 나는 어떻게 살아야 할 것인가에 대한 실마리를 얻고자 하는 바람으로 한 주말 자아 탐구 워크숍에 갔다. 우리가 받은 과제 중 하나는 자신의 삶에서 가장 중요한 열 가지의 목록을 작성하는 것이었다. (열 가지 주요 사건 목록 중) 첫 번째는 "나는 태어났다."였으며, 그 다음부터는 자신이 원하는 것은 무엇이든지 쓸 수 있었다. 생각할 것도 없이, 나의 손은 두 번째 항목에 "나는 읽는 것을 배웠다."라고 썼다. "나는 태어났고, 읽는 것을 배웠다."라는 말은 많은 사람들에게 떠오르는 사건의 순서는 아닐 것이라고 생각한다. 하지만, 나는 내가 말하려 하는 바를 알고 있었다. 태어났던 것은 내게 벌어진 어떤 일이었지만, 내 인생은 내가 한 문장의 의미를 처음으로 이해했을 때 시작되었다.

어휘

bring out of ~로부터 가져오다, 밖으로 꺼내다　**confidence** n. 자신, 확신; 신임, 신뢰　**not long ago** 얼마 전에　**self-exploratory** a. 자아 탐구의　**clue** n. 단서　**make a list of** ~의 목록을 만들다　**sequence** n. 순서, 결과; 연속　**occur** v. 생각이 떠오르다; 일어나다, 생기다　**make out** ~을 이해하다

005 ④

해설

① call은 「call A B(A를 B라고 부르다)」라는 형태로 쓰인다. 동사 call 뒤에 time machine이라는 어구가 하나 있는 것으로 보아 a game을 선행사로 받는 목적격 관계대명사 that은 적절하다.
② To play time machine은 '타임머신을 작동시키기 위해서'라는 뜻으로, to부정사의 부사적 쓰임(목적)을 나타낸다.
③ likely는 '~할 가능성이 있는, ~할 법한'이라는 뜻의 형용사로, 「It is likely that+주어+동사」 구문으로 많이 쓰인다.
④ every는 단수명사를 수식하므로, 복수명사(problems) 앞에는 올 수 없다. every 뒤에 소유격이 올 수 없으므로 all your problems 정도로 바꿔 써야 한다.
⑤ 「used to+동사원형」은 '(과거에) ~하곤 했다, ~이었다'라는 의미로 take가 적절하다.

해석

거의 매일 나는 내 자신과 '타임머신'이라고 부르는 게임을 한다. 나는 내가 몰입하고 있는 어떤 것이 정말 중요하다는 나의 잘못된 믿음에 응하여 그것을 만들었다. '타임머신'을 작동시키기 위해서 당신이 해야 하는 일은 당신이 다루고 있는 어떠한 상황도 당장이 아니라 앞으로 1년 후에 발생한다고 상상하는 것이다. 그것은 배우자와의 다툼, 실수나 놓쳐 버린 기회일 수도 있지만, 지금부터 1년 후에 당신은 (그것에) 신경을 쓰지 않을 가능성이 매우 높다. 그것은 당신의 삶에서 또 하나의 무의미한 사소한 문제가 될 것이다. 이러한 단순한 게임이 당신의 모든 문제를 해결해 주지는 못하겠지만, 그것은 당신에게 필요한 대단히 많은 관점을 제공해 줄 수 있다. 나는 지나치게 심각하게 받아들였던 일들을 웃어넘기고 있는 내 자신을 발견한다.

어휘

in response to ~에 응하여　**erroneous** a. 잘못된, 틀린　**work up** 흥분시키다, (흥미, 열의 등을) 불러일으키다　**circumstance** n. 상황, 환경　**deal with** ~을 다루다, 처리하다　**argument** n. 논쟁, 토론, 논의　**spouse** n. 배우자　**irrelevant** a. 관련 없는, 부적절한　**enormous** a. 막대한, 거대한, 엄청난　**perspective** n. 관점, 견해, 시각

006 ②

해설

(A) '가장 큰 문제들 중 하나'라는 의미이고, 이 문장의 주어는 one이므로 is가

적절하다.
(B) most of it이 주어로 of 뒤에 온 명사가 단수이므로 is가 적절하다.
(C) '이 조그만 나라를 사라지게 만들다'라는 의미로 앞에 사역동사 making이 쓰였으므로 목적격 보어 자리에 동사원형이 disappear가 와야 한다.

해석

투발루가 직면한 가장 큰 문제들 중 하나는 해수면의 상승이다. 투발루는 동그란 모양의 산호섬으로 가장 높은 곳이 겨우 해발 4.6미터이다. 그러나 섬의 대부분은 겨우 해발 1미터이다. 결과적으로 나라 전체가 상승하는 태평양 수면 아래로 쉽게 잠길 수도 있다. 또 다른 문제는 강한 폭풍과 날씨에 의해 증가된 침식이다. 세 번째로, 더 높아진 바다의 온도가 산호를 손상시키고 있다. 이러한 문제들로 인해 투발루는 향후 30년에서 50년 후에는 완전히 휩쓸려 사라져 버릴지도 모른다. 그들이 잘못한 것이 하나도 없는데도 이 조그마한 나라를 영원히 사라지게 만들고, 투발루 주민들을 최초의 기후로 인한 난민으로 만들어서, 그들의 모든 문화가 멸종의 위기에 처하게 될 것이다.

어휘

sea level 해수면　**coral** n. 산호　**atoll** n. 환상 산호섬(동그란 모양의 산호섬)　**altitude** n. 해발; 고도, 높이　**as a result** 결과적으로　**submerge** v. 가라앉다, 잠기게 하다　**erosion** n. 침식; 부식　**due to** ~ 때문에　**endangered** a. 멸종 위기에 처한　**resident** n. 거주민; a. 사는, 거주하는　**refugee** n. 난민, 피난자

LESSON P.10

02 시제의 일치

007 ③　　008 ①

007 ③

해설

(A) 「encourage+목적어+to부정사」의 형태를 취하므로, create가 적절하다.
(B) '지난 수년간에 걸쳐서 사람들에게 자주 조언을 해왔다'라는 의미로, 과거에 시작된 일이 현재까지 계속되고 있으므로 현재완료가 와야 한다. counseled 뒤에 목적어(people)가 왔으므로 수동을 나타내는 be동사 am은 적절하지 않다.
(C) 뒤에 부사인 powerfully를 수식하고 있으므로 정도를 나타내는 의문사 how가 적절하다.

해석

우리의 근본적인 천성은 (적극적으로) 행동하는 것이지 행동을 유발하는 바탕이 되는 것은 아니다. 이는 우리로 하여금 특정 상황에 대한 우리의 반응을 선택할 수 있게 해줄 뿐 아니라 우리로 하여금 상황을 만들어내도록 장려하기도 한다. 주도권을 잡는다는 것은 뭔가를 이루어내야 하는 우리의 책임을 인식하고 있다는 것을 의미한다. 수년간에 걸쳐서 나는 더 많은 독창성을 보여 주기 위해 더 나은 직장을 원하는 사람들에게 수시로 조언을 해주었다. 조언에 대한 반응은 대체로 수긍하는 것이다. 대부분의 사람들은 그러한 접근 방식이 고용과 승진 기회에 얼마나 강력하게 영향을 미치는지 확인할 수 있다.

어휘

act upon ~에 따라 행동하다, ~에 영향을 주다　**enable** v. ~할 수 있게 하다, 가능하게 하다　**response** n. 반응, 반향; 응답, 대답　**particular** a. 특별한, 특정한; 개별적인　**circumstance** n. 상황, 환경　**the initiative** 결단력, 독창성　**recognize** v. 알아보다, 인식하다　**make things happen** 뭔가를 이루다　**counsel** v. 조언하다, 협의하다　**agreement** n. 동의, 합의; 협정　**approach** n. 접근; v. 접근하다, 다가오다　**affect** v. ~에 영향을 미치다　**employment** n. 고용, 채용　**advancement** n. 승진, 출세; 진보, 발달

008 ①

해설

(A) to store fresh bunches의 수식을 받는 The best way가 주어이므로, 단수동사 is가 와야 한다.

(B) since는 접속사로 '~이므로, ~ 때문에'라는 뜻이며, since 뒤에 주어와 동사가 와야 한다. 주어는 moisture이므로, 동사는 encourages가 적절하다. to부정사는 문장에서 본동사의 역할을 하지 못한다.

(C) 조건이나 시간을 나타내는 부사절에서는 미래 시제 대신 현재 시제를 쓴다. until이 '~할 때까지'라는 뜻의 시간을 나타내는 접속사이므로 is가 적절하다.

해석

제대로 보관된다면 브로콜리는 나흘까지는 신선한 상태를 유지할 것이다. 신선한 송이들을 저장하는 가장 좋은 방법은 묶지 않은 비닐봉지에 담아 채소 칸에 냉장하는 것인데, 그것은 브로콜리에게 적절한 습도와 공기를 공급해 주고 비타민 C 성분을 보존하도록 도와준다. 브로콜리 표면의 수분이 곰팡이의 성장을 촉진하므로 저장하기 전에 브로콜리를 물로 씻지 마라. 그러나 대부분의 채소처럼 브로콜리는 구입 후 하루 이틀 내에 사용될 때 최상의 상태가 된다. 브로콜리를 준비하는 것은 매우 쉽다. 그래서 당신이 해야 할 일이라고는 브로콜리가 부드러워질 때까지 3분에서 5분 정도 물에 삶는 것뿐이다.

어휘

properly ad. 적절하게, 알맞게   **store** V. 보관하다, 저장하다   **bunch** n. 송이, 다발, 묶음   **compartment** n. 구획, 칸막이   **balance** n. 균형, 조화   **humidity** n. 습도; 습기   **preserve** V. 보존하다, 유지하다   **content** n. 성분   **moisture** n. 수분, 물기   **encourage** V. 촉진하다, 조장하다; 격려하다   **mold** n. 곰팡이   **boil** V. 삶다, 끓다   **tender** a. 부드러운, 연한; 허약한, 무른

> ## Check Point
> 1. finish   나는 네가 그 일을 끝낼 때까지 여기서 기다릴 것이다.
> 2. left   그들은 오늘 아침 일찍 서울을 떠났다.

실 전 감 각 익 히 기			P.11
009 ③	010 ③	011 ③	012 ②

009 ③

해설

① who는 Jimmy Cater를 선행사로 받고, promotes의 주어가 되는 계속적 용법의 주격 관계대명사로 쓰였다.

② since 1994는 '1994년 이래로'라는 의미로, 현재완료와 함께 쓰여 계속적 용법을 나타낸다.

③ 2001년 여름이라는 특정한 과거에 일어난 일이므로 과거 시제를 써야 한다.

④ to build houses는 앞의 명사 campaign을 수식하는 형용사적 용법이다.

⑤ name after는 '~의 이름을 따서 짓다'라는 의미로, the program의 이름이 지어지는 것이므로 수동태로 쓰였다. which는 the program을 선행사로 받는 계속적 용법의 주격 관계대명사이다.

해석

전 미국 대통령 Jimmy Carter는 '사랑의 집짓기 운동'을 장려하고 있으며, 1994년 이래로 여러 나라를 방문하고 있다. 2001년 여름에 그는 집짓기 행사에 참여하기 위해 한국의 아산을 방문했다. 이것은 집이 없는 사람들에게 집을 지어 주는 국제 사랑의 집짓기 운동의 일환이었다. 그는 그 프로그램을 위해 자원 봉사자들과 함께 일했는데, 그 프로그램은 그의 이름을 따서 'Jimmy Carter Work Project 2001'이라고 명명되었다.

어휘

former a. 전임의, 이전의   **promote** V. 장려하다, 촉진하다   **habitat** n. 거주지; 서식지   **humanity** n. 인간애   **participate** V. 참여하다, 관여하다   **homeless** a. 집이 없는   **volunteer** n. 자원봉사자; a. 자원하는   **name after** ~의 이름을 따서 짓다

010 ③

해설

(A) '산업화된 국가에 사는 사람들과 같다면'이라는 의미로, '~과 같이, ~처럼'이라는 의미의 전치가 like가 와야 한다. alike는 '닮은, 비슷한'이라는 의미의 서술적 용법의 형용사로 쓰이므로 people 앞에 올 수 없다.

(B) '매일 아침 직장에 도착할 때까지'라는 의미로 until이 이끄는 부사절은 시간을 나타내므로 미래 시제 대신 현재 시제를 쓴다.

(C) The fact가 주어이므로 means가 와야 한다.

해석

당신이 산업화된 국가에 사는 사람들과 같다면, 매일 아침 당신이 직장에 도착할 때까지 판매원들은 당신에게 수십 차례 이상 무언가를 팔려고 애쓸 것이다. 이제 광고는 지하철 회전문, 주차장 바닥, 화장실 칸막이 등에서도 보인다. 하지만, 광고 전문가들은 넘쳐나는 더 진부한 광고는 더 이상 소비자들의 주의를 끌지 못한다고 말한다. "소비자들이 그렇게나 많은 (광고) 메시지로 공격을 당한다는 사실은 기본적으로 소비자들이 광고를 외면하기 시작한다는 것을 의미한다. 그것은 모두 그저 의미 없는 소음이 된다."라고 Advertising Age 잡지사의 편집장인 Jonah Blum이 말했다.

어휘

industrialize V. 산업화하다   **salesperson** n. 판매원, 점원   **advertisement** n. 광고, 선전   **turnstile** n. 회전문   **stall** n. 칸막이, 축사, 진열대   **and so on** 기타 등등   **expert** n. 전문가, 숙련자   **conventional** a. 전통적인; 진부한, 인습적인   **consumer** n. 소비자   **attention** n. 주의, 주목; 배려   **turn away** ~을 돌리다, 보려 하지 않다; 거부하다   **meaningless** a. 무의미한; 무익한

011 ③

해설

① causing several hundred death는 분사구문으로, and it caused several hundred deaths로 바꿔 쓸 수 있다.

② Many people이 주어이므로 are가 적절하다.

③ their close location에서 their는 Korea를 지칭하는 것이므로, its가 되어야 한다.

④ 질병이 발생한 시점부터 현재까지 질병이 전파되지 않은 상태로 남아 있으므로 현재완료 has remained가 적절하다.

⑤ almost every meal은 '거의 매 식사 때마다'라는 의미로, every는 단수명사를 취하므로 meal이 적절하다.

해석

최근에 심각한 질병이 아시아 국가를 강타해서 수백 명이 사망했다. 이 지역 국가에 사는 많은 사람들은 추운 날씨가 시작되면서 또 다시 걱정을 하게 될 것 같다. 그러나 한국은 이 국가들과 지리적으로 인접해 있으면서도 이 치명적인 질병이 전파되지 않은 상태를 유지하고 있다. 많은 사람들은 거의 매 식사 때마다 제공되는 전통 음식인 김치가 그 비밀이라고 생각한다.

어휘

severe a. 심각한, 맹렬한; 엄한, 모진   **hard** ad. 몹시, 심하게; 단단히   **be likely to+동사원형** ~할 것 같다   **in spite of** ~에도 불구하고   **location** n. 위치, 소재; 장소   **remain** V. 여전히 ~이다, 남아 있다   **deadly** a. 치명적인; ad. 몹시, 지독하게   **traditional** a. 전통적인, 전통의   **serve** V. (음식을) 내다, 차리다

012 ②

해설

(A) '소비자들이 전에 구입했던 물품'이라는 의미로, 과거부터 현재까지 구입한 목록을 나타내므로 현재완료 have bought가 적절하다.

(B) 가정법 과거 문장이므로, 조건절에 과거동사(had), 주절에 〈조동사의 과거형+동사원형〉이 온다.

(C) next time ~ shopping은 때를 나타내는 부사절이므로 미래 시제 대신 현재 시제를 쓴다.

해석

식료품점이 최근에 새로운 기계를 도입했다. 고객이 카드를 긁으면 그들이 전에 구입했던 물품에 근거한 쇼핑 목록이 뜬다. 고객의 구매 습관에 대한 정보는 회사에 유용하다. 문제는 그 정보가 어디서 어떻게 사용되는가이다. 당신이 가입해 있는 건강관리 기관이 당신의 건강에 관련된 기록을 가지고 있다면, 그들은 당신의 보험료를 올리기 위해 그러한 정보를 이용할 수도 있다. 슈퍼마켓 카드와 소매점의 감시용 기계와 같은 상인들의 감시 시스템은 계속해서 다른 방식으로 고객들의 구매 습관을 추적하고 있다. 예를 들어, 다음번에 쇼핑하러 갈 때에는 이러한 것을 주의하라. 새로운 기술이 당신이 어떤 물건을 집어 드는지 뿐만 아니라 그것을 얼마나 오래 동안 들고 있는지도 모니터링할 수도 있다.

어휘

implement v. 실행하다, 실시하다; 충족시키다　**device** n. 장치; 고안, 방책　**swipe** v. (카드를) 긁다; 강타하다　**useful** a. 유용한, 쓸모 있는　**record** n. 기록; 등록; 음반　**monitoring** n. 감시, 관찰, 추적　**retail** 소매(cf. wholesale 도매)　**surveillance** n. 감시, 감독, 망보기　**gadget** n. 작은 기계 장치　**trace** v. 추적하다; 조사하다, 밝혀내다　**cautious** a. 주의 깊은, 신중한　**technology** n. 기술

03 LESSON　P.12
부정사 / 동명사
013 ③　　014 ①

013 ③

해설

(A) 지각동사 watch는 목적격 보어로 동사 원형을 취하므로 try가 적절하다.

(B) 「wait for A to+동사원형」은 'A가 ~하기를 기다리다'라는 의미이므로, to open이 적절하다.

(C) pushing a button, depressing a lever와 병렬구조를 이루므로 sliding이 적절하다.

해석

대부분의 지하철 전동차에서 문은 각각의 역에서 자동으로 열린다. 하지만, 파리의 지하철인 메트로를 타면 사정이 다르다. 나는 메트로를 탄 한 남자가 전동차에서 내리려다가 실패하는 것을 지켜보았다. 전동차가 그가 내릴 역으로 들어왔을 때, 그는 자리에서 일어나 문이 열리기를 기다리며 문 앞에 끈기 있게 서 있었다. 문은 결코 열리지 않았다. 전동차는 그저 다시 출발했고 다음 정거장으로 계속 갔다. 메트로에서는 버튼을 누르거나 레버를 내리누르거나 문을 옆으로 밀어서 승객 스스로 문을 열어야 한다.

어휘

automatically ad. 자동으로; 반사적으로　**métro** n. (파리, 워싱턴D. C 등의) 지하철　**get off** ~에서 내리다　**patiently** ad. 참을성 있게, 느긋이　**depress** v. 내리누르다; 낙담시키다　**lever** n. 지레, 레버　**slide** v. 미끄러지듯 움직이다

014 ①

해설

(A) situate는 '놓다, ~의 위치를 정하다'라는 뜻의 동사이므로, '~에 위치하다'라는 의미가 되려면 be situated in/on/at ~을 사용해야 한다. Being이 생략된 분사구문이므로 Situated가 적절하다.

(B) '여기에 사는 것을 유쾌하게 만든다'라는 의미이고, 「make+목적어+목적격 보어」의 구조가 사용되었다. make의 목적어가 되는 동명사 living이 와야 하고, pleasant는 목적격 보어로 쓰였다. to live를 사용하려면 가목적어 it을 넣어 makes it pleasant to live here로 써야 한다.

(C) '그곳의 정치, 경제, 문화'라는 의미로 소유격 its가 와야 한다.

해석

해발 1,350미터에 위치하여 반짝거리는 히말라야 산맥이 내다보이는 카트만두 시는 연중 내내 기후가 온화하여 살기 편한 곳이다. 카트만두는 분지의 거의 한가운데에 위치해 있고, 남북 5㎞, 동서 5㎞의 정사각형을 이루고 있다. 그곳은 네팔의 고대 왕국이 있던 자리였다. 그곳은 현재 네팔의 수도이면서, 네팔의 정치, 경제, 문화의 중심지이다.

어휘

elevation n. 해발, 고도, 높이　**look out on** ~을 내다보다. 향하다　**sparkling** a. 빛나는, 반짝이는　**year-round** a. 1년 내내 계속되는　**pleasant** a. 즐거운, 유쾌한, 기분이 좋은　**in the middle of** ~의 한가운데에, 중앙에　**square** n. 정사각형　**basin** n. 분지　**site** n. 장소, 부지　**ancient** a. 고대의　**kingdom** n. 왕국　**as such** 그러한 자격으로서　**government** n. 정치

Check Point

1. stealing　두 명의 도둑이 그 가게에서 보석을 훔치는 것이 목격되었다.

2. painting　내 오래된 집은 페인트칠을 해야 한다.

실 전 감 각　익 히 기　P.13
015 ③　　016 ②　　017 ②　　018 ⑤

015 ③

해설

① 「forget+to부정사」는 '~할 것을 잊다'라는 의미, 「forget+동명사」는 '~한 것을 잊다'라는 의미이다. '감사하다고 말할 시간을 내야 하는 것을 잊다'라는 의미가 되어야 하므로 to take가 적절하다.

② 사람들이 존경받는 기분을 느끼는 것이므로 과거분사 respected가 적절하다.

③ 「so+동사+주어」 형태의 도치된 문장이므로, remember는 주어가 되어야 한다. 주어 역할을 하는 동명사 remembering으로 고쳐야 한다.

④ 비교급을 강조하는 부사는 far, much, still, even, a lot 등이 있다. 따라서 비교급 more를 강조하는 부사 far는 적절하다.

⑤ and에 연결된 명령문의 병렬구조로, put과 마찬가지로 동사원형이 되어야 하므로 use가 적절하다.

해석

사업상의 경우에서 '감사'를 표할 시간을 가져야 하는 것을 정말 잊기 쉽다. 하지만, 그것은 다른 사람과의 교류에서 필수적인 부분이다. 사람들에게는 그들이 소중하고, 중요하며, 존중되고 있다고 느끼는 것이 중요하다. 미안하다고 말하는 것이 중요한 것과 똑같이 당신이 정진하도록 도와주는 사람들에게 감사하는 것을 기억하는 것도 중요하다. 그리고 나는 이메일을 보내는 것보다 카드를 보내는 것이 훨씬 더 좋다고 생각한다. 당신의 손으로 쓴 자필 편지는 당신의 손가락 끝으로 화면에다 그토록 손쉽게 작성해 넣을 수 있는 몇 줄의 활자보다 훨씬 더 가

치 있다. 한 가지만 더 덧붙이자면, 카드를 보낼 것이라면 좋은 카드를 구입하는 데 몇 분을 더 들이고 글씨를 깔끔하게 쓸 수 있는 펜을 사용하도록 해라.

어휘

setting n. 경우, 환경　**essential** a. 필수적인, 가장 중요한; 본질적인
interaction n. 상호작용, 교류　**valid** a. 정당한, 소중한, 타당한　**respect** v. 존
중하다, 존경하다　**just as** 꼭 ~처럼　**matter** v. 중요하다, 중대하다　**move
forward** 전진하다　**physical** a. 물질의, 유형의　**available** a. 이용할 수 있는,
쓸모 있는　**fingertip** n. 손가락 끝　**decent** a. 단정한, 점잖은

016 ②

해설

(A) 「keep+목적어+from ~ing」는 '목적어를 ~하지 못하게 하다'라는 의미인
데, 이 구조가 수동태로 쓰여 「be kept from ~ing」가 되었다.
(B) '정신질환자들(the mentally ill)'을 가리키므로 복수대명사 their가 적절하다.
(C) 이 문장의 주어는 To exclude ~ socially isolated이므로 단수 취급하여
destroys가 적절하다.

해석

나는 정신 장애를 가진 사람들이 투표를 못하게 될 수도 있다는 소식에 충격을
받았다. 우리의 헌법에 보장된 투표권은 우리가 이성적인 선택을 하도록 강요하
지는 않는다. 우리는 가장 적임자로 보여서 어떤 후보자에게 투표를 할 수도 있
고, 또는 단순히 외모가 마음에 들어서 투표할 수도 있다. 게다가 정신 장애를 가
진 사람들은 독특한 종류의 어려움에 직면해 있는데, 그들이 투표를 할 수 없다
면 그들의 권익은 적절히 대변되지 못할 것이다. 이미 사회적으로 소외된 사람들
을 투표에서 배제하는 것은 사회 계급제도를 만드는 것처럼 우리의 민주주의를
파괴하는 것이다.

어휘

mental disorder 정신병, 정신 장애　**vote** v. 투표하다　**constitutional** a.
헌법의, 합법적인　**rational** a. 이성적인; 합리적인, 논리적인　**candidate** n. 후보
자; 지원자　**qualified** a. 자격이 있는, 적임의, 적격의　**appearance** n. 외모; 출
현　**in addition** 게다가, 더욱이　**be faced with** ~에 직면해 있다　**unique** a.
고유의; 독특한, 특이한　**challenge** n. 과제, 난제; 도전　**interest** n. 이익; 흥미, 관
심사; 이자　**adequately** ad. 적절히, 적당히　**represent** v. 대표하다, 대리하다;
표현하다, 나타내다　**exclude** v. 제외하다, 배제하다　**isolated** a. 고립된, 소외된
democracy n. 민주주의　**caste** a. 특권 계급의

017 ②

해설

① the bodies가 주어이므로 are가 적절하다.
② 능동태인 Unlike a stream, we cannot see a glacier move.를 수동
태로 바꾼 문장인데, 지각동사(see) 뒤에 사용된 원형부사 move는 수동태로
바꿀 경우 to부정사나 현재분사로 바꿔야 한다. 따라서 Unlike a stream, a
glacier cannot be seen to move.가 되어야 한다.
③ 부사는 문장에서 동사, 형용사, 다른 부사, 문장 전체를 수식한다. 부사 easily
는 형용사 recognizable을 수식하므로 적절하다.
④ '~보다'라는 의미의 than은 비교급과 함께 쓰인다. 앞에 more extensive
라는 비교급이 왔으므로 than의 쓰임은 적절하다.
⑤ raised 뒤에 목적어 the problem이 왔으므로 '~를 제기하다'라는 뜻을 지
닌 타동사 raised의 쓰임은 적절하다.

해석

우리가 빙하라고 부르는 흘러가는 얼음 덩어리는 가장 장관인 자연의 특색이다.
그것들은 조밀하게 뭉쳐진 눈 때문에 생긴 것이다. 시냇물과는 달리, 빙하가 움
직이는 것은 볼 수 없다. 그러나 정확히 측정해 보면, 그것이 흘러가고 있다는 사
실을 알 수가 있다. 빙하에 의한 기반암의 침식과 침식된 물질의 침전물은 두드
러지고 쉽게 식별된다. 이 분포는 얼마 전에는 빙하들이 오늘날보다도 훨씬 더

널리 분포되었었다는 사실을 추론할 수 있게 해 준다. 동시에, 이러한 증거는 '빙
하 시대'의 원인에 문제를 제기해 왔다.

어휘

body n. 덩어리, 물체; 신체, 육체　**glacier** n. 빙하　**spectacular** a. 구경거리
의, 장관의　**feature** n. 특색, 특징; 얼굴 생김새　**densely** ad. 밀집하게, 빽빽하게
accurate a. 정확한, 틀림이 없는　**measurement** n. 측정, 측량　**erosion**
n. 부식, 침식　**bedrock** n. 기반암; 근저, 근본　**deposit** n. 퇴적물, 침전물
characteristic a. 특유의, 특징 있는　**distribution** n. 분포　**infer** v. 추측하다,
추론하다　**extensive** a. 넓은 범위에 걸친, 광범위한　**evidence** n. 증거, 물증

018 ⑤

해설

(A) '농작물을 심고 수확하는 것을 처리했다'는 의미로 handled에 planting과
harvesting이 and로 병렬 연결되었다.
(B) '그 협동조합이 마침내 기계의 도움을 얻을 수 있었던 이유'라는 의미로 the
co-op ~ mechanical help가 완전한 문장이므로 why가 와야 한다. why절
은 동사 explain의 목적어 역할을 하고 있다.
(C) '약간의 이익이 남겨지다'라는 의미로 수동형인 left가 와야 한다.

해석

대부분의 농장에서 트랙터는 기본적인 농기구이다. 하지만, 우간다의
Gumutindo 공정 거래 협동조합은 대부분의 농장과는 다르다. Gumutindo
공정 거래 협동조합은 후진국에 있는데, 그곳에서는 육체노동이 일반적이다. 지
난해까지 Gumutindo의 농민들은 과거의 방식으로 농작물을 심고 수확했다.
fair trade(공정 거래)라는 두 단어가 그 협동조합이 마침내 기계의 도움을 얻을
수 있었던 이유를 설명해 준다. 공정 거래 판매망을 통해 던킨 브랜드와 같은 구
매자들에게 커피를 판매한 소득으로 협동조합원들은 첫 트랙터를 구입했다. 그
것이 바로 공정 거래가 어떻게 사업 방식을 바꿔 놓았는지에 대한 하나의 사례
이다. 많은 근로자들이 소규모 농가나 영세한 작업장의 노동조합에서 공정 거래
로 보증된 농산물을 재배한다. 그들은 자신들의 비용을 충당하고, 사업에 투자하
고, 약간의 이익을 남길 만큼 돈을 번다.

어휘

equipment n. 기기, 장비　**cooperative(co-op)** n. 협동조합
underdeveloped a. 저개발의, 후진의　**manual** a. 손으로 하는; 수공
의　**handle** v. 다루다, 처리하다　**harvest** v. 수확하다, 거두어들이다　**old-
fashioned** a. 구식의, 낡은, 진부한　**mechanical** a. 기계에 의한, 기계의　**fair
trade** 공정 무역　**earning** n. 소득, 수입　**certify** v. 증명하다, 보증하다　**cover**
v. (비용을) 감당하다, 충당하다; 감추다　**invest** v. 투자하다, 출자하다

LESSON

04 분사 / 분사구문
P.14

019 ②　　　020 ④

019 ②

해설

(A) birth order ~ in adult life의 문장이 완전한 문장이며, have believed
의 목적어가 되는 절을 이끄는 접속사 that이 적절하다.
(B) ~ and thus I am less aggressive의 문맥이므로 be동사의 보어 역할
을 할 수 있는 형용사 aggressive가 적절하다.
(C) as you accept other social roles(당신이 다른 사회적인 역할을 받아
들이면서)를 분사구문으로 바꾼 형태이므로, accepting이 적절하다.

해석

많은 사회과학자들은 한동안 출생 순서가 성인기의 성격과 성취에 직접적으로 영향을 끼친다고 믿어 왔다. 사실, 사람들은 공격적인 행동이나 수동적인 기질과 같은 성격 요인을 설명하기 위해 출생 순서를 사용해 왔다. 사람들은 "아, 나는 세 자매 중에 맏이라서 내가 위압적인 것을 어찌할 수 없어." 또는 "나는 막내라서 형들이나 누나들보다 덜 적극적이니까 사업에 그다지 성공적이지 못해."라고 말할 수도 있다. 그러나 최근의 연구에서 이러한 믿음이 잘못된 것이라는 것을 입증했다. 다시 말해, 출생 순서가 가족 내에서 역할을 규정지을 수는 있지만, 다른 사회적 역할을 받아들이면서 성인으로 성장해 갈 때, 출생 순서는 무의미해진다.

어휘

birth order 출생 순서   **personality** n. 성격, 인격, 인품   **achievement** n. 성취, 달성   **account for** ~을 설명하다   **aggressive** a. 적극적인, 공격적인   **behavior** n. 행동, 행위   **passive** a. 수동적인, 소극적인   **temperament** n. 기질   **overbearing** a. 위압적인, 억압적인; 거만한, 건방진   **successful** a. 성공한, 좋은 결과의   **in other words** 바꿔 말하면, 즉   **define** v. 정의하다   **mature** v. 성숙하다, 성장하다; 익다   **adulthood** n. 성인기   **insignificant** a. 중요하지 않은, 무의미한

020 ④

해설

① little은 '거의 없는'이라는 뜻의 부정을 나타내며, 셀 수 없는 명사 앞에 쓰인다. effort가 셀 수 없는 명사이므로 little의 쓰임은 적절하다. with little effort는 '힘을 들이지 않고'라는 뜻이다.
② 앞의 동사 have를 받는 do의 쓰임은 적절하다.
③ too late는 '너무 늦게'라는 의미로, too는 부정을 나타낸다.
④ damage는 your stuff를 목적어로 취하며, 전치사 of의 목적어이므로 동명사 damaging으로 고쳐야 한다.
⑤ All these things considered는 분사구문으로, considered는 과거분사이다. 이 문장은 When all these things are considered로 바꿔 쓸 수 있다. '이러한 모든 것들을 고려해 볼 때'라는 의미로 쓰였다.

해석

가까운 거리로 이사하는 것은 너무 쉬워서 별다른 노력 없이 짧은 시간에 이사할 수 있다고 생각할지 모른다. 당신은 이삿짐센터의 서비스가 필요 없다고 생각해서 당신 자신의 차를 사용하기로 결정할 수도 있다. 그런데 당신의 생각은 틀릴 수도 있다. 당신은 이삿짐으로 꾸려야 할 물건들이 실제로 존재하는 것만큼 많지 않다는 잘못된 생각을 갖고 있다. 당신은 자신의 차가 생각했던 것보다 그다지 많이 실어 나르지 못한다는 사실을 너무 늦게 깨닫는다. 그래서 생각했던 것보다 훨씬 더 여러 번 새로 이사 갈 집으로 짐을 운반해야 한다. 또한 물건을 훼손할 가능성도 있는데, 물건들 중에는 귀중한 것도 일부 있다. 이러한 모든 것들을 고려해 본다면, 이삿짐센터에 부탁하는 것이 더 나을지도 모른다.

어휘

in no time 짧은 시간에, 곧, 즉시   **effort** n. 노력, 수고   **moving company** 이삿짐센터   **impression** n. 생각, 느낌; 인상   **pack** v. (짐을) 꾸리다, 싸다   **possibility** n. 가능성   **stuff** n. 물건   **valuable** a. 귀중한, 소중한   **consider** v. 고려하다, 생각해 보다

Check Point

1. **those questioned**   설문 대상자 중, 60% 이상이 자신이 더 운동을 해야 한다는 것을 알고 있다고 말했다.
2. **Scolded**   그녀는 늦게 도착해서 혼이 났기 때문에, 어찌할 바를 몰랐다.

---

021 ①

해설

① 커피가 신선한 상태를 유지하는 것으로 여겨져 온 것이므로 수동형인 considered로 고쳐야 한다.
② 커피콩이 볶아지는 것이므로 수동형인 roasted가 쓰였다.
③ '커피가 팔리지 못할 수도 있다'는 의미로, 수동형인 sold가 쓰였다.
④ '일단 소비자가 포장을 뜯게 되면'이라는 의미로, 현재완료의 쓰임 중 완료를 의미한다.
⑤ '커피를 마시는 것은'이라는 의미로, 동명사 drinking은 that절 안에서 주어 역할을 한다.

해석

커피는 특별한 주의를 기울이지 않아도 볶기 전에 신선한 상태를 유지하는 것으로 여겨져 왔다. 그러나 과학자들은 커피콩은 대체로 볶은 후 한 달 정도만 신선함을 유지하므로 시장에서 파는 대부분의 커피는 고객이 마실 때쯤이면 실제로 더 이상 신선하지 않다고 말한다. 게다가 커피는 이 기간 내에 팔리지 못하고 훨씬 적게 소비되어 질 수 있다. 현대식 포장 방법이 도움이 되긴 하지만, 일단 소비자가 포장을 뜯게 되면 포장 상태는 커피를 신선하게 유지하는 데 도움을 주지 못한다. 커피를 마시는 것은 우리의 건강과 정서에 많은 이익을 준다는 중요한 정보도 있다. 그러므로 볶은 커피콩을 구입하면 신선한 커피 맛을 즐기고 동시에 당신의 건강에 도움이 되도록 가능한 한 빨리 커피를 마셔라.

어휘

maintain v. 유지하다, 지속하다; 보존하다   **freshness** n. 신선함; 상쾌함   **caution** n. 주의, 조심   **by the time** 그때까지, ~할 때까지   **bean** n. 콩   **typically** ad. 일반적으로, 대체로; 전형적으로   **roast** v. 굽다, 볶다   **moreover** ad. 게다가, 더욱이   **seal** n. 포장, 밀봉   **significant** a. 중요한, 소중한   **benefit** n. 이익, 이득   **well-being** n. 행복, 복지; 번영   **as soon as possible** 가능한 한 빨리   **flavor** n. 맛, 풍미

022 ⑤

해설

(A) Ice hockey is ~ sports라는 문장과 teams frequently play ~ players라는 완전한 문장이 왔으므로 접속사가 와야 한다. in that은 '~라는 점에서, ~이니까'라는 접속사이다.
(B) '선수가 한 명 적은 상태로'라는 의미로 a player (being) short는 분사구문으로 볼 수 있으며, a player는 의미상 주어 역할을 하고 있다. 따라서 명사(a player)를 보충 설명하는 형용사 short가 와야 한다. short는 '부족한, 모자라는'라는 뜻이며, shortly는 '간략하게, 곧'이라는 뜻이다.
(C) 현재분사의 형태일 때는 능동·진행의 의미를 나타내고, 과거분사의 형태일 때는 수동·완료의 의미를 나타낸다. 득점이 되는 기회가 아니라 득점을 하는 기회이므로 문맥상 scoring이 적절하다.

해석

아이스하키는 주요 스포츠 중에서 팀들이 자주 다른 수의 선수들과 경기를 한다는 점에서 (볼 때) 특이하다. 스포츠 상에서 허용되는 신체 접촉 규범을 넘어서는 여러 가지 육체적인 반칙에 대해 벌칙이 주어진다. 그와 같은 벌칙은 선수를 페널티 박스라 불리는 격리된 지역으로 보내는 결과를 초래한다. 선수가 보내진 후에 반칙을 한 팀은 한 선수가 한 명 적은 상태로 게임을 해야 한다. 팀들이 선수의 수가 다른 채로 경기를 하는 이 시간은 파워 플레이라고 불리며, 선수의 수가 더 많은 팀에게 좋은 득점 기회를 제공한다.

어휘

penalty n. 페널티, 반칙에 대한 벌; 형벌, 벌금   **violation** n. 위반, 침해   **go**

7

beyond ~을 능가하다, ~을 어기다   **permissive** a. 허가하는, 허용된   **contact** n. 접촉, 맞닿음; v. 접촉하다   **result in** ~을 초래하다, 야기하다   **isolated** a. 고립된, 격리된; 외딴   **offender** n. 위반자, 범죄자   **operate** v. 운영하다; 작동하다; 수술하다; 운전하다   **short** a. 부족한, 불충분한, 모자라는; 짧은   **shortly** ad. 간략하게; 곧, 머지않아; 냉랭하게   **score** v. 득점하다, 기록하다; n. 득점

023 ④

해설

① 주어가 the growth이므로 단수동사 is가 적절하다.

② 연속동작을 나타내는 분사구문으로, 주어가 같고 시제가 일치하면 접속사와 주어를 생략할 수 있으므로 making은 적절하다. 이 문장은 and it makes E-World the top photo website ~로 바꿔 쓸 수 있다.

③ 관계대명사 what은 선행사를 포함하며 문장 내에서 주어, 목적어, 보어로 쓰일 수 있다. 여기서 what은 realize의 목적어가 되며 is의 주어가 되는 절을 이끄는 관계대명사이다.

④ everything은 that people post의 수식을 받는다. post는 everything을 수식하는 관계대명사절의 동사이므로 이 문장은 동사가 필요하다. 사람들이 게시하는 모든 것에 대한 권한이 자동으로 E-world에 주어진다는 의미이므로 being을 is로 고쳐야 한다.

⑤ '사이트에 게시된 모든 사용자 콘텐츠'라는 의미로, posted 앞에 which was가 생략되어 앞에 있는 all "user content"를 수식한다고 볼 수 있다.

해석

요즘은 E-World와 Face-Space 같은 다양한 소셜 네트워크(커뮤니티 사이트)의 성장이 인상적이다. 그것들은 A-Tube의 바로 뒤를 이어, 각각 네 번째와 다섯 번째로 가장 인기 있는 사이트로 평가된다. 사용자의 60퍼센트 이상이 하루에 이백만 장이나 되는 개인 사진을 게시하고, E-World는 전국 최고의 사진 웹사이트가 되었다. 하지만, 많은 사용자들이 깨닫지 못할 수도 있는 것은 그 회사가 모든 사진을 소유한다는 것이다. 사실 사람들이 게시하는 모든 것의 전송, 배포 및 공개적인 게시에 대하여 E-World가 자동적으로 권한을 가지게 된다. 최근 E-World는 그 사이트에 게시된 모든 "사용자 콘텐츠"를 다른 업체에 팔았다. 많은 사용자들은 자신의 사진을 자기도 모르는 사이에 기업의 손에 넘긴 셈이 되었다.

어휘

nowadays ad. 요즘   **impressive** a. 인상적인; 감동적인   **rank** v. 등급을 매기다, 평가하다   **respectively** ad. 각각, 각기   **post** v. 게시하다, 고시하다   **automatically** ad. 자동적으로; 무의식적으로   **be licensed to** ~에게 권한이 주어지다   **transferable** a. 전송할 수 있는; 양도할 수 있는   **distribution** n. 배포, 배급, 배포   **commercial** a. 영리적인; 이익이 되는; 상업상의   **unknowingly** ad. 모르는 사이에   **hand over** 넘기다   **corporate** a. 기업의

024 ②

해설

① How salmon ~ for spawning은 명사절로 주어 역할을 하고 있다. 이때 동사는 단수동사 is가 적절하다.

② 'It appears ~navigation,'과 'it is ~ of travel'이라는 두 개의 완벽한 문장이 왔으므로 두 문장을 연결해 주는 접속사가 필요하다. it을 접속의 기능을 가진 계속적 용법의 관계대명사 which로 고쳐야 한다.

③ including day ~ magnetic field는 분사구문이다. 이 분사구문은 and this information includes day ~로 바꿔 쓸 수 있다.

④ whatever는 선행사를 포함한 복합관계대명사이다.

⑤ '그들 스스로 방향을 잡는'이라는 의미로, orient의 목적어로 쓰인 themselves는 salmon을 나타내는 재귀대명사이다.

해석

연어가 산란을 위해서 어떻게 정확한 해안 지역으로 돌아오는지는 완전히 알려

져 있지는 않다. 연어들은 어떤 형태의 '지도와 나침반' 항법을 사용하는 것 같으며, 그것은 이동하는 방향과 위치에 관한 정보를 근거로 한다. 이러한 정보는 낮의 길이, 태양의 위치와 하늘에서 태양이 위치한 각도에 의해 생기는 빛의 편광 현상, 지구의 자기장을 포함한 몇 가지 환경적인 단서에서 기인한 것 같다. 이런 특수한 장치가 무엇이든 간에 산란기가 다가오면 연어들은 자신들이 태어난 특정한 수로가 있는 해안 지역을 향해서 방향을 잡는 유전적인 성향을 가지고 있는 것 같다.

어휘

shoreline n. 해안선   **spawn** v. 산란하다; n. 알   **compass** n. 나침반   **navigation** n. 항법, 항해   **be based on** ~에 기초를 두고 있다   **most likely** 아마도, 필히   **polarization** n. 분극, 편광; 편극   **magnetic field** 자기장   **specific** a. 특정한, 특수한   **mechanism** n. 구조 장치   **approach** v. ~에 가까워지다, 이르다; 접근하다   **inherited** a. 유전의; 상속한   **tendency** n. 성향; 경향; 추세   **orient** v. 방향을 정하다   **waterway** n. 수로, 항로

025 ⑤

해설

(A) how가 이끄는 절(How you treat others)이 이 문장의 주어이다. 명사절의 주어는 단수 취급하므로 has가 적절하다.

(B) '우리의 삶에 부족한'이라는 의미로, 명사 qualities를 수식하는 lacking이 와야 한다. lacking은 '부족하여, 결핍되어, 모자라는'라는 뜻이다.

(C) '일 중독자가 그들을 부러워한다'는 의미로 criticizes와 envies가 and에 의해 병렬 구조로 연결되었다.

해석

동양의 정신적인 스승들은 "세상은 당신이 세상을 보는 바와 같다."라고 말한다. 서양에서 심리학자들은 투영의 영상을 일컫는 "그것은 거울에 비춰진 모습과 같다."라고 말하는 것을 좋아한다. 당신의 인생에서 가장 중요한 관계는 당신 자신과의 관계이다. 당신이 남을 대하는 방식은 자기 자신을 대하는 방식과 관련이 있다. 당신이 다른 사람을 사랑할 수 없고 정직할 수 없다면, 당신 자신에게 정직할 수 없고, 당신 자신을 사랑할 수 없다. 많은 사람들이 자신의 삶에는 결여된 자질을 갖고 있는 사람을 비판하거나 맹목적으로 숭배한다. 예를 들면, 일 중독자는 느긋해져야 할 필요가 있으므로 빈둥거리며 농담을 하는 다른 사람들을 비판하거나 그들을 부러워한다. 그들은 그 사람에게 없는 자질을 보여 주고 있다.

어휘

spiritual a. 정신적인, 정신의   **psychologist** n. 심리학자   **be fond of** ~을 좋아하다   **refer to** ~을 언급하다   **phenomenon** n. 현상; 사건   **projection** n. 투영, 투사; 영상   **treat** v. 다루다, 대우하다; 처리하다   **have a bearing on** ~와 관련이 있다   **criticize** v. 비판하다, 비평하다   **idolize** v. 숭배하다, 우상화하다   **lacking in** ~에 결여된   **workaholic** a. 일에 중독된; n. 일중독자   **play around** 빈둥거리다; 시간을 보내다   **lighten up** (짐이) 가벼워지다, (마음이) 편해지다   **reveal** v. 보이다, 나타내다; 드러내다; 밝히다

026 ③

해설

① '뇌와 신체가 작용하는 방식'이라는 의미로, your brain and body가 주어이므로 function은 적절하다.

② '신체에 흡수되느냐에 달려 있다'는 의미로, this가 주어이므로 depends가 적절하다.

③ The reactions가 주어이므로 is를 are로 고쳐야 한다.

④ 혈압이 상승되는 것이므로 과거분사 increased가 적절하다.
⑤ get ready to+동사원형은 '~할 준비가 되어 있다'는 의미이다.

해석
니코틴이 뇌와 신체가 작용하는 방식을 변화시킨다는 것이 의료 전문가들에 의해 입증되었다. 니코틴은 다양한 반응을 일으킨다. 어떤 사람들은 활력을 느끼고 한편 다른 사람들은 편안함을 느낀다. 이것은 니코틴이 얼마나 자주, 얼마나 많이 신체에 흡수되느냐에 달려 있다. 몸에서 니코틴과 알코올의 반응은 아주 다르다. 술 몇 잔은 당신의 자제력을 느슨하게 하여 흥분시키기도 하지만, 너무 많이 마신 후에는 몸이 진정된다. 니코틴은 몸을 자극하여 아드레날린이 빨리 몸으로 분비된다. 아드레날린은 심작박동을 빠르게 하고, 가쁘고 얕은 숨을 쉬게 하며 혈압을 상승시킨다. 이것은 당신의 몸이 포식자로부터 당신을 방어하거나 가능한 한 빨리 도망가도록 도와줄 준비가 되어 있다는 것으로 싸움 혹은 도주 반응(스트레스가 부과되는 자극에 대한 교감 신경계의 준비 동작)을 나타낸다.

어휘
alter v. 바꾸다, 고치다 **reaction** n. 반응, 태도; 반작용 **invigorate** v. 기운 나게 하다, 고무하다 **depend on** ~에 달려 있다 **ingest** v. 섭취하다, 흡수하다; 수집하다 **loosen** v. 느슨하게 하다; 풀다, 놓아주다 **inhibition** n. 억제, 억압; 금지 **sedate** v. 진정시키다, 안정시키다 **stimulate** v. 자극하다; 격려하다, 고무하다 **release** v. 방출하다, 내뿜다; 해방하다 **heartbeat** n. 심장박동 **blood pressure** 혈압 **shallow** a. (호흡이) 얕은; 피상적인, 얕팍한 **indicative** a. 나타내는, 표시하는; 암시하는 **defend** v. 방어하다, 지키다 **predator** n. 포식자, 약탈자

027 ②

해설
(A) 「forget+동명사」는 '~했던 것을 잊다', 「forget+to부정사」는 '~할 것을 잊다'라는 의미이다. '영수증 사본 받는 것을 잊어버리다'는 의미가 되어야 하므로 to get이 적절하다.
(B) 「on one's way+명사 상당어구」는 '~하는 중에', '~ 도중에'라는 의미이다. 전치사 to 다음에는 동명사가 오므로 making이 적절하다.
(C) All he needs는 All과 he 사이에 관계대명사가 생략된 구문으로 '그가 필요한 것은'이라는 의미이다. 명사절이 주어이므로 is가 적절하다.

해석
신분 도용은 다른 사람들에게만 일어나는 일이 아니다. 당신은 식당에서 음식을 먹고, 신용 카드로 지불하고, 신용 카드 영수증 사본을 받는 것을 잊어버린 적이 있는가? 당신은 아마도 많은 영수증에 누구든지 볼 수 있도록 당신의 신용 카드 번호가 인쇄되어 있다는 것을 알고 있을 것이다. 당신이 영수증에 서명을 했다면, 당신의 서명도 누군가가 잘 베껴 쓸 수 있도록 영수증에 나타나 있다. 이것은 가장 단순한 형태의 신분 도용의 원인이 될 수 있다. 이 정보를 가지고 부정직한 어떤 사람이 당신의 신용카드 번호를 사용하여 온라인이나 전화로 충분히 구매를 할 수 있다. 당신이 은행 명세서를 받을 때까지는 그것에 대하여 알지 못할 것이다. 그에게 필요한 것은 메일 주소를 변경하는 것에 대한 요청이다.

어휘
identity theft 신분 도용, 신원 도용 **receipt** n. 영수증 **signature** n. 서명, 사인 **deliberately** ad. 계획적으로, 고의적으로 **dishonest** a. 부정직한, 불성실한 **statement** n. 계산서, 명세서; 성명, 진술

028 ①

해설
① '오랫동안 논쟁의 여지가 되어 왔다'는 의미이고, 과거부터 현재까지 계속되고 있는 일을 의미하므로 현재완료 has been으로 고쳐야 한다.
② Some side effects가 주어이므로 are가 적절하다.
③ caution and medical consultation이 주어이므로 are가 적절하다.
④ 네 살 된 소년에게 두유와 사과 주스를 먹인 일은 그들이 아이의 건강을 유지

하도록 노력했다고 주장한 일보다 더 이전의 일이므로 과거완료 had fed가 적절하다.
⑤ 극단적 채식주의 식이 요법을 고수하면서라는 의미의 동시동작을 나타내는 분사구문으로 while과 adhering 사이에 they were가 생략되었다고 볼 수 있다.

해석
극단적 채식주의는 오랫동안 논쟁의 여지가 있는 식이 요법이 되어 왔다. 많은 사람들은 그 식이 요법이 건강에 위험한 것이라고 믿는다. 그것은 주의 깊은 계획과 의사의 상담을 필요로 한다. 그 식이 요법으로 인한 몇 가지 부작용에는 체중 증가나 체중 감소, 또는 빈혈증과 같이 알아채기(지각하기) 어려운 상태도 있다. 어떤 극단적 채식주의자들은 자신들의 식생활을 자녀들 동물들에게도 적용하는데, 그렇게 하는 이들을 위해서는 주의와 의료 상담이 중요하다. 2004년 4월, 네 살 된 소년 Crown Shakur가 굶어 죽었다. 그의 부모들은 아이에게 주로 두유와 사과 주스를 먹였고, 극단적 채식주의 식이 요법을 고수하면서 아이가 건강을 유지하도록 최선을 다했다고 주장했다.

어휘
veganism n. 극단적 채식주의 **controversial** a. 논쟁의 여지가 있는, 논쟁의 **consultation** n. 상담, 진찰받기 **side effect** 부작용 **subtle** a. 예민한, 민감한 **anemia** n. 빈혈증 **vegan** 극단적 채식주의자 **dietary** a. 식이 요법의 **crucial** a. 중대한, 결정적인 **starvation** n. 기아, 굶주림 **soy milk** 두유 **do one's utmost** 전력을 다하다 **adhere** v. 고집하다, 고수하다; 접착하다, 부착하다

029 ②

해설
(A) '인플레이션을 막는 데 도움을 주다'라는 의미로, help 다음에 목적어로 to부정사나 동사원형이 와야 하므로 avert가 적절하다.
(B) raise는 '~을 올리다', arise는 '~로부터 일어나다, 생기다'라는 뜻이다. '최적의 실업상태에서 생기는 이점'이라는 의미이므로 arising이 적절하다.
(C) '필립스 곡선을 따라서 인플레이션을 감소시키거나 자연 실업률을 따라서 인플레이션을 감속시키는 것으로 나타났다'는 의미로, was demonstrated에 to reduce와 to decelerate가 or에 의해 병렬 구조로 연결되었다.

해석
실업은 전반적인 경제에 이익이 될 수도 있고 해가 될 수도 있다. 실업은 인플레이션을 막는 데 도움을 줄 수도 있는데, 인플레이션은 영향 받는 경제 상태에 있어서 거의 모든 사람들에게 부정적으로 영향을 미치고, 심각한 장기간의 경제적 비용을 치르게 한다. 그러나 심지어 거의 완전 고용 하에서도 최근 확장된 국제무역이 저가의 상품을 계속해서 공급함에 따라 그 지역에서 완전 고용이 이루어지면 그 완전 고용이 직접적으로 그 지역에 인플레이션을 초래한다는 역사적인 가정이 힘을 잃었다. 추정된 최적의 실업 상태에서 생기는 인플레 억제가 경제 전반에 미치는 혜택이 광범위하게 연구되었다. 현재와 같은 수준의 세계 무역이 발전하기 전에는, 실업이 필립스 곡선(실업률과 물가상승률 간의 반비례 관계를 나타내는 곡선)을 따라서 인플레이션을 감소시키거나 자연 실업률(물가가 안정적으로 유지될 수 있는 수준의 실업률)을 따라서 인플레이션을 감속시키는 것으로 나타났다.

어휘
unemployment n. 실업, 실직 상태 **advantage** n. 장점(↔ disadvantage 단점) **overall** a. 전체의; 전반적인, 총체적인 **avert** v. 피하다, 막다; 외면하다 **negatively** ad. 부정적으로; 소극적으로 **historic** a. 역사적인 **assumption** n. 가정, 가설, 억측 **weaken** v. 약화시키다, ~의 힘을 빼다 **arise** v. 생기다, 비롯되다; 발생하다 **presumed** a. 가정된, 추정된 **optimum** a. 최선의, 최고의 **extensively** ad. 광범위하게, 널리 **demonstrate** v. 설명하다, 표시하다, 논증하다 **decelerate** v. 감속시키다

030 ③

해설
① '막대기에 묶인 두 개의 물동이'라는 의미로 과거분사 tied가 적절하다.
② 선행사를 포함한 관계대명사 what은 전치사 of와 carry의 목적어 역할을 하고 있다.
③ '길러 날라야 하는'이라는 의미로, make는 사역의 의미로 쓰였다. 사역동사가 있는 문장의 수동태는 사역동사 뒤에 동사원형을 취할 수 없으므로 to carry로 고쳐야 한다.
④ '새는 물이 낭비되지 않게 하기 위해서'라는 의미로 so that은 '~하기 위해서'를 나타낸다.
⑤ '인생을 흥미롭고 보람 있게 만드는 것은 바로 이러한 결함들'이라는 의미로, make의 주어는 these flaws이다. It is ~ that의 강조구문으로 these flaws를 강조하고 있다.

해석
한 남자가 막대기에 묶인 두 개의 물동이를 이용해서 자기 집으로 물을 길어 나르곤 했다. 두 개의 물동이 중 하나는 금이 가 있었다. 돌아오는 도중에 금이 간 물동이에서 물이 새곤 했다. 금이 가지 않은 물동이는 자신의 성취를 뽐내었지만, 금이 간 물동이는 길어 날라야 할양의 반 밖에 나를 수가 없어서 부끄러웠다. 어느 날, 금이 간 물동이는 주인에게 자기의 결함에 대해 말했다. 그 주인은 "네가 물을 흘린 쪽에서 자라고 있는 길가의 꽃들을 보았니? 나는 새는 물이 낭비되지 않도록 꽃씨를 심었어."라고 말했다. 우리 모두는 결함이 있는 금이 간 항아리이다. 하지만, 인생을 흥미롭고 보람 있게 만드는 것이 바로 이러한 결함들이다.

어휘
deliver v. 나르다; 배달하다, 전하다   **pot** n. 항아리   **stick** n. 막대기   **crack** n. 갈라진 틈, 흠, 결점; v. 깨다, 부수다   **accomplishment** n. 성취; 성과, 업적   **ashamed** a. 부끄러워하는   **flaw** n. 결함, 결점; 흠, 금   **leak** 새다, 누출시키다   **rewarding** a. 보람 있는; ~할 만한 가치가 있는

031 ②

해설
(A) 부분이나 전체를 나타내는 표현에서는 of 뒤의 명사에 동사의 수를 일치시킨다. of 뒤의 Puerto Rican children이 복수명사이므로 have가 적절하다.
(B) '이러한 수치는 전국 아이들의 평균과 비교해 볼 때'라는 의미로, 동사의 의미상 주어가 these numbers이고 수동 관계이므로 과거분사 compared가 적절하다. when 다음에 they are가 생략되었다고 볼 수 있다.
(C) '원인을 제공하고 있는 요인'이라는 의미로, 능동형인 contributing이 적절하다.

해석
천식은 호흡하는 데 주기적인 어려움을 야기하는 질환이다. 많은 미국인들이 천식으로 고통을 받지만, 소수 민족 아이들의 피해가 가장 심하다. 사실, 미국에 거주하는 푸에르토리코계 아이들의 20퍼센트가 천식을 앓고 있다. 아프리카계 미국인 어린이들은 13퍼센트 정도 천식을 앓고 있다. 이러한 수치는 전국 아이들의 평균 수치가 8퍼센트인 것에 비하면 매우 높은 것이다. 천식 관련 사망률이 1999년 이래로 감소되어 왔지만, 소수 민족 아이들에게는 그렇지 못했다. 아프리카계 아이들과 푸에르토리코계 아이들은 백인 아이들보다 천식으로 사망할 확률이 실제로 6배나 높다. 공기 오염과 같은 환경 문제들이 이러한 차이에 원인을 제공하는 요인인 것 같다.

어휘
asthma n. 천식   **medical** a. 의학적인   **periodic** a. 주기적인, 간헐적인   **ethnic** a. 소수 민족의; 민족의, 인종의   **minority** n. 소수 집단, 소수   **youngster** n. 소년, 어린이   **mortality** n. 사망률, 사망자 수   **pollutant** n. 오염; 오염 물질   **contribute** v. ~의 원인이 되다; 기부하다   **disparity** n. 불균형, 차이

032 ③

해설
① 마약류를 재분류하는 생각을 해온 것으로 과거부터 현재까지 계속 이어진 일이므로 현재완료 has toyed가 쓰였다.
② '그것의 안전성'이라는 의미로, its는 앞의 a drug를 받는다.
③ 'Lancelot 학술지에서 발표된 연구'라는 의미로, The study가 발표되는 것이므로 과거분사 published로 고쳐야 한다.
④ which는 ecstasy and marijuana를 선행사로 받는 계속적 용법의 주격 관계대명사이다.
⑤ '해로움에 대한 가능성을 보여 온 물질들'이라는 의미로, 과거부터 현재까지 계속되는 일을 나타내는 현재완료로 쓰였다.

해석
영국은 마약류를 재분류하려고 생각하고 있다. 과학적인 연구들이 약물의 합법성 및 안전성과 관련하여 모순을 드러낸다. 스무 개의 다른 불법적인 마약과 합법적인 마약이 사람의 건강에 미치는 영향을 규명하기 위해 시험되었다. 지난해 Lancelot 학술지에 발표된 한 연구는 전문가들이 술과 담배가 대부분의 나라에서 불법인 엑스터시나 마리화나보다 더 위험하다고 여기고 있다는 것을 밝혀냈다. 영국에서는 약물 오용 방지법에 따라서 불법적인 마약을 A, B, C급으로 분류하고 있다. 헤로인과 같은 A급 마약은 가장 해로운 것으로 여겨지며, 마리화나와 같은 C급은 가장 해롭지 않은 걸로 여겨진다. 그 연구는 해로울 수 있는 스무 가지의 약, 즉 열다섯 가지의 불법적인 약물과 다섯 가지의 합법적인 약물에 해로운 정도의 등급을 매기기 위한 것이었다.

어휘
toy with (아이디어나 가능성) ~에 대해 생각하다   **reclassify** v. 재분류하다   **narcotics** n. 마약, 마취제   **discrepancy** n. 불일치, 모순, 차이   **in relation to** ~에 관하여   **legality** n. 합법, 적법   **illegal** a. 불법적인(↔ legal 합법적인)   **ascertain** v. ~을 확인하다, 규명하다   **publish** v. 발표하다, 공표하다; 발행하다   **misuse** n. 남용, 악용; 오용   **classify** v. 분류하다, 등급으로 나누다   **intend** v. 의도하다, ~할 작정이다   **substance** n. 물질; 본질   **potential** n. 가능성; 잠재력

LESSON
05 수동태 / 능동태
P.18

033 ③   034 ①

033 ③

해설
(A) sells의 목적어 역할을 할 수 있는 명사절을 이끌기 위해서는 선행사를 포함한 관계대명사 what이 적절하다.
(B) 셀 수 있는 명사의 복수형(products)을 수식하고 있으므로 a few가 적절하다.
(C) 바로 다음에 목적어(prepackaged goods)가 왔으므로 능동형의 동명사인 selling이 적절하다.

해석
당신이 음식을 사야 할 때는 아마 당신의 집 근처에 당신이 원하는 것을 파는 상점이나 백화점이 있을 것이다. 하지만, 쇼핑이 항상 그렇게 쉬웠던 것은 아니었다. 상점은 화폐가 도입되면서 생겨났다. 예전에 사람들은 작물이나 자신들이 만든 물건을 자신들이 필요로 하는 상품과 교환했다. 최초의 상점은 고기와 빵과 같은 소수의 상품만 팔았다. 1850년에 한 지붕 아래에서 여러 가지 다양한 품목을 파는 상점인 최초의 백화점이 파리에서 문을 열었다. 1930년대에 미국에서 셀프서비스 가게들이 발달했다. 그 가게들은 포장되어 있는 상품을 선반에서 곧바로 판매함으로써 고객들에게 개별적으로 서비스하던 옛날 방식을 대체했다.

if ~할 때는 (언제나), ~하면 **introduction** n. 도입 **trade** v. 거래하다, 교환하다, 무역하다 **in exchange for** ~와 교환하기 위해 **item** n. 물품, 항목 **replace** v. 대체하다, 대신하다 **individually** ad. 개별적으로 **prepackaged** a. 미리 포장되어 있는 **straight** ad. 곧바로

034 ①

해설

① Then find something special about each day. + You can be thankful for something.으로 thankful 뒤에 for가 없으므로 for which가 되어야 한다. 관계대명사 that 앞에는 전치사를 쓸 수 없으므로 혹은 something special about each day which/that you can be thankful for가 되어야 한다. be thankful for는 '~에 감사하다'라는 뜻이다.
② 하루가 시작된다는 의미로 started가 쓰였다.
③ Actively는 부사로 뒤에 있는 동명사 practicing을 수식하는 역할을 하므로 적절하다.
④ remain은 '~인 채로 남아 있다'라는 뜻으로, remain의 보어로 형용사가 와야 하므로 hidden이 적절하다.
⑤ even은 비교급(stronger)을 강조하는 부사이므로 적절하다.

해석

매일 감사하는 마음으로 시작함으로써 삶에 활력을 더하라. 일어나면 다른 일을 하기 전에 (잠깐) 멈춰서, 당신이 받은 축복을 세어보라. 그러고 나서 당신이 감사할 수 있는 그날 하루의 특별한 것을 찾아라. 긍정적인 마음가짐으로 하루를 시작하는 것은 아주 좋은 방법이며, 이것은 그날 내내 큰 변화를 만들 수 있다. 정기적으로 감사함을 적극적으로 표현하는 것은 당신이 지닌 최상의 가능성을 계속해서 유지할 수 있도록 해줄 것이다. 그것은 당신으로 하여금 기회를 인식하고, (정기적으로 감사함을 실행하지 않더라면) 묻혔을지도 모를 당신의 재능을 활용할 수 있게 해줄 것이다. 그러므로 실은 이것은 그날의 매 순간에 가치를 더해 줄 것이다. 당신의 삶에는 당신이 그것을 (찾아) 누리고 즐기기를 기다리고 있는 수많은 좋은 일들이 있다. 당신이 그렇게 할 때 이런 긍정적인 것들은 훨씬 더 강해질 것이다.

어휘

energize v. 격려하다, 활기 있게 하다 **gratitude** n. 감사(하는 마음) **blessing** n. 축복, 은혜, 은총 **be thankful for** ~에 감사하다 **make a difference** 변화를 가져오다, 차이를 낳다 **major** a. 큰, 대다수의; 주요한 **actively** ad. 적극적으로; 활발히 **on a regular basis** 정기적으로 **keep in touch with** ~와 접하다 **possibility** n. 가능성, 실현성 **utilize** v. 이용하다, 소용되게 하다 **otherwise** ad. 그렇지 않으면

Check Point
1. **singing** 그 예쁜 소녀가 노래 부르는 것을 듣게 되었다.
2. **being produced** 새 영화가 그 감독에 의해 연출되었습니까?

실전감각 익히기　　　　　　　　　　P.19
035 ④　　　036 ②　　　037 ②　　　038 ④

035 ④

해설

① increasingly는 부사로 형용사 modern을 수식한다.
② 분사구문으로 and they move their homes ~로 바꿔 쓸 수 있다.
③ 「be used to+동사원형」은 '~하는 데 쓰다'라는 의미이다.
④ '~하면 할수록 … 더 하다'라는 의미의 「the+비교급 ~ , the+비교급 …」 구

문이므로 the richer로 고쳐야 한다.
⑤ 원래 이 문장은 though the cattle are owned by the man이라는 절로 주어와 be동사가 생략된 형태로 볼 수 있다.

해석

마사이 족은 점점 더 현대화되는 세상에서 자신들의 방식을 계속 보존하려고 노력하는 부족이다. 그들은 케냐와 탄자니아의 국경을 따라 살고 있으며 그들의 생계의 원천인 소를 좇아 때때로 집을 옮긴다. 마사이 족은 자신들의 생활의 많은 부분을 소에 의존한다. 그들은 식량을 얻기 위해 소들을 도살하지는 않는다. 하지만, 소가 죽으면 뿔은 그릇으로 쓰고, 가죽은 신발, 옷, 침대 덮개를 만드는 데 쓴다. 소를 더 많이 소유할수록 부자로 여겨진다. 소는 비록 남성의 소유이기는 하지만, 그 남성의 모든 가족들에게 속하는 것으로 여겨진다.

어휘

preserve v. 보존하다 **increasingly** ad. 점점 더, 더욱 더 **border** n. 국경, 경계 **from time to time** 이따금, 때때로 **livelihood** n. 생계, 살림살이 **slaughter** v. 도살하다; 학살하다 **container** n. 용기, 그릇 **hide** n. 가죽, 피혁 **covering** n. 덮개, 외피; 지붕

036 ②

해설

(A) 뒤에 완전한 문장이 왔으므로 접속사 when이 적절하다.
(B) 동사 carry의 목적어는 문맥상 문장 처음의 They이므로 them이 적절하다.
(C) 카메라에 의해 그들의 모습이 비춰지는 것이므로 being watched가 적절하다.

해석

사람들은 텔레비전 카메라가 자신들을 비추면 이상하게 행동한다. 어떤 사람들은 은폐라고 알려진 행동을 취한다. 그들은 카메라가 자신에게 집중되고 있다는 사실을 인식할 때 스포츠 경기나 텔레비전으로 중계되고 있는 행사를 차분히 지켜볼 것이다. 그리고 대중들에게 우스꽝스러운 얼굴 표정을 짓는 사람들이 있다. 그들은 자신들을 스타덤에 오르게 해줄 수 있는 그런 절호의 기회를 갖게 되기를 바라면서 자신의 재능을 보여 주기 위해 텔레비전에 나가는 시간을 이용한다. 끝으로, 카메라를 향해 아무런 반응을 보이지 않는 척하는 사람들이 있다. 그들은 아무런 얼굴 표정도 짓지 않고 다른 일에 관심이 있는 것처럼 보인다. 하지만, 카메라가 그들을 꽤 오랜 시간 동안 계속 비추면 자신들의 모습이 여전히 비춰지고 있는지 그렇지 않은지 슬쩍 확인을 한다.

어휘

strangely ad. 이상하게, 기묘하게 **engage in** ~에 착수하다, 시작하다 **cover-up** n. 은닉, 은폐, 숨김 **take advantage of** ~을 이용하다 **show off** ~을 보여 주다, 과시하다 **talent** n. 재능, 재주, 소질 **wipe** v. 지우다; 닦다 **be interested in** ~에 관심이 있다 **slyly** ad. 몰래, 교묘하게

037 ②

해설

① '쉽게 예방할 수 있는 질병들'이라는 의미로, 주어가 diseases이므로 are가 적절하다.
② 바이러스가 근절될 것이라는 뜻으로 수동을 나타내므로 수동태가 적절하다. 따라서 eradicating을 eradicated로 고쳐야 한다.
③ which는 Africa를 선행사로 받는 계속적 용법의 주격 관계대명사이다.
④ 접속사 after가 이끄는 절의 주어가 rumors이고, 동사는 spread이다.
⑤ 의료 종사자들이 아이들에게 백신 예방주사를 놓아주기 위해 파견된 것이므로 sent가 되어야 한다.

해석

아프리카의 빈곤과 정치는 대부분의 산업화된 국가에서 쉽게 예방할 수 있는 척수성 소아마비와 같은 질병에 대해 책임이 있다. 세계적인 보건기구들은 세계 소

아마비의 위협을 뿌리 뽑기 위해 20억 달러의 캠페인을 시작했다. 그들은 그 바이러스가 조만간 근절될 것이라고 믿었다. 더 이상 아니었다. 세계의 소아마비 발생 건의 대부분을 차지하는 아프리카에서는 군사적인 충돌과 불안한 정치적 상황이 소아마비 근절 프로그램을 방해하는 주된 원인이다. 나이지리아 북쪽 지방에서 정부 관리들은 백신이 불임과 에이즈를 발생시킨다는 소문이 확산된 후에 소아마비 근절 프로그램을 일시적으로 중지시켰다. 아이들에게 백신 예방 주사를 놓아주려고 파견된 의료 종사자들이 놀림을 당하고 주사 놓는 것을 방해받았다.

어휘
accountable 책임이 있는(= responsible); 설명할 수 있는   **preventable** a. 방지할 수 있는, 예방할 수 있는   **set forth on** ~을 시작하다   **campaign** n. 운동, 활동   **root out** 뿌리를 뽑다, 근절하다   **eradicate** v. 근절하다, 박멸하다   **sooner or later** 머지않아, 조만간   **armed** a. 군사적인, 무장한   **conflict** n. 갈등, 충돌, 대립   **uneasy** a. 불안한, 걱정되는, 염려스러운   **impede** v. 방해하다, 지연시키다   **spread** v. 퍼지다, 유포하다   **bring forth** ~을 야기하다   **sterility** n. 불임   **vaccinate** v. 백신 주사를 놓다

038 ④
해설
(A) 그가 징역형을 선고받는 것이므로 수동태인 was sentenced가 적절하다.
(B) '노르웨이 노벨상 위원회가 중국의 노골적인 위협을 무시하고 있다'는 의미이고, the Norwegian Nobel Committee가 무시하는 것이므로 능동형인 ignoring이 적절하다.
(C) '그러한 결정이 긴장된 유대 관계를 초래할 수 있다'는 의미이고, result는 '~로 귀착하다', '~로 끝나다'라는 의미의 자동사로 쓰인다.

해석
올해의 노벨 평화상 수상자인 류샤오보는 중국의 시인이자 문학 평론가이고, 자기 나라에서 감옥에 수감되어 있다. 2년 전에 그는 국가 전복죄로 11년 징역형을 선고받았다. 중국의 일부 반체제 모임의 사람들과는 달리 그는 평화롭고 점진적인 정치 개혁을 열성적으로 옹호하는 사람이었다. 하지만, 중국은 류샤오보가 범죄자이며 게다가 그가 한 일은 노벨 평화상의 목적에 어긋난다고 말한다. 또한 중국은 그 상은 중국과 노르웨이 간의 관계에 해를 끼칠 수도 있다고 말한다. 그러나 노르웨이 노벨상 위원회는 류의 친민주주의 운동을 치켜세우며, 그러한 결정이 노르웨이와의 긴장된 유대 관계를 초래할 수 있다는 성명 이후에도 중국의 노골적인 위협을 무시하고 있다.

어휘
literary a. 문학의, 문학적인   **critic** n. 비평가, 평론가   **sentence** v. 선고하다, 판결하다; n. 문장, 글   **subversion** n. 전복, 파괴, 멸망   **dissident** n. 반대자, 반체제 인사; a. 의견을 달리하는   **eager** a. 열성적인; 갈망하는   **advocate** n. 옹호자, 지지자; v. 옹호하다, 지지하다   **gradual** a. 점진적인, 단계적인   **criminal** n. 범죄자, 범인   **and that** 게다가   **harm** v. 해를 끼치다; n. 해, 손상   **pro** prep. ~에 찬성하여   **ignore** v. 무시하다, 모르는 체하다   **outspoken** a. 솔직한, 노골적인   **announcement** n. 성명, 발표; 알림, 공지   **strained** a. 긴장된, 절박한; 부자연스러운   **tie** n. 결속, 유대

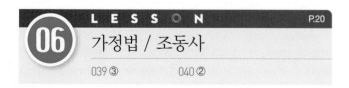

06 LESSON P.20
가정법 / 조동사
039 ③   040 ②

039 ③
해설
(A) 주체인 he가 판자를 잡고 있는 것이므로 Grabbing이 적절하다.

(B) 두 명의 아이 중 나머지 한 아이를 가리키는 것이므로 the other가 적절하다.
(C) 이미 일어난 과거의 일을 반대로 가정하는 것이므로 가정법 과거완료인 hadn't가 적절하다. 가정법 과거완료는 「주어+had+p.p. ~, 주어+조동사의 과거형+have+p.p. ~」이다.

해석
Clauss가 두 시간 동안 파도타기를 하고 난 후, 잠수복을 벗고 있을 때 한 소년이 달려와서 바다를 가리켰다. "두 아이가 물에 빠졌어요."라고 그는 말했다. Clauss는 두 명의 수영하던 아이들이 철벅철벅 소리를 내며 팔을 흔들고 있는 것을 보았다. 그는 서핑보드를 움켜쥐고서 파도를 향해 달려갔다. Clauss가 맹렬히 저어갔기 때문에 가까스로 두 사람 중 한 명에게 다다라 그를 서핑보드 위로 끌어올릴 수 있었다. 그는 나머지 한 아이를 찾으러 차가운 물속으로 일곱 번이나 들어갔으나 허사였다. 해변에 있던 한 경찰관은 Clauss가 그렇게 신속하고 단호하게 반응하지 않았더라면 한 명 대신 두 명의 익사자가 있었을 거라고 말했다.

어휘
surfing n. 파도타기   **take off** ~을 벗다   **wet suit** 잠수복   **be in trouble** 곤경에 처해 있다   **splash** v. (물을) 튀기다   **grab** v. 꽉 잡다, 쥐다   **paddle** v. 노를 젓다   **furiously** ad. 맹렬히, 힘차게   **manage to+동사원형** 가까스로 ~하다   **chilly** a. 차가운, 추운   **decisively** ad. 단호하게; 결정적으로   **drown** v. 익사하다, 물에 빠지다   **instead of** ~ 대신에

040 ②
해설
(A) '도착해야 한다'라는 의미로 쓰였으므로 arrive가 와야 한다. must에 arrive와 assemble이 and로 병렬 연결되었다.
(B) '무슨 일이 일어날 것인지를 요약해서 보여 주는 동영상을 보여 준다'는 의미이다. what이 이끄는 절이 목적어 역할을 하므로 능동의 의미를 지닌 outlining이 적절하다.
(C) '그 과정이 어떻게 진행될 것인지'라는 의미로, 의문사 how가 쓰여야 한다. what이 오려면 뒤에 불완전한 문장이 와야 한다. how the process ~ to work는 describes의 목적어가 된다.

해석
배심원 선정이 진행되는 동안에 일어나는 몇 가지 일이 있다. 우선, 배심원의 임무를 위해 소집된 모든 사람들은 아침 아홉 시까지 도착해 배심원실에 모여야 한다. 몇 분 후에, 일반적으로 법원의 서기가 특정한 재판의 배심원으로 선정되었을 때, 그날 하루 동안 무슨 일이 일어나는지를 요약해서 보여 주는 동영상을 보여 준다. 10시쯤에, 참석한 배심원단에서 스무 명의 사람들이 선정되고, 판사가 재판과정이 어떻게 진행될 것인지 설명해 주는 법정으로 이동한다. 약 30분 후에 열 명의 사람들은 그 사건에 대해 변호사들로부터 질문을 받게 될 배심원석에 앉도록 요청받는다.

어휘
take place 일어나다, 발생하다   **jury** n. 배심원단   **selection** n. 선정, 선택   **proceeding** n. 진행, 속행; 행위   **summon** v. 소집하다, 모으다; 소환하다   **jury duty** 배심원으로서의 의무   **assemble** v. 집합하다, 모으다; 조립하다   **outline** n. 요점, 개요   **juror** n. 배심원   **attendance** n. 참석, 출석   **courtroom** n. 법정   **process** n. 진행, 과정

> **Check Point**
> 1. **had listened** 그들이 그 당시에 내 충고를 들었다면, 지금 위험에 처하지 않았을 텐데.
> 2. **may** 그 연구는 마늘이 환자에게 매우 좋을 수 있다는 것을 시사했다.

041 ③

해설

① where는 부사절을 이끄는 접속사로서 적절하다. ex) Put the book where I can see. (부사절의 쓰임) 내가 볼 수 있는 곳에 그 책을 놓아라.

② cause 동사가 만드는 5형식 문장의 목적격 보어로 쓰인 to fall은 적절하다

③ 동사 judged의 목적어절을 이끄는 접속사가 필요하므로 which가 아닌 that으로 고쳐야 한다. the fall was a mere slip ~이 완전한 문장구조를 갖추고 있으므로 관계대명사가 올 수 없다.

④ 과거 사실과 반대 상황을 나타낸 가정법 과거완료로 had heard가 적절하다.

⑤ 부사 far는 비교급 greater를 강조하는 표현으로 적절하다.

해석

Sherlock Holmes의 창작자인 Arthur Conan Doyle 경은 다른 사람들의 감정에 관해서 (작은 것까지 감지해 내는) 대단히 섬세한 감각을 지녔다. 그는 늙고 허약한 소설가 George Meredith를 방문했던 적이 있다. Meredith는 이따금씩 쓰러지는 희귀한 질병을 앓고 있었다. 두 남자가 Meredith의 여름 별장을 향해 길을 걷고 있었다. Conan Doyle은 앞장 서 걷다가 뒤에 오던 그 나이든 소설가가 넘어지는 소리를 들었다. 그는 그 소리를 듣고 넘어진 것이 단순히 미끄러진 것이어서 Meredith가 다치지 않았을 거라고 판단했다. 그래서 그는 아무 소리도 듣지 못한 것처럼 뒤돌아보지도 않고 계속 성큼성큼 걸어갔다. "그는 몹시 자존심이 강한 노인네야. 나는 나의 도움을 받아 일어난다는 굴욕감이 내가 그에게 줄 수 있는 어떤 안도감보다 훨씬 더 크다는 것을 본능적으로 알아차렸어."라고 Conan Doyle은 후일에 이렇게 말했다.

어휘

delicacy n. 섬세함, 정교함   **pay a visit** 방문하다   **occasionally** ad. 이따금씩, 때때로   **summerhouse** n. 여름 별장   **mere** a. 단지 ~한, ~에 불과한   **stride** v. 큰 걸음으로 걷다   **fiercely** ad. 강렬하게, 맹렬하게   **instinct** n. 본능, 충동, 직감   **humiliation** n. 굴욕, 수치   **relief** n. 구조, 구제

042 ③

해설

(A) 「cannot+동사+too much ~」는 '아무리 ~해도 지나침이 없다'라는 의미이다.

(B) 긍정문에서 need 다음에는 to부정사를 취한다.

(C) 사역동사 make는 목적격 보어로 동사원형을 취하므로 do가 왔다. make에 do, set, get이 or로 병렬 연결된 구조이다.

해석

대학은 자신의 힘으로 해내야 하므로 고등학교와는 완전히 다르다. 독립심을 배운다는 생각은 내가 아무리 강조해도 지나침이 없다. 당신은 대학에서 자신에 대해 많은 것을 발견하게 된다. 당신을 교실로 안내해 줄 사람은 아무도 없다. 당신에게 숙제를 하게 하거나, 계획을 짜게 하거나 제 시간에 수업에 도착하도록 강요할 사람이 아무도 없으므로 당신은 자기 스스로 동기를 부여할 필요가 있다. 당신이 집에서 멀리 떨어져 있을 때, 보다 나은 자아개념이 생기고 자신이 성숙해지는 것을 발견하게 된다.

어휘

independence n. 독립심   **motivate** v. 동기를 부여하다, ~을 자극하다   **mature** v. 성숙하다

043 ②

해설

① 「의문사+주어+동사」의 간접의문문을 나타낸다.

② must have p.p.는 '~했음이 틀림없다'라는 의미로 과거 사실에 대한 강한 추측을 나타낸다. '사과의 수를 세기에 나뭇가지가 충분히 길지 않다는 것을 알아차렸음이 틀림없다'는 과거 사실에 대한 추측을 나타내므로 must have soon realized로 고쳐야 한다.

③ a very large number of 다음에는 복수명사가 온다.

④ 「might as well+동사원형」은 '~하는 것이 좋다, ~하는 편이 낫다'라는 의미이다.

⑤ did는 become을 강조하는 대동사이다.

해석

우리의 초기 조상들은 그날 사과를 몇 개 땄는지를 나타내기 위하여 손가락을 사용하거나 나뭇가지에 ///과 같은 빗금표시를 했을 것이다. 하지만, 그들은 어떤 나뭇가지도 매우 많은 수의 사과를 표시하기에 충분히 길지 않다는 것을 곧 알아차렸음이 틀림없다. 그들은 마침내 빗금표시에 대한 이름을 만들어 냈다. 그리고 우리는 그들이 어떤 언어를 사용했는지 알 수 없기 때문에 그들이 영어를 사용했다면 /는 '한 개', //는 '두 개', ///는 "세 개", 혹은 /////////은 "아홉 개"라 말했을 것이라고 추측해봄 직하다. 그래서 특별한 단어들이 빗금에 대한 유용한 대체물이 되었다.

어휘

ancestor n. 조상   **substitute** n. 대체물

044 ①

해설

(A) '시간과 인생에 대한 철학이 수레 시스템의 원리에 놓여 있다'라는 의미가 되어야 하므로 lies가 적절하다. lay는 '(곤충이) 알을 낳다'라는 뜻이고, lie는 '~이 놓여 있다, ~의 상태에 있다'라는 뜻이다.

(B) '수레가 부드럽게 앞으로 움직인다'라는 의미로, 부사 smoothly가 적절하다.

(C) '한국 속담이 이 사실로부터 기원한 것임이 틀림없다'라는 의미로, 과거 사실에 대한 확실한 추측을 나타낼 때 must have+p.p.를 쓴다. 따라서 have derived가 적절하다.

해석

수레는 수송 수단 이상의 것이다. 수레 시스템의 원리에 시간과 인생에 대한 철학이 놓여 있다. 수레는 양쪽 바퀴가 정확하게 똑같을 때에만 움직인다. 그 균형이 한쪽으로 치우치면, 수레는 뒤집어질 것이다. 수레는 짐이 가득 차 있을 때 앞으로 부드럽게 움직인다. "빈 수레가 요란하다"라는 한국 속담은 이러한 사실로부터 기인된 것임에 틀림없다. 우리가 지금 필요한 것은 수레 두 바퀴의 균형이다. 그것이 보수주의자와 자유주의자 간의 균형이든 신세대와 구세대 간의 균형이든 말이다.

어휘

transportation n. 수송, 운송, 운반   **lay** v. 놓다, 두다: 낳다(lay-laid-laid)   **lie** v. 놓여 있다: 눕다(lie-lay-lain)   **philosophy** n. 철학, 형이상학   **principle** n. 원리, 원칙: 신념   **balance** n. 균형, 평형, 조화   **tip** v. 기울이다: 뒤집어엎다: 쏟다, 버리다   **turn over** 전복시키다, 굴리다, 뒤집다   **smoothly** ad. 부드럽게, 원활하게   **derive** v. ~에 기원을 두다, 비롯되다   **conservative** a. 보수적인: n. 보수주의자   **liberal** a. 자유주의의: 개방적인: n. 자유주의자

LESSON 07 관계사   P.22

045 ⑤   046 ⑤

045 ⑤

해설

① as는 '~하면서'라는 의미로 접속사이다.

② to make way for them은 '그것들에 자리를 양보하기 위해서'라는 뜻으로 to부정사의 부사적 쓰임이다.
③ much는 '훨씬'이라는 뜻으로, 비교급 sharper를 강조하기 위해 쓰였다.
④ 앞 문장에서 '오랜 시간이 경과해도 기억은 더 또렷해질 수도 있다'고 서술했고, This is because 다음에 그 이유를 설명하고 있으므로 적절하다.
⑤ what은 앞에 선행사인 things가 있으므로 which로 바꾸어야 한다. 이 which는 remembered의 목적어 역할을 하면서 things를 선행사로 받는 목적격 관계대명사이다.

해석

일반적으로 어떤 시기에 대한 사람의 기억력은 그것으로부터 멀어지면서 불가피하게 약해진다. 사람들은 계속해서 새로운 사실을 배우며, 옛날 것은 새로운 것들에 자리를 양보하기 위해 없어져야 한다. 스무 살 때, 나는 지금은 전혀 불가능할 정확성으로 내 학창 시절의 이야기를 글로 쓸 수 있었을 것이다. 하지만, 사람의 기억이 오랜 시간이 경과한 후에도 훨씬 더 또렷해지는 일이 일어날 수도 있다. 이것은 새로운 눈으로 과거를 보고 이전에는 수많은 다른 것들 사이에서 구별되지 않은 채로 존재했던 사실들을 분리시키고, 말하자면 그 사실들에 주목할 수 있기 때문이다. 어떤 의미에서 내가 기억했지만 아주 최근까지 나에게 이상하거나 흥미롭게 다가오지 않았던 일들이 있다.

어휘

necessarily ad. 반드시, 필연적으로　**weaken** v. 약해지다　**constantly** ad. 끊임없이　**drop out** 없어지다, 사라지다　**make way for** ~에 자리를 양보하다　**accuracy** n. 정확성　**sharp** a. 예리한, 선명한, 또렷한　**passage** n. 경과; 변화, 추이; 통로　**isolate** v. 분리시키다　**as it were** 말하자면, 이를테면　**undifferentiated** a. 구별되지 않은, 획일적인

046 ⑤

해설

(A) 「forget+to부정사」는 '~해야 할 것을 잊다'라는 의미, 「forget+동명사」는 '~한 것을 잊다'라는 의미이다. '기름을 칠할 것을 잊어버렸다'라는 의미가 되어야 하므로 to oil이 적절하다.
(B) 뒤에 완전한 문장이 오고 장소를 나타내는 선행사 a small house가 왔으므로 관계부사 where가 적절하다. which가 올 경우 전치사 in이 있어야 한다.
(C) 지각동사 saw가 왔으므로 목적격 보어로 동사원형이 와야 한다.

해석

Emma는 노래 부르는 것을 매우 좋아했다. 그녀는 일부 고음에서 누군가가 기름칠을 하는 것을 잊어버린 문소리 나는 경향이 있는 것을 제외하면 매우 좋은 목소리를 가지고 있었다. Emma는 이 약점을 무척 의식해서, 기회가 날 때마다 이러한 고음을 연습했다. 그녀는 작은 집에서 살았기 때문에, 그 집에서 그녀는 다른 가족들을 방해하지 않고는 연습을 할 수가 없어서, 그녀는 대개 밖에서 고음 연습을 했다. 어느 날 오후 그녀가 가장 높고도 어려운 음조 부분을 노래하고 있을 때 자동차 한 대가 지나갔다. 그녀는 운전자의 얼굴에 갑자기 걱정스러운 표정이 떠오르는 것을 보았다. 그는 브레이크를 세게 밟더니, 밖으로 뛰어나와서 모든 타이어를 주의 깊게 점검하기 시작했다.

어휘

high note 고음　**conscious** a. 의식하고 있는, 자각하고 있는　**weakness** n. 약점, 결점; 나약함　**disturb** v. 방해하다, 폐를 끼치다　**anxious** a. 걱정하는, 근심하는, 불안한　**violently** ad. 세차게, 격렬히, 난폭하게　**examine** v. 검사하다, 조사하다

> ### Check Point
> 1. **whose** 캥거루는 엄마 몸에 있는 주머니에서 새끼를 기르는 유대류의 포유동물이다.
> 2. **when** 그들이 우리의 도움을 필요할 때가 곧 올 것이다.

047 ①

해설

① 분사구문으로 Jerboa가 발견하는 것이 아니고 발견되는 것이므로 (Being) Found로 고쳐야 한다.
② which는 계속적 용법의 관계대명사이다.
③ 「be known to+동사원형」은 '~으로 알려져 있다'라는 의미이다.
④ 주어가 its hunt로 단수이므로 takes가 적절하다.
⑤ 감각동사 feel 뒤에 주어의 상태를 보충 설명해 주는 주격 보어인 unsafe가 왔다.

해석

Jerboa는 유럽에서 애완동물로서 꽤 인기가 있다. 아프리카와 아시아의 다양한 서식지에서 발견되는 Jerboa는 밝고 짙은 갈색의 털에 의해 구별되는 작은 설치류의 동물이다. Jerboa는 작은 굴에서 사는데 그 굴은 여름 동안에는 닫힌 상태를 유지하고, 겨울 동안에는 열려져 있다. Jerboa는 먹이를 찾으면서 밤에 먼 거리를 이동하는 것으로 알려져 있다. 먹이를 구하기 위해 먼 거리를 가지만, 이상하게도 Jerboa는 좀처럼 물을 필요로 하지 않는 것 같다. Jerboa가 안전하지 않다고 느낄 때 뒷발로 모래를 차서 공격자의 얼굴에 뿌리려고 한다.

어휘

habitat n. 서식지; 환경　**rodent** n. 설치류(쥐, 다람쥐, 토끼)의 동물　**distinguish** v. 구별하다, 식별하다　**burrow** n. 구멍, 굴　**seal** v. 막다, 봉하다; 봉인하다　**cover** v. ~을 가다, 이동하다　**oddly enough** 이상하게도　**aggressor** n. 공격자, 침략자　**hind** a. 뒤쪽의, 후방의

048 ①

해설

(A) 전문가들의 아이 양육에 관한 충고는 '밤에 아이를 부모로부터 떼어 놓는 것을 권장해 왔다'라는 의미이므로 능동형인 encourage가 적절하다. 뒤에 the nighttime separation이라는 목적어도 있다.
(B) 앞에 a child라는 선행사가 있고 관계대명사절 내에 주어가 없으므로, 주격 관계대명사 who가 적절하다.
(C) 「as+형용사/부사+as」로 형용사와 부사 모두 쓸 수 있지만 명사(Cultures)를 뒤에서 수식하고 있으므로, 형용사 diverse가 적절하다.

해석

새 아기의 탄생을 기다리는 동안, 북미의 부모들은 일반적으로 아기의 잠자는 거처로 방을 준비한다. 수십 년 동안, 전문가들의 아이 양육에 대한 충고는 밤 시간에 아이를 부모로부터 떼어 놓는 것을 장려해 왔다. 예를 들어, 한 연구는 생후 3개월 즈음에 아기들은 자기들만의 방으로 옮겨져야 한다고 권한다. "생후 6개월 즈음에 일상적으로 부모의 방에서 자는 아이는 이러한 상황에 의존하게 되는 경향이 있다."라고 그 연구는 보고한다. 하지만, 부모와 유아가 같이 자는 것은 세계 인구의 약 90퍼센트 사람들에게 흔히 있는 일이다. 일본인들, 과테말라의 마야인들, 그리고 캐나다 북서쪽의 이누잇 족과 같은 다양한 문화권에서는 그것(같이 자는 것)을 행한다.

어휘

await v. ~을 기다리다, 기대하다, 고대하다　**typically** ad. 전형적으로, 일반적으로　**furnish** v. 갖추다, 비치하다, 설치하다　**infant** n. 유아, 갓난아기　**rear** v. 기르다; 재배하다　**separation** n. 분리　**recommend** v. 권하다, 장려하다; 추천하다　**regularly** ad. 규칙적으로　**arrangement** n. 배열, 배치; 준비, 채비　**norm** n. 기준, 규범, 표준　**diverse** a. 다양한

049 ③

해설
① 주어가 sides이므로 복수동사 are가 적절하다.
② is put이 받고 있는 주어가 force이므로 단수동사 is가 와야 하고, 힘이 가해지는 것으로 수동의 의미이므로 is put이 적절하다.
③ 주어 our well-being and troubles 뒤에 동사가 필요하므로 showing을 show로 고쳐야 한다.
④ strong emotions를 선행사로 받는 목적격 관계대명사 that이 쓰였다.
⑤ 「have+목적어+목적격 보어」 구문으로 have의 목적어인 this side of their face가 photographed의 의미상의 주어가 된다. 그들의 얼굴의 우측면이 찍히는 것이므로 수동의 의미인 photographed가 적절하다.

해석
얼굴의 좌측과 우측은 매우 다르다. 좌우 각각은 우리 성격의 다른 면을 나타낸다. 좌측면은 본능적이고 유전적인 성격을 드러낸다. 우리가 공포감, 노여움, 심지어 강렬한 행복감으로 스트레스를 받게 되면 얼굴의 좌측 근육에 힘이 가해진다. 왼쪽 얼굴을 자세히 살펴보면 행복과 고뇌가 더 강하게 나타난다. 이쪽의 주름은 우리가 삶에서 경험하게 되는 강한 감정들을 표현한다. 우측 얼굴은 지성과 자제심을 반영한다. 이쪽은 일반적으로 더 이완되어 있고 부드럽다. 그래서 영화배우들은 우측 얼굴이 사진 찍히는 것을 더 선호한다.

어휘
personality n. 성격   **instinctive** a. 본능적인, 직관적인   **hereditary** a. 유전의, 유전하는   **intense** a. 강렬한, 굉장한   **reflect** v. 반영하다, 나타내다   **intelligence** n. 지성; 지능   **self-control** n. 자제, 극기   **smooth** a. 부드러운, 매끈한   **prefer to+동사원형** ~하는 것을 더 선호하다

050 ④

해설
(A) '가장 널리 알려진 특성 중 하나'라는 의미로, one이 주어이므로 is가 적절하다.
(B) '처음으로 소개한 일로 나중에 노벨상을 받았다'라는 의미로, win the prize for something(어떤 일로 상을 받다) 구문인데 for something이 for which로 관계대명사 구조가 되어 앞으로 나가 있다.
(C) 그가 관찰할 수 있게 된 것보다 먼저 일어난 일이므로 had marked가 적절하다.

해석
꿀벌은 꿀의 생산과 정교한 벌집을 만드는 능력으로 잘 알려져 있다. 이러한 일은 높은 수준의 사회적 행동을 필요로 한다. 서로 정보를 쉽게 공유하기 위해 꿀벌은 효과적인 의사소통 시스템을 발전시켰다. 가장 널리 알려진 특성 중의 하나는 꿀벌의 춤이다. 1920년대 독일의 동물학자 Karl von Frisch에 의해 처음으로 소개되었고 후에 그는 이것으로 노벨상을 수상했다. 이 꿀벌 춤은 다른 꿀벌을 식량원(먹이가 있는 곳)으로 안내하기 위해 일벌에 의해 사용되는 일련의 신호들이다. 그는 유리벽으로 특별히 고안된 벌집을 사용하여 이것을 발견했으며, 이것으로 그가 표시해 두었던 돌아오는 먹이 채집자의 모습을 관찰할 수 있었다.

어휘
elaborate a. 정교한, 복잡한; 공들인   **hive** n. 벌집, 벌통; v. (벌통에) 꿀을 모으다   **task** n. 일, 업무   **behavior** n. 행동, 거동, 행실   **effective** a. 효과적인, 효력이 있는   **widely** ad. 널리, 넓은 지역에; 멀리   **feature** n. 특성, 특색; 용모, 얼굴   **zoologist** n. 동물학자   **signal** n. 신호, 암호   **source** n. 원천, 수원; 근원   **forager** n. 먹이 채집자, 약탈자

051 ②

해설
(A) '사용되는 용어'라는 수동의 의미이므로 used가 적절하다. term과 used 사이에 「관계대명사+be동사」가 생략되었다고 볼 수 있다.
(B) 「some ~, others…」는 '일부는 ~, 다른 일부는 …'이라는 의미이다.
(C) 구동사의 목적어가 대명사일 때 대명사는 동사와 부사 사이에 위치한다.

해석
필기는 학생들이 집중력이 있는 상태를 유지하기 위해 시도하는 활동 중 하나이지만, 그것은 또한 기억을 돕는 방법이다. "작동 기억" 또는 "단기 기억"은 우리가 한 번에 겨우 주어진 자료의 일정량만을 기억할 수 있다는 사실을 설명하기 위해 사용되는 용어이다. 강사가 연속적으로 새로운 개념을 제시하면, 학생들의 얼굴에서 고통과 좌절의 표시가 보이기 시작한다. 어떤 학생들은 노트에 열심히 필기를 하는 반면에, 어떤 학생들은 완전히 낙담해서 필기를 포기한다. 따라서 필기는 집중력을 유지할 수 있는 개인의 능력, 강의되고 있는 내용을 이해하는 능력, 들은 내용을 필기할 때까지 작동 기억 속에 충분히 오래 지니고 있는 능력에 따라 달라진다.

어휘
note taking 필기   **attentive** a. 집중하는, 주의 깊은; 경청하는   **aid** n. 도움, 조력   **succession** n. 연속, 계속   **anguish** n. 고통, 고뇌, 번민   **frustration** n. 좌절, 실패, 낙담   **furiously** ad. 세차게, 맹렬히   **discouragement** n. 낙담, 낙심   **maintain** v. 유지하다, 지속하다   **attention** n. 주의력, 경청   **write down** ~을 기재하다, 쓰다

052 ④

해설
① '수학이 어떻게 그들을 정말로 도울 수 있는지'라는 의미로, them은 동사 help의 목적어로 쓰였다.
② 「allow+목적어+to+동사원형」는 '목적어가 ~하도록 하다'라는 의미이다.
③ award 뒤에 목적어 a free lunch가 와서 '공짜 점심을 상으로 주다'라는 뜻이다. filled, asked와 and로 병렬 연결된 구조이다.
④ hold는 '(그릇, 방 등이) ~을 수용하다'라는 의미의 타동사로 쓰일 수 있다. the back of a pickup truck이 주어이고 how many soda cans이 목적어이므로 '픽업트럭 뒤의 짐칸에 얼마나 많은 음료수 캔이 적재되어 있는지'라는 의미의 능동이 와야 하므로 was held가 아닌 held 또는 could hold가 적절하다. how many soda cans the back of a pickup truck held[또는 could hold]는 간접의문문으로 타동사 guess의 목적어로써 명사절 역할을 하고 있다. 'how many soda cans the back of a pickup truck held 능동형을 soda cans을 주어로 하여 수동형 간접의문문으로 바꾸면 'how many soda cans were held on the back of a pickup truck'이 되어야 한다.
⑤ '상금의 대부분'이라는 의미로 most of가 쓰였다.

해석
Brown 씨는 자신의 학생들이 실제 생활 속에서 수학을 배우기를 원했다. 그는 책에 나온 문제를 푸는 것만으로는 부족하다고 느꼈다. 자신의 학생들에게 수학이 정말 어떻게 그들을 도울 수 있는지를 보여 주기 위해, 그는 일 년 동안 대회를 몇 차례 열었다. 그 대회는 학생들이 수학을 연습하고 돈을 버는 중에 재미를 갖게끔 했다. 한 번은 어항에 구슬을 가득 넣고 학생들에게 얼마나 많은 수의 구슬이 있는지 맞춰보라고 했다. 그리고 맞춘 사람에게는 공짜 점심을 상으로 주었다. 또 한 번은 학생들은 픽업트럭에 몇 개의 소다 캔이 적재되어 있는지 맞추는

대회에 참가하기도 했다. 이기기 위해, 그들은 추정하고, 곱하고, 나누고, 재는 기술을 연마해야만 했다. 그들은 상금의 대부분을 연말 수학여행에 사용했다.

어휘

context n. 환경, 배경; 문맥   **contest** n. 대회, 경연   **fishbowl** n. 어항
marble n. 구슬; 대리석   **award** V. 상을 주다, 수여하다   **estimate** V. 추정하다,
어림하다   **multiply** V. 곱하다; 번식하다   **field trip** 수학여행; 현장학습

> ### Check Point
> 1. a book of his   이것은 그의 책이다.
> 2. such   그는 대단히 정직한 사람이어서 모든 사람이 그를 믿는다.

| 실 전 감 각   익 히 기 | P.25 |
| 053 ④   054 ④   055 ⑤   056 ② |

053 ④

해설

① '완전히 다른'이라는 의미로, 형용사(different)를 수식하는 부사 completely는 적절하다.
② it은 앞에 나온 a nonliving universe를 가리킨다.
③ 관계대명사절 내에 주어가 없는 불완전한 문장이 왔고, 선행사는 the same tiny particles로 주격 관계대명사 that이나 which가 올 수 있다.
④ What makes organisms different from the materials that compose them은 명사절로 단수 취급하므로 are가 아닌 is가 적절하다.
⑤ 이러한 경향이 생명체 피라미드에 모델로 나타난다는 의미의 수동으로 쓰였다.

해석

비록 생물과 무생물이 다르지만, 완전히 다른 것은 아니다. 살아있는 것들은 생명이 없는 우주에 존재하며 여러 가지 면에서 이 우주에 의존한다. 식물은 태양 광선으로부터 에너지를 흡수하고, 박쥐는 동굴에서 안식처를 발견한다. 실제로 생명체는 무생물체를 구성하는 것과 동일한 작은 소립자로 구성되어 있다. 유기물과 이 유기물을 구성하는 물질들을 구분되게 하는 것은 이 유기물의 조직 수준이다. 생명체는 단지 하나가 아닌 많은 층의 생물학적 조직을 보여 준다. 위계를 지향하는 이러한 경향은 종종 생명체 피라미드에서 모델로 나타난다.

어휘

completely ad. 완전히; 충분히   **universe** n. 우주   **absorb** V. 흡수하다   **shelter** n. 서식지; 주거; 은신처   **indeed** ad. 사실은; 참으로, 정말로   **tiny** a. 작은, 조그마한   **particle** n. 입자, 미립자; 분자   **make up** ~을 구성하다; 형성하다   **compose** V. 구성하다; 작곡하다   **organization** n. 조직, 구조, 구성   **biological** a. 생물학적인   **tendency** n. 경향, 추세

054 ④

해설

(A) compare의 목적어가 주어인 they를 지칭하므로 재귀대명사 themselves가 적절하다.
(B) similar는 형용사로 명사를 수식하고, similarly는 부사로 동사, 형용사, 부사, 문장 전체를 수식한다. 이 문장에서는 동사 painted를 수식하므로 similarly가 적절하다.
(C) if와 unless는 둘 다 접속사로 부사절을 이끈다. '두 사람 모두 그림이 끝났다고 말하지 않으면'이라는 뜻으로 글의 흐름상 if ~ not의 의미를 함축하는 unless가 적절하다.

해석

Picasso와 Braque는 매우 강력한 유대 관계를 맺었는데, 이것이 입체파의 탄생을 가져왔다. 그들은 똑같이 정비사의 옷을 입고, 농담 삼아 스스로를 Wright 형제에 비유했다. 몇 년 동안, 그들은 거의 매일 서로를 보았고, 자신들의 혁신적인 새로운 스타일에 관해 끊임없이 이야기하며 가능한 한 비슷하게 그림을 그렸다. 그들은 그리려고 계획했던 것에 관해 토론하고, 이후 각자의 작업실에서 하루 종일 그림을 그리곤 했다. 매일 저녁, 그들은 상대방이 그린 것에 대해 논평을 하려고 서로의 아파트로 달려가곤 했다. 더 나아가서 그들은 서로의 그림을 열정적으로 비판했다. 두 사람 모두 그림이 끝났다고 말하지 않으면 그림은 완성된 것이 아니었다.

어휘

cooperation n. 협동, 협력   **mechanic** n. 정비사, 수리공   **jokingly** ad. 농담으로, 우스갯소리로   **revolutionary** a. 혁신적인, 혁명적인   **similarly** a. 비슷하게, 유사하게   **discussion** n. 토론, 논의   **workplace** n. 작업장; 일터   **comment** V. 논평하다, 비평하다   **proceed** V. 나아가다, 계속하다   **intensely** ad. 열정적으로; 강렬하게   **criticize** V. 비판하다, 비평하다

055 ⑤

해설

① 「be about to+동사원형」은 '막 ~하려고 하다'라는 의미로 to make는 적절하다.
② 형용사 great 앞에 쓰인 that은 '그만큼, 매우'라는 뜻의 부사로 쓰여 강조의 기능을 한다.
③ 문장의 주어 it은 the game을 받는 대명사이며, the game은 win의 행위자가 아닌 대상이므로 수동태로 쓰였다.
④ are의 주어는 Those이므로 복수동사 are가 적절하다.
⑤ its는 문장의 주어인 Things의 소유격이므로 their로 고쳐야 한다.

해석

나는 성공이 거의 손에 닿을 수 있는 곳에 있을 때 얼마나 많은 사람들이 포기를 하는지 궁금하다. 그들은 매일 인내하다가 막 성공하려고 할 때 더 이상 참고 견딜 수 없다고 결정을 내린다. 성공과 실패의 차이점은 그렇게 대단하지 않다. 성공한 사람들은 그저 경기에서 승리할 때까지 계속 남아있는 가치를 배웠던 것이다. 절대로 성공하지 못하는 사람들은 너무 빨리 그만두는 사람들이다. 최악의 상태일 때 성공하는 사람들은 자신들이 성공에 거의 다 왔다는 것을 알기 때문에 포기하기를 거부한다. 일들이 더 좋아지기 전에 최악의 상태인 것처럼 보이는 일이 종종 있다. 산은 정상에서 가장 가파르지만, 그것이 되돌아갈 이유는 아니다.

어휘

endure V. 견디다, 인내하다   **day after day** 날이면 날마다   **make it** 성공하다, 출세하다   **difference** n. 차이점, 다름   **value** n. 가치, 값어치, 진가   **quit** V. 그만두다, 중지하다   **steep** a. 가파른, 경사가 급한   **summit** n. (산의) 정상, 꼭대기

056 ②

해설

(A) '언어를 정확하게 사용하는 것을 배우다'라는 의미로, 동사를 수식하는 부사가 와야 한다. 따라서 correctly가 적절하다.
(B) '실수가 그들에게 도움이 되도록 하다'라는 의미로, 「make+목적어+목적격 보어」의 구조로 사용되었다. make가 사역의 의미로 쓰일 때는 목적격 보어로 동사원형이 오므로 work가 적절하다.
(C) '어떤 무대에서도 바이올린을 완벽하게 연주할 것으로 예상되는 사람은 아무도 없다'라는 의미이고, '어떤 ~이라도'라는 의미의 any가 적절하다.

해석

많은 언어 학습자들은 실수를 하면, 당황하고 종종 자신들은 결코 그 언어를 정확하게 구사하는 법을 배우지 못할 거라고 생각한다. 그러나 훌륭한 학습자들은 실수하는 것에 낙담하지 않고 오히려 실수가 그들에게 도움이 되도록 한다. 실

수를 하는 것은 언어 학습 과정의 불가피한 부분이며, 훌륭한 학습자들은 실수를 이러한 과정에 도움을 주는 부분으로 여긴다. 예를 들면, 음악을 공부하는 단계일 때는 어떤 무대에서도 바이올린을 완벽하게 연주할 것으로 예상되는 사람은 아무도 없다. 같은 원리가 컴퓨터, 스포츠, 예술적 기교에도 적용된다. 당신이 세계적으로 몇 안 되는 천재가 아니라면 이러한 기술은 시간이 지나면서 어느 수준까지 발달된다.

어휘

embarrassed a. 당황한, 난처한   **discouraged** a. 낙담한, 실망한   **go so far as to+동사원형** ~하기까지 하다   **inevitable** a. 피할 수 없는, 면할 수 없는; 필연적인   **look upon A as B** A를 B로 여기다   **helpful** a. 도움이 되는, 유용한   **apply** v. 적용되다, 적합하다(to)   **artistic** a. 예술적인, 미술적인

Mini 실전 모의고사			P.26
057 ①	058 ⑤	059 ⑤	060 ③
061 ④	062 ①	063 ①	064 ③

057 ①

해설

① 입구가 화강암으로 봉해져 있었던 것이므로 수동형인 was sealed with로 고쳐야 한다.
② Whether절이 명사절로 쓰여 주어의 역할을 하고 있다. 명사절은 단수 취급하므로 is가 적절하다.
③ '피라미드의 외벽 대부분이 지금은 마멸되었다'라는 의미가 되어야 하므로 수동형인 is now worn away가 적절하다.
④ '또 다른 하나'라는 뜻의 another는 대명사로 전치사 뒤에 쓸 수 있다.
⑤ '조세르 계단식 피라미드에서 발견된 인간의 유일한 유해는 미라가 된 발이다.'라는 뜻으로 remains가 복수 주어이고, are가 동사이다.

해석

이집트 사카라에 있는 조세르의 계단식 피라미드는 조세르의 왕실 건축가인 임호텝(Imhotep)에 의해서 건설되었다. 입구는 3톤 분량의 화강암으로 밀봉되어 있었고, 무덤 자체는 원래 큰 별 문양으로 장식되어 있었다. 이 무덤이 (제3왕조의 두 번째 파라오인) 조세르 집안의 일원을 위한 것인지는 알려져 있지 않다. 이 눈부신 피라미드의 외벽 대부분이 지금은 마멸되었다. 조세르의 석실 분묘 무덤은 정사각형이었지만, 형태는 직사각형이었고, 6층 높이에 이를 때까지 각각의 꼭대기의 연속적으로 작아지는 분묘를 추가하여 무덤의 크기가 확장되었다. 조세르의 계단식 피라미드에서 발견된 유일한 인간의 유해는 미라로 만들어진 발이다. 이 발은 조세르보다 약 500년 후에 살았던 사람의 다리일 것으로 여겨진다.

어휘

construct v. 건설하다, 세우다; 구성하다, 고안하다   **architect** n. 건축가   **entrance** n. 입구, 출입구; 입장   **seal** v. 봉하다, 밀폐하다; n. 봉인; 인장   **granite** n. 화강암   **pharaoh** n. 파라오(고대 이집트 국왕의 칭호)   **dynasty** n. 왕조, 왕가   **outer** a. 밖의, 외면의, 외부의   **spectacular** a. 눈부신, 호화로운; 장관의   **wear away** 닳아 없어지다   **rectangular** n. 직사각형   **mastaba** n. 석실 분묘돌, 벽돌로 만든 고대 이집트 무덤)   **enlarge** v. 확장시키다, 크게 하다; (범위를) 넓히다   **consecutively** ad. 연속으로, 잇달아서   **remains** n. 유해, 잔해; 나머지 것   **mummify** v. ~를 미라로 만들다, 미라처럼 되다   **belong to** ~에 속하다; ~의 소유이다

058 ⑤

해설

(A) 수면의 질도 수면의 양만큼 중요하다는 뜻으로 'the quantity (of sleep) is vitally important to our health and well-being'이라는 의미이므로,

is가 되어야 한다.
(B) '여러 주기를 거치는 네 개의 단계'라는 의미로, four stages를 선행사로 받는 주격 관계대명사 which가 적절하다.
(C) A as well as B는 'B뿐만 아니라 A도'라는 뜻으로, A와 B는 동일한 형태가 되어야 한다. may에 leave와 put이 as well as 병렬 연결된 구조이다.

해석

일곱 시간에서 여덟 시간의 수면 뒤에 잠에서 깨어나 불쾌함을 느끼는 것은 수면의 질이 좋지 않음을 나타내는 신호일 수 있다. 수면의 질은 수면의 양만큼이나 우리의 건강과 행복에 있어서 매우 중요하다. 우리의 수면은 복잡한 패턴이나 구조를 가지고 있고, 밤 동안 여러 주기를 거치는 네 개의 단계로 구성되어 있다. 수면 주기 중 특정 단계와 시간 동안 우리는 신진대사와 그 밖의 건강 관련 요소를 조절하는 것을 돕는 다양한 호르몬과 기타 물질을 분비한다. 우리의 수면 패턴이 바뀌게 되면, 우리는 여러 가지 심각한 질환에 걸릴 위험에 처할 수 있을 뿐만 아니라, 불쾌하고 피곤하며 졸리게 될 수도 있다.

어휘

quality n. 질, 품질; 특성   **vitally** ad. 중대하게, 극히 중요하게   **well-being** n. 행복, 복지; 번영   **quantity** n. 양, 수량; 액수   **complex** a. 복잡한, 얽혀 있는; n. 합성물; 복합체   **architecture** n. 구조, 뼈대, 구성; 건축   **consist** v. ~로 이루어져 있다(of); 존재하다   **run through** ~을 경험하다; 고루 미치다, 퍼지다   **secrete** v. 분비하다; n. 분비물   **regulate** v. 조절하다, 조정하다; 규제하다   **metabolism** n. 신진대사, 대사 작용   **alter** v. 바꾸다, 변경하다   **A as well as B** B뿐만 아니라 A도   **host** n. 큰 무리, 떼; 다수

059 ⑤

해설

① an Ironman Triathlon이 주어이므로 consists of가 적절하다.
② '아들 Rick이 걷지도, 말하지도 못한다는 것을 고려하면'의 의미로 considering의 목적어절을 이끄는 접속사이다. considering that은 분사구문으로 볼 수 있다.
③ '자전거 앞에 부착된 바구니 의자'라는 의미이므로 과거분사 attached가 적절하다.
④ 'Dick에 의해 끌려가는 작지만, 무거운 배'라는 의미로, being pulled가 적절하다.
⑤ 'Dick과 그의 아내가 병원에서 ~라는 말을 들었다'라는 의미이므로, 수동태 were told로 고쳐야 한다.

해석

아버지와 아들로 이루어진 한 팀이 수영, 자전거 타기, 달리기로 구성된 철인 3종 경기에 참가한다. 그들은 함께 산을 오르고 3,735마일 거리의 미국 횡단을 한 번 했다. 아들 Rick이 걷지도 못하고 말도 못한다는 것을 고려해 볼 때 그것은 대단한 기록이다. Dick이 달릴 때 Rick은 Dick이 미는 휠체어에 앉아 있었다. Dick이 자전거를 탈 때 Rick은 자전거 앞에 부착된 특별히 제작된 바구니 의자에 앉아 있었다. Dick이 수영할 때 Rick은 Dick이 끄는 작지만 무거운 배에 앉아 있었다. 1962년에 Rick이 태어날 때 탯줄이 목에 감겨 있어서 두뇌로 가는 산소를 차단했다. Dick과 그의 아내 Judy는 병원에서 아이의 발육에 희망이 없다는 말을 들었다.

어휘

compete v. 참가하다, 출전하다; 경쟁하다   **Ironman** n. 철인; 3종 경기 선수   **triathlon** n. 3종 경기(수영, 사이클, 마라톤의 세 종목을 연속해 치르는 경기)   **trek** (도보로) 여행하다, 트레킹하다   **remarkable** a. 주목할 만한; 현저한, 두드러진   **exertion** n. (힘, 지식의) 발휘, 노력   **pod** n. (콩의) 깍지, 꼬투리   **attached** a. 붙어 있는, 부착된   **umbilical cord** (아기의) 탯줄   **cut off** ~을 끊다, 중단하다; 잘라내다   **development** n. 성장, 발육; 발달, 성장

060 ③

해설

(A) '사십구만 오천 명의 아기를 출산하여 한국 평균 출생률이 1.17이 되었다'라는 의미로 한국 여성이 국가의 평균 출생률을 1.17에 이르게 한 것이므로 bringing이 적절하다.

(B) 앞서 언급된 명사를 받을 때 그 명사가 단수이면 that, 복수이면 those를 쓴다. '한국의 수치가 일본의 수치보다 더 낮다'라는 의미로, the figure를 받고 있으므로 지시대명사 that이 적절하다.

(C) '70년대에 4.5였던 수치가 2.8로 거의 절반으로 줄어든 1980년 이래로'라는 의미이다. 네모 뒤에 완전한 문장이 나오므로 관계부사 when과 같은 역할을 하는 in which가 적절하다. Korea has been witnessing a steady decline in its birthrate since 1980. + The figure almost halved from 4.5 in the 70s to 2.8 in 1980.

해석

한국의 출생률은 아이를 가지려고 선택하는 여성이 더 적어지면서 전례 없이 낮게 하락하였다. 통계청에 따르면, 한국 여성들은 지난해 사십구만 오천 명의 아기를 출산하여, 한국 평균 출생률이 1.17에 이르게 했다. 통계청 관리는 이 수치가 평균 출생률이 1.32인 일본보다 더 낮으며, OECD 국가 중 가장 낮은 수치라고 말한다. 한국은 70년대에 4.5였던 수치가 2.8로 거의 절반으로 줄어든 1980년 이래로 출생률의 꾸준한 감소를 보이고 있다. 분석가들은 급속도로 고령화가 한창인 때에 사람들이 아이를 가지면 인센티브를 주도록 정부를 설득하려고 노력하고 있다.

어휘

birthrate n. 출생률 **unprecedented** a. 전례가 없는, 비할 바 없는 **fertility** n. 생식력, 번식력; 비옥; 풍요 **witness** V. 입증하다; 증명하다; 목격하다; n. 목격자 **steady** a. 꾸준한, 일정한; 안정된; 확고한 **decline** n. 감소; 하락; 쇠퇴; V. 거절하다 **halve** V. 절반으로 줄이다; 2등분하다 **analyst** n. 분석가 **come up with** ~을 내놓다, 제안하다 **amid** prep. ~의 한창 때에; ~의 사이에; ~의 한복판에

061 ④

해설

① 「used to+동사원형」은 '~하곤 했다'라는 의미이다.

② '지구상의 모든 식물과 동물에서 발견되는 물질의 일종'이라는 의미이고, 물질의 일종이 발견되는 것이므로 과거분사 found가 적절하다.

③ '화성은 붉은색으로 보인다'라는 의미로, 감각동사 look은 뒤에 형용사를 보어로 취한다.

④ '식물이 계절에 따라 색깔을 바꿨다는 것을 암시했다고 믿어졌다'라는 의미로, plant life가 주어, changing이 동사가 되어야 하므로 changed로 고쳐야 한다.

⑤ to explain some of the changing colors는 '일부 색깔 변화를 설명하기 위해서'라는 의미로, to부정사의 부사적 쓰임 중에서 목적을 나타낸다.

해석

많은 사람들이 화성에 식물이 있을 것이라고 생각하곤 했다. 이제 우리는 화성에 탄소가 거의 없다는 것을 안다. 탄소는 지구상의 모든 식물과 동물에서 발견되는 물질의 일종이다. 화성은 망원경을 통해서 보면 붉은색으로 보인다. 어떤 곳은 회색으로 보인다. 때때로, 회색은 회녹색으로 변하고, 이후 갈색, 다시 회색으로 변한다. 한때, 이러한 사실이 식물이 계절에 따라 색깔을 바꿨다는 것을 암시했다고 믿어졌다. 오늘날 우리는 그 붉은색이 행성의 미세한 철가루 때문이라는 것을 알고 있다. 과학자들은 일부 색깔 변화를 설명하기 위해서 여전히 연구 중에 있다. 화성에는 불가사의한 것들이 많이 남아 있다.

어휘

carbon n. 탄소 **material** n. 물질; 재료, 원료 **telescope** n. 망원경 **at times** 때때로 **suggest** V. 암시하다, 시사하다 **plant life** 식물 **fine** a. 미세한; 훌륭한; 날카로운 **dust** n. 먼지, 티끌 **mystery** n. 신비, 불가사의

062 ①

해설

(A) '모든 컴퓨터가 서로 의사소통할 수 있도록 해준다'는 의미로, one another가 적절하다. one another는 '서로'라는 뜻이고, another는 '또 다른 하나'라는 뜻이다.

(B) 인터넷이 전화모뎀이나 DSL, 케이블 모뎀을 사용하는 것이므로, 능동형인 using이 적절하다.

(C) '그것을 근거리 통신망에 연결하는 네트워크 인터페이스 카드'라는 의미이고, network interface card에 연결된 것이 아니라 network interface card가 컴퓨터를 LAN에 연결시키는 것이므로 능동형인 connecting이 적절하다. 또한 뒤에 목적어 it(= a computer)을 수반하고 있다.

해석

인터넷은 컴퓨터 네트워크 상에 모두 함께 연결되어 있는 수백만 대의 컴퓨터의 방대한 모음이다. 네트워크는 모든 컴퓨터가 서로 의사소통할 수 있도록 해준다. 가정용 컴퓨터는 인터넷 서비스 공급자(ISP)와 통신하는 전화연결 모뎀이나 DSL, 케이블 모뎀을 사용하는 인터넷에 연결될 수 있다. 회사나 대학에서 사용하는 컴퓨터는 대개 컴퓨터를 회사나 대학 내부의 근거리 통신망(LAN)에 연결하는 네트워크 인터페이스 카드(NIC)를 가지고 있을 것이다. 그 회사나 대학은 T1라인과 같은 고속 전화선으로 LAN을 ISP에 연결할 수 있다. 그러면 ISP는 더 큰 ISP에 연결되고, 가장 큰 ISP는 전국이나 전 지역을 위해서 광섬유로 된 대규모 전송회선을 관리한다.

어휘

gigantic a. 거대한, 거창한, 막대한 **collection** n. 모음, 수집, 채집 **link** V. 연결하다, 잇다; n. 고리; 연결 **communicate** V. 의사소통하다, 전달하다 **maintain** V. 보존하다, 유지하다 **backbone** 기간(LAN에서 광역통신망으로 연결하기 위한 대규모 통신회선)

063 ①

해설

① '살 집'이라는 의미로, 명사 house를 수식하는 to부정사의 형용사적 쓰임이다. to live in a house이므로 to live 뒤에 전치사 in이 필요하다.

② '현명한 사람은 수입 내에서 소비할 것이다'라는 의미로, would는 '~할 것이다'라는 뜻으로 쓰였다.

③ '그가 구매할 수 있을 때마다'라는 의미로, whenever는 선행사(every time that)을 포함한 관계부사이다.

④ keep ~ in mind는 '~을 명심하다, 기억하다'라는 뜻이다. 별도의 세금과 학비 내는 것이 기억되는 것이므로 수동태로 썼다.

⑤ '과소비하는 것을 억제하다'라는 의미로, 동명사 overspending이 전치사의 목적어로 왔다.

해석

우리는 지출 없이 일상생활을 할 수 없다. 우리는 모두 음식과 옷, 약, 살 집이 필요하다. 그러나 우리는 불필요한 물품을 종종 요구할 수도 있다. 현명한 사람은 자신의 수입 안에서 소비할 것이다. 그는 필요한 물품을 분류해서 자신이 구매할 수 있을 때마다 우선순위에 따라서 물품을 구매할 것이다. 또한 그는 어려운 상황을 위해서 약간의 돈을 따로 모아둘 것이다. 어느 정도의 돈은 집을 임대하거나 새집을 사기 위해서 모아둘 것이다. 그는 공과금이나 전화비를 내는 것을 잊지 않을 것이다. 게다가 세금과 학비를 염두해 둘 것이다. 그는 과소비를 자제하고 중요하지 않은 물품에는 지출하지 않을 것이다.

어휘

expenditure n. 지출, 지불; 소비, 소모 **unnecessary** a. 불필요한, 쓸데없는, 무익한 **do without** 없어도 무방하다, 필요 없다 **sensible** a. 현명한, 분별 있는, 지각 있는 **sort out** 분류하다 **order** n. 순서, 차례; 주문; 명령 **priority** n. 우선; 상위, 우위 **put aside** 저축하다; 그만두다 **keep in mind** 명심하다, 기억해 두다

refrain v. 자제하다. 억누르다. 참다   **overspend** v. 낭비하다   **insignificant** a. 중요하지 않은, 보잘것없는

064 ③

해설
(A) 작은 생명체는 현미경을 통해서만 보이므로 수동태 be seen이 적절하다.
(B) '바이러스가 다른 사람들에게 퍼지는 방식'이라는 의미로, 관계부사 how가 적절하다. 또한 네모 뒤에 완전한 문장이 왔다.
(C) '사람들 대부분이 수두의 위험에서 벗어나 안전해질 때'라는 의미로 a time을 수식할 수 있는 시간을 나타내는 관계부사 when이 적절하다.

해석
매년, 미국에서 약 이백만 명의 아이들이 수두에 걸린다. 이 병은 바이러스에 의해 발생된다. 바이러스는 현미경으로만 볼 수 있는 작은 생명체이다. 바이러스는 식물이나 동물, 사람의 살아있는 조직에서만 자랄 수 있다. 수두를 일으키는 바이러스는 타액과 점액에서 산다. 사람들이 그 바이러스에 감염되면 기침을 하고 재채기를 한다. 이것이 그 바이러스가 다른 사람들에게 퍼지는 방식이다. 수두에 걸린 사람들은 가려운 발진이 생긴다. 1995년에 미국 정부가 수두 백신을 승인했다. 모든 아이들이 백신을 맞게 되면, 사람들 대부분이 수두의 위험에서 벗어나 안전해질 때가 올 것이다.

어휘
come down with (병 등에) 걸리다   **chicken pox** 수두(주로 소아에게 일어나는 급성 발진성 전염병)   **tiny** a. 아주 작은. 조그마한   **living matter** n. 생명체   **microscope** n. 현미경   **tissue** n. 조직   **sneeze** v. 재채기하다   **spread** v. 만연시키다. 전파시키다. 퍼지다; 펴다, 펼치다   **itchy** a. 가려운; 좀이 쑤시는   **rash** n. 발진, 뾰루지   **approve** v. 승인하다, 허가하다; 찬성하다

09 L E S S O N   P.28
접속사 / 전치사
065 ①   066 ⑤

065 ①

해설
(A) I could ~ with them까지 생략된 문장 성분이 없는 완전한 문장이므로 접속사 that이 적절하다. that은 accent와 동격이 되는 절을 이끌고 있다. 「such+a/an+(형용사)+명사+that절」은 '너무 ~해서 …하다'라는 의미로 결과를 나타낸다.
(B) 내가 우울해짐을 느낀 것이므로 과거분사 depressed가 적절하다.
(C) 「get used to+~ing」는 '~하는 데 익숙해지다'라는 의미이다. 내가 이 소녀들을 가르치는 데 익숙해질 것이라는 의미가 되어야 하므로 teaching이 적절하다. 수동의 의미인 being taught를 쓸 경우 가르침을 당하는 의미가 되므로 적절하지 않다.

해석
나에게는 가르쳐야 할 스무 명의 마을 소녀들이 있었고, 그들 중 일부는 강한 시골 억양을 가지고 있어서 나는 좀처럼 그들과 대화를 할 수가 없었다. 세 명만이 글을 읽을 수 있었고, 아무도 글을 쓸 수가 없어서, 첫 날이 끝날 무렵 나는 내 앞에 놓인 힘든 일을 생각하면서 크게 낙심했다. 하지만, 나는 어떤 종류의 일이라도 가지고 있다는 것은 다행스러운 일이며, 비록 매우 가난하지만 영국의 위대한 집안 출신 아이들만큼이나 착하고 총명할지도 모르는 이 소녀들을 가르치는 데 분명히 익숙해질 수 있을 거라고 스스로를 일깨웠다.

어휘
depressed a. 낙담한, 의기소침한   **ahead of** ~의 앞에   **remind** v. 상기시키다. 일깨우다   **fortunate** a. 운이 좋은, 행운의   **get used to+~ing** ~하는 데 익숙하

다[익숙해지다]   **intelligent** a. 총명한, 머리가 좋은; 지적인

066 ⑤

해설
① 주어가 the temperature로 단수이므로 averages가 적절하다.
② '코코아 버터의 분리로 인한'이라는 의미로 수동이므로 caused가 적절하다.
③ as는 '~하기 때문에'라는 의미로 문장을 연결해 주는 접속사 역할을 한다.
④ 조동사 may 뒤에는 동사원형이 오며, 뒤에 in the refrigerator라는 부사구가 왔다. 문맥상 초콜릿이 냉장고에 보관되는 것이므로 수동의 의미로 be kept가 적절하다.
⑤ 접속사 as가 이끄는 부사절만 있고 주절이 없으므로 making을 make로 바꾸어 주절의 역할을 하는 명령문이 되도록 해야 한다.

해석
초콜릿은 차고 건조한 장소에서 일 년까지 상하지 않을 수 있다. 찬장의 온도가 평균적으로 화씨 75도 이상이 될 때, 초콜릿은 코코아 버터의 분리로 인한 얇은 흰 막을 빠르게 만들어 낼 것이다. 이 초콜릿은 쉽게 부서지는 경향이 있으므로 장식용으로는 사용되면 안 되지만 먹을 수는 있다. 초콜릿이 냉장고나 냉동고에 보관되더라도 이내 다른 음식의 냄새가 배게 되므로 사용하기 전에 맛을 보도록 해라. 또한, 얼어 있는 초콜릿은 항상 내게 약간 딱딱하고 맛이 없다는 인상을 주므로, 반드시 먹기 전에 상온에 초콜릿을 꺼내 놓도록 해라.

어휘
last v. 상하지 않다, 지속하다   **temperature** n. 온도, 기온   **average** v. 평균 ~이다. ~에 달하다; n. 평균, 표준   **Fahrenheit** n. 화씨   **develop** v. ~을 띠다. ~의 성질을 갖게 되다   **layer** n. 층   **separation** n. 분리, 분열; 구별   **decoration** n. 장식   **refrigerator** n. 냉장고   **freezer** n. 냉동고   **take on** 지니다   **make sure to+동사원형** 반드시 ~하다   **strike A as B** A에게 B라는 인상을 주다   **tasteless** a. 맛이 없는, 무미한

Check Point

1. **lest**   계단 꼭대기에서 넘어지지 않도록 조심해라.
2. **by**   나는 마감 시간 전에 다섯 시까지 내 일을 끝내야만 했다.

실 전 감 각   익 히 기   P.29
067 ③   068 ③   069 ⑤   070 ④

067 ③

해설
(A) 목적격 관계대명사절 which ~ the Church의 수식을 받는, The violent opposition은 선행사이며 이 문장의 주어이다. 따라서 동사가 와야 하므로 led가 적절하다.
(B) be동사의 보어로는 형용사가 와야 하므로 conceivable이 적절하다.
(C) 네모 뒤에 완전한 절이 왔으므로 동사 recognized 뒤에서 목적어절을 이끄는 접속사 that이 적절하다.

해석
Copernicus의 새로운 가설이 교회로부터 받게 된 극렬한 반대는 차후 주석가들로 하여금 그가 교회당국에 대한 두려움 때문에 자신의 연구 결과를 책으로 출판하는 것을 지연시켰다는 추측을 하도록 이끌었다. 그러나 이런 의견을 뒷받침하는 직접적인 증거는 없다. Copernicus가 교황에게 자신의 연구를 보고했다는 것은 의미심장하게 여겨져 왔다. 물론 그 연로한 천문학자가 이를 수단으로 자신은 교회에 대한 아무런 적대감 없이 책을 집필했음을 증명하고 싶었을 것이라는 것은 꽤나 생각할 수 있는 일이다. 저자가 자신의 연구결과가 교회로부터

비판을 받을 것이라고 인식했기 때문에 교황에 대한 그의 보고는 아마도 바람직한 방어책으로 여겨졌을지도 모른다.

어휘

violent a. 극심한, 맹렬한, 격렬한; 난폭한　**system** n. 가설; 체계; 조직
subsequent a. 차후의, 다음의　**commentator** n. 주석가; 해설가　**delay** v. 연기하다, 지연시키다　**publication** n. 출판, 발행; 발표　**authorities** n. 당국
direct a. 직접적인; 똑바른; v. 지도하다　**significant** a. 중요한, 중대한　**address** v. 보내다; 연설하다; n. 주소; 연설　**the Pope** 로마 교황　**conceivable** a. 상상할 수 있는, 생각할 수 있는　**astronomer** n. 천문학자　**demonstrate** v. 증명하다, 논증하다, 설명하다　**hostility** n. 적대감　**shield** n. 방어책; 방패　**confront** v. 직면하다, 맞서다　**criticism** n. 비평, 비판

068 ③

해설

① 관계대명사절 what people really want는 명사절로 주어로 쓰였다.
② be after는 '~을 찾다, 추구하다'라는 의미로, after는 전치사로 쓰였다.
③ 「make+목적어+목적격 보어」의 5문형일 때 목적격 보어 자리에 형용사가 와야 하므로 attractively를 형용사 attractive로 고쳐야 한다.
④ '우리의 얼굴이 매력적임을 알게 된다'라는 의미로, find는 5문형으로 쓰였다.
⑤ remind A of B는 'A에게 B를 상기시키다'라는 의미이다.

해석

최근 연구에 따르면 사람들은 정말로 그들의 부모와 같은 특징을 지닌 배우자를 원한다고 한다. 여성들은 아버지와 닮은 남성을 추구하고 남성들은 이상적인 여성에게서 자신의 어머니를 볼 수 있기를 원한다. 인지심리학자인 David Perrett은 무엇이 얼굴을 매력적으로 만드는지를 연구했다. 그는 자신의 욕구에 맞도록 얼굴을 계속해서 변화시킬 수 있는 컴퓨터 영상정보처리 시스템을 개발했다. Perrett에 의하면 우리 자신의 얼굴이 우리가 어렸을 때 계속해서 본 엄마와 아빠의 얼굴을 상기시켜 주므로 우리들은 우리 자신의 얼굴을 매력적이라고 생각한다.

어휘

indicate v. 보여 주다, 나타내다; 가리키다　**mate** n. 배우자; 동료, 친구
cognitive a. 인지의　**psychologist** n. 심리학자　**morphing** n. 모핑(컴퓨터 그래픽스로 화면을 차례로 변형시키는 특수 촬영 기술)　**endlessly** ad. 한없이, 끝없이
adjust v. 맞추다, 적합시키다; 조정하다

069 ⑤

해설

(A) 문맥상 '아무리 ~해도'라는 뜻의 복합 관계부사 however가 적절하다.
(B) '창문 가까이에 있는 세면대'라는 뜻이다. near는 '가까운'이라는 의미이고 nearly는 '거의, 대략'이라는 뜻이므로 near가 적절하다.
(C) 내가 그러한 행동을 한 것이 먼저 일어난 일이고, 어머니가 집에 돌아오셔서 물어본 것이 나중에 일어난 일이므로 came, ask보다 앞선 시제인 had been doing이 되어야 한다.

해석

지난여름 어느 날 내가 화장실에 있는데, 화장실 문이 고장이 나서 열리지 않았다. 아무리 열심히 애를 써 봐도 문을 열 수가 없었다. 나는 내가 처한 곤경에 대해 생각해 보았다. 소리를 지른다 해도 이웃 사람들이 들을 수 있을 것 같지 않았다. 그때 뒤쪽 벽에 있는 작은 창문이 생각났다. 창문 근처에 있는 세면대가 쉽게 올라갈 수 있는 발판을 제공해 주었다. 창문 밖으로 기어나간 후에 창턱에 몇 초간 매달려 있다가 쉽게 땅으로 뛰어 내렸다. 나중에 어머니가 집으로 돌아오셔서 뭘 하고 있었는지 물어보셨다. 나는 웃으면서 "네, 그냥 돌아다녔어요."하고 대답했다.

어휘

jam v. 움직이지 않게 되다　**basin** n. 세면대; 대야　**window sill** 창틀　**hang**

around 배회하다

070 ④

해설

① 정상 회담을 통해 국제 사회에서의 지위를 얻고 있다는 의미로, 현재 완료 진행이 쓰였다.
② '2010년에'라는 뜻으로 년도, 월 등을 나타낼 때 전치사 in을 쓴다.
③ '입장을 반영하기 위해'라는 의미로, to부정사의 부사적 쓰임을 나타낸다.
④ '~하는 것을 돕다'라는 뜻일 때 help는 동사원형이나 to부정사를 목적어로 취하므로 (to) shift가 되어야 한다.
⑤ as는 '~으로서'라는 뜻으로 쓰인 역할, 자격 등을 나타내는 전치사이다.

해석

동남아시아 국가 연합의 정상 회담을 통해 한국은 여러 가지 면에서 국제 사회에서 영향력 있는 지위를 얻고 있다. 한국인이 유엔 사무총장이 되고, 한국이 2010년 G20의 의장국이 되었다. 한국은 유럽연합(EU)과 자유무역 협정에 서명했다. 한국은 세계 무역에서 자국의 입장을 반영하기 위해 국제통화기금(IMF)에서 투표권의 영향력을 크게 향상시키려고 애쓰고 있다. 이 모든 요인들은 한국에 대한 국제적 초점을 한반도와 북핵 야망에 관련된 문제들로부터 중진국의 위상을 가진 남한의 역할로 옮기는 데 도움을 주고 있다. 동남아시아 국가 연합은 특히 한국의 영향력을 높이는 데 비옥한 토양이 되고 있다.

어휘

summit meeting 정상 회담, 수뇌 회담　**association** n. 연합, 협회
influential a. 영향력이 있는; 힘 있는, 유력한　**status** n. 지위, 신분　**secretary**
general 사무총장　**host** n. 주인, 의장국(議長國)　**shift** v. 옮기다, 바꾸다　**peninsula** n. 반도　**ambition** n. 야망, 야심; 패기　**fertile** a. 비옥한
enhance v. 강화하다, 고양시키다

LESSON P.30

10

형용사 / 부사 / 비교

071 ②　　　072 ①

071 ②

해설

(A) 「be unlikely to+동사원형」는 '~할 것 같지 않다'는 의미로, surprise가 적절하다.
(B) '최상의'라는 의미로, best가 적절하다.
(C) '~만큼이나 많은'이라는 뜻으로 정도를 나타내는 추상적 의미로 쓰였으므로, much가 적절하다. have ~ to do with는 '~와 관련이 있다'는 뜻이다.

해석

주류 레퍼토리에서 작품을 선택하는 것은 사람들을 놀라게 할 것 같지 않다. 현실적으로, 대부분의 공연자들은 신뢰감을 확보하기 위해 이런 레퍼토리를 연주해야만 할 것이다. 그러나 주류 레퍼토리가 반드시 최상의 레퍼토리와 일치하는 것은 아니다. 다른 작품들은 그렇지 않은 데 비해 어떤 작품들은 왜 유명해졌는지에 대한 이유가 몇 가지 있는데, 이러한 이유는 영속적인 (음악의) 질만큼이나 음악의 역사적인 이용 가능성과 관련이 깊다.

어휘

mainstream n. 주류, 대세; a. 주류의　**repertory** n. 레퍼토리(특정한 극단이 몇 개의 연극을 교대로 공연하는 형식)　**realistically** ad. 현실적으로, 실제적으로　**in order to+동사원형** ~하기 위해서　**secure** v. 확보하다, 획득하다; 안전하다　**credibility** n. 신뢰감, 진실성; 신용　**availability** n. 유용성, 유효, 유익
enduring a. 지속적인, 영속적인

072 ①

해설

① which 뒤에 완전한 문장이 왔으므로 관계대명사 which는 적절하지 않다. 여기서는 '표적 시장의 구성원들이 광고에 노출될 가능성'이라는 의미로 명사 the likelihood와 동격을 이루는 동격 접속사 that이 와야 한다.

② '더 자주 광고가 방송된다'는 의미로 부사 frequently는 형용사 run을 수식하고 있다.

③ how many people see the ad는 간접의문문으로 동사 affect의 목적어이다.

④ 왕래가 적은 구역에서는 더 적은 사람들이 광고를 볼 것이라는 의미로 쓰였다.

⑤ 동명사 increasing은 문장에서 주어 역할을 하고 있다.

해석

광고가 어디에 위치하든 표적 시장(마케팅 계획 충족에 요하는 일정한 고객군)의 대상이 되는 고객 중 많은 사람들이 그 광고를 놓칠 수 있다. 그래서 광고의 빈도를 높이는 것으로 광고주들은 표적 시장의 구성원들이 광고에 노출될 가능성을 높인다. 광고가 텔레비전에 나온다면 광고가 더 자주 방송될수록 더 많은 사람들에게 보일 것이다. 광고가 게시판에 게시된다면 그것의 위치가 얼마나 많은 사람들이 그 광고를 볼 것인지에 영향을 줄 것이다. 그것이 사람들의 왕래가 많은 구역에 위치한다면 더 많은 사람들이 그것을 볼 것이고 왕래가 적은 구역에 위치한다면 더 적은 사람들이 그것을 볼 것이다. 하지만 광고의 빈도를 높이는 것은 더 많은 비용이 들고, 광고가 가장 효과적인 곳의 광고가 가장 비싸다. 따라서 광고를 위해 자금을 분배할 때는 신중한 계획이 필수적이다.

어휘

frequency n. 빈도, 횟수   **advertiser** n. 광고주, 광고자   **likelihood** n. 가능성, 가망   **expose** v. 드러내다, 노출시키다   **commercial** n. 광고 방송, 상업 방송; a. 상업상의   **bulletin board** 게시판, 알림판   **effective** a. 효과적인   **allocate** v. 배분하다, 할당하다; 배치하다

> **Check Point**
> 1. strange   이상하게 들릴지도 모르지만, 사실이다.
> 2. less   Julie는 Sarah보다 키가 작다.

실 전 감 각 익 히 기			P.31
073 ③	074 ③	075 ④	076 ③

073 ③

해설

(A) a vast collection of straight and curved lines를 선행사로 받으면서 converts의 목적어가 되는 계속적 용법의 관계대명사 which가 적절하다.

(B) 분사구문으로 주절의 주어가 a robot이고, 분사구문의 주어도 a robot이 된다. 로봇이 계산하는 데 시간을 많이 소비하는 것이므로 능동형 Spending이 적절하다.

(C) 비교급을 수식하는 부사는 much, still, a lot, even, far 등이므로 much가 적절하다. very는 비교급을 수식하지 않는다.

해석

우리는 방에 들어갈 때, 즉각적으로 바닥과 의자, 가구, 탁자, 그리고 그 밖의 것들을 인식한다. 하지만, 로봇은 어떤 방을 훑어볼 때 단지 직선과 곡선의 방대한 집합체만을 볼 뿐이고, 로봇은 그 방대한 집합체를 화소로 전환한다. 이런 뒤죽박죽 섞인 선들을 이해하기 위해서는 방대한 양의 계산 시간이 걸린다. 컴퓨터는 원과 타원, 나선형, 직선, 곡선, 모퉁이, 그리고 기타 등등의 한 집합체로만 본다. 상당한 계산 시간을 보내고 난 후에 로봇은 마침내 그 물체를 탁자로 인식하게 될 것이다. 하지만, 만약 당신이 그 이미지를 회전시키면, 컴퓨터는 모든 것을 다시 시작해야 한다. 즉, 로봇은 볼 수 있고, 사실 인간보다 훨씬 잘 볼 수 있지만, 자신이 보고 있는 것을 이해하는 것은 아니다.

어휘

and so forth 기타 등등   **scan** v. 대충 훑어보다; 눈여겨보다   **straight** a. 수직의, 수평의   **convert** v. 전환하다, 변환하다   **pixel** n. 화소   **oval** n. 타원형   **spiral** n. 나선형   **rotate** v. 회전하다, 선회하다   **all over again** 다시 한 번 되풀이해서   **in other words** 바꿔 말하면, 즉

074 ③

해설

① 분사(known)를 수식하고 있으므로 부사가 앞에 오는 것이 적절하다.

② because 뒤에는 절이 오며, because of 뒤에는 명사구가 온다. 명사구(recent advances ~)가 왔으므로 because of가 적절하다.

③ ignorant는 「ignorant of +명사(구)/의문사절」이나 「ignorant that+주어+동사 ~」의 구조로 주로 쓴다. 전치사 of와 접속사 that은 함께 쓰지 않고, 이 문장의 경우 완전한 문장이 왔으므로 of를 삭제해야 한다.

④ as는 앞의 such와 호응을 이루어 '~와 같은 것'의 의미를 나타낸다.

⑤ take ~ for granted는 '~를 당연한 것으로 여기다, 당연시하다'라는 의미의 관용어구이다.

해석

우리는 아이큐와 이성 지능에 대해 오랫동안 알아왔다. 그리고 부분적으로는 최근 신경과학과 심리학의 발달 덕분에 감정 지능의 중요성을 인정하기 시작했다. 하지만, 우리는 시각 지능과 같은 것이 있다는 것은 대체로 모르고 있다. 시각은 정상적으로는 아주 재빠르고 확실하며, 아주 믿을 만하고 정보를 주고, 얼핏 보기에도 아무런 노력을 들이지 않아도 되어서 우리는 그것을 당연한 것으로 여긴다.

어휘

rational a. 합리적인, 이성적인   **in part** 어느 정도는, 일부분은   **psychology** n. 심리학   **appreciate** v. ~의 가치를 인정하다, 평가하다   **emotional** a. 감정적인   **ignorant** a. 무지의, 모르는   **vision** n. 시력, 시각; 비전, 미래상   **swift** a. 빠른, 신속한   **dependable** a. 신뢰할 수 있는, 의지할 수 있는   **informative** a. 정보를 주는; 유익한   **apparently** ad. 명백히, 외관상으로   **effortless** a. 노력하지 않는; 소극적인   **take ~ for granted** ~를 당연하게 여기다, 당연시하다

075 ④

해설

(A) '음식을 먹는 관습은 지역마다 다르다'라는 의미이고, Food customs가 다른 것이므로 능동형인 vary(다르다)가 적절하다.

(B) 능동태 문장에서 목적격 보어로 쓰인 형용사 rude가 수동태 문장에서 그대로 사용된 것이다.

(C) '오른손만을 사용하면서'라는 의미로 당신(you)이 오른손을 사용하는 것이므로 능동형인 using이 적절하다.

해석

음식을 먹는 관습은 지역마다 다르다. 아프리카의 자이레와 같은 나라에서 사람들은 음식을 먹기 위해서 대개 자신의 손가락을 사용하는 한편, 다른 지역에서는 그렇게 하는 것이 무례하게 여겨질 것이다. 그들에게 있어서 음식을 먹는 방법은 매우 중요하다. 그래서 당신이 그들과 같은 방법으로 음식을 먹으면 사람들은 당신을 더 좋게 생각할 것이다. 당신이 함께 먹는 사람들의 식사법을 따르는 것이 현명하다. 그들이 손가락을 사용하면 당신도 같은 방법으로 하는 것이 좋다. 하지만, 오른손만을 사용해야 한다. 인도네시아에서는 식사를 끝마칠 때 접시에 음식을 약간 남겨두는 것이 중요하다. 그렇게 하지 않으면 더 먹고 싶다는 신호이다. 다른 지역에서는 그렇게 하는 것은 예의가 없는 것으로 여겨질 것이다.

어휘
vary v. 바꾸다, 다양하게 하다; (서로) 다르다 **elsewhere** ad. 다른 곳에서, 다른 곳으로 **sensible** a. 분별이 있는, 현명한 **had better+동사원형** ~하는 것이 더 낫다 **sign** n. 표시, 신호; 기호 **bad-mannered** 예의가 없는, 태도가 나쁜

076 ③

해설
① when절 내에서 gets와 becomes는 and에 의해 연결된 병렬구조이다.
②「cause+목적어+to부정사」로, '~에게 ~하도록 하다'라는 의미이다.
③ 분사구문의 주어인 pressure가 동사 reduced의 주체이므로 능동의 의미인 reducing이 되어야 한다.
④「the+비교급 ~, the+비교급 …」은 '~하면 할수록 더 …하다'라는 뜻으로 deeper는 적절하다.
⑤「stop+-ing」는 '~하는 것을 멈추다', 「stop+to부정사」는 '~하기 위해 멈추다'라는 뜻이다. 문맥상 '가라앉는 것이 멈출 때까지'라는 의미가 되어야 하므로 sinking이 적절하다.

해석
유사(流砂)는 정말로 있는가? 그렇다. 하지만, 유사는 영화에서 보는 것만큼 그리 치명적인 것은 아니다. 유사는 모래가 지나치게 많은 물과 섞여서 모래 성분이 분해되고 죽처럼 걸쭉해진다. 유사는 일반적인 모래처럼 보일지 모르지만, 한 걸음 디디면 발의 압력이 모래를 좀 더 액체처럼 움직이게 해서 사람은 바로 가라앉게 된다. 지하수원에서 나오는 압력은 모래 알갱이 입자를 분리하고 둥둥 뜨게 만들어서 모래 입자 간의 마찰력을 감소시킨다. 유사 속에서는 빠져나오려고 몸부림칠수록 더욱 밑으로 가라앉는다. 하지만, 가만히 있으면 위로 떠오르기 시작할 것이다. 그러므로 혹시나 여러분이 정말 유사에 빠진다면 침착함을 유지해야 한다는 것을 기억하고, 가라앉는 것이 멈출 때까지 움직이지 마라.

어휘
quicksand n. 유사(流砂)(바람이나 물에 의해 아래로 흘러내리는 모래; 사람이 들어가면 늪에 빠진 것처럼 헤어 나오지 못함) **deadly** a. 치명적인 **loosened** a. 늘어진; 느슨해진 **soupy** a. 걸쭉한, 수프 같은 **pressure** n. 압력 **underground** a. 지하의 **suspend** v. 떠 있게 하다, 띄우다; 매달다 **granular** a. 알갱이 같은, 알갱이로 된 **particle** n. 입자; 극소량 **friction** n. 마찰력; 불화 **struggle** v. 발버둥 치다, 몸부림치다; 고심하다, 애쓰다

077 ⑤

해설
① shortened는 '축소된, 축약된'이라는 뜻으로 뒤에 명사(version)을 수식하고 있다.
② those가 선행사, who가 주격 관계대명사이다. 동사 claim의 주어는 those이므로 claim이 적절하다.
③ 많은 효율성 전문가들이 자신들을 광고하는 것이므로 advertising이 쓰였다.
④ 주격 보어로 형용사 evident가 쓰였다.
⑤ 원래는 'the phrase is still with us'라는 의미이다. 「So+주어+동사」구조가 사용되었으므로 'So is the phrase (still with us)'가 되어야 한다. 따라서 does를 is로 바꿔야 한다.

해석
만물박사(jack-of-all-trades)라는 말은 모든 일을 다 할 줄 알지만 정말 잘하는 것은 없는 사람을 간단하게 줄여서 지칭하는 말이다. 이 말은 수많은 업무에 능숙하다고 주장하지만, 그것들 중 한 가지도 잘 수행하지 못하는 사람들을 가리킨다. 이 말은 산업 혁명 초기에 영국에서 처음 사용되었다. 많은 수의 효율성 전문가들이 모든 유형의 새로운 제조과정, 무역, 사업에 대해 잘 알고 있다고 자신들을 광고하면서 런던에 사무소를 차렸다. 상당한 액수의 비용을 받고, 그들은 자신들의 지식을 고객들에게 알려주곤 했다. 하지만, 얼마 안 가서 그들의 지식은 제한적이고 실용적인 가치가 없다는 사실이 분명해졌다. 의심을 품게 된 생산업자들은 이러한 자칭 전문가라고 주장하는 사람들을 '모든 일을 다 할 줄 알지만 정말 잘하는 것은 없는 사람'이라고 부르기 시작했다. 이러한 전문가들은 아직도 우리 주변에 있으며, 그러한 결과로 이 말도 우리 곁에 있다.

어휘
jack-of-all-trades n. 만물박사, 팔방미인(실제로는 잘하는 것이 없다는 뜻이 들어 있음) **shorten** v. 줄이다, 짧게 하다 **proficient** a. 능숙한, 숙달된 **countless** a. 무수한, 셀 수 없는 **the Industrial Revolution** 산업 혁명 **efficiency** n. 능률, 효율 **set up** ~을 세우다, 건립하다 **knowledgeable** a. 지식이 있는, 식견이 있는 **manufacturing** a. 제조의, 제조하는 **substantial** a. 상당한, 실질적인 **impart** v. 알리다, 전하다; 나누어 주다 **practical** a. 실용적인, 효과적인; 현실적인 **doubtful** a. 의심을 품게 하는, 애매모호한 **industrialist** n. 제조업자, 생산업자 **self-appointed** a. 자칭의, 혼자 생각의

078 ③

해설
(A) We are so imprudent that의 도치구문이며, 형용사 imprudent를 수식할 수 있는 것은 so이다. such는 「such+a(n)+형용사+명사」의 어순으로 많이 쓰인다.
(B) 'try to support ~ and (try to) think'의 구조이다.
(C)「find+목적어+목적격 보어」구문으로 목적어인 them이 사로잡는 것이 아니고 사로잡히는 것이므로 수동의 의미를 지닌 과거분사 occupied가 적절하다.

해석
우리는 마치 미래가 너무 느리게 오고 있다는 것을 발견하고 그것을 빨리 오게 하려고 하는 것처럼 미래를 고대한다. 우리는 너무나 분별력이 없어서 우리의 것이 아닌 시간 속에서 방황하고 우리에게 속한 시간에 대해 생각하지 않는다. 우리는 미래를 가지고 현재를 지탱하려고 하며, 우리가 도달한다고 확신할 수 없는 시간을 위해서 우리가 통제할 수 없는 것들을 정렬해 보려고 생각한다. 여러분의 생각을 살펴보면, 그것들이 완전히 과거나 미래에 사로잡혀 있다는 것을 알게 될 것이다. 우리는 현재에 대해서는 거의 생각을 하지 않으며 만약 생각한다 해도 그것은 단지 미래를 위한 우리의 계획을 비추기 위해서일 뿐이다. 과거와 현재는 우리의 수단이고, 오직 미래만이 우리의 목적이다.

어휘
anticipate v. ~을 예상하다, 기대하다 **imprudent** a. 경솔한, 분별없는 **wander** v. 방랑하다, 떠돌다, 헤매다 **belong to** ~에 속하다; ~의 소유이다 **arrange** v. 조정하다; 계획하다 **certainty** n. 확실성, 필연성 **wholly** ad. 전체적으로 **occupy** v. ~을 차지하다, 점유하다 **shed** v. (빛·소리·냄새를) 발산하다; (영향을) 미치다 **means** n. 방법, 수단

> ### Check Point
> 1. **had he** 그가 나를 보자마자 달아났다.
> 2. **I known** 내가 그녀의 주소를 알았더라면 그녀에게 편지를 쓸 수 있을 텐데.

079 ③

해설

① 「upon+~ing」는 '~할 때, ~하자마자'라는 뜻이다.

② '그것을 버리지 않기로 결심하고서'라는 뜻으로, to부정사의 부정은 not이 to 앞에 위치한다.

③ '닭들은 병에 걸리지 않았고'라는 뜻으로 문두에 not only가 오면 주어와 동사가 도치되어서 did the chickens not으로 고쳐야 한다. not only A but also B는 'A뿐만 아니라 B도'라는 뜻이다.

④ 영국인 의사 에드워드 제너가 천연두를 예방하기 위해 백신 접종을 발견한 것이 백신의 사용보다 더 이전에 일어난 일이므로 과거 완료가 쓰였다.

⑤ '거의 박멸될 것이다'라는 의미로 nearly는 '거의'라는 의미의 부사로 쓰였다.

해석

루이 파스퇴르의 위대한 발견은 뜻밖에 찾아온 행운이었다. 박테리아의 배양액을 밖에 너무 오래 두었을 때, 그는 배양액을 죽게 했다. 그러나 그는 배양액을 버리지 않기로 결심하고서 (죽은 그 배양액의) 세균을 건강한 닭에 시험 삼아 주사해 보았다. 놀랍게도 그 닭들은 병에 걸리지 않았을 뿐만 아니라, 그 병의 면역성도 얻게 되었다. 백신의 사용은 영국인 의사 에드워드 제너가 이전에 천연두를 예방하기 위해 백신 접종을 발견했기 때문에 새로운 것은 아니다. 하지만, 파스퇴르의 연구는 그가 백신을 인공적으로 만들 수 있었기 때문에 너무나 중요했다. 이것은 과학자들이 위험하고 잠재적으로 생명을 위협하는 수많은 병원균으로부터 사람들을 보호할 수 있게 해주었다. 조만간 많은 병원균이 거의 완전히 박멸될 것이다.

어휘

serendipitous a. 뜻밖에 찾아오는 행운의, 우연히 발견하는   **culture** n. (박테리아의) 배양, 양식; 문화; 교양   **inject A with B** A에 B를 주사하다   **germ** n. 세균, 미생물   **immunity** n. 면역성, 면역; 면제   **physician** n. 의사   **previously** ad. 이전에, 그에 앞서; 미리   **vaccination** n. 백신 접종, 예방 접종   **prevent** v. 예방하다, 방지하다; 방해하다   **smallpox** n. 천연두   **artificially** ad. 인공적으로   **pathogen** n. 병원균, 병원체   **in time** 이윽고, 조만간; 제시간에   **eradicate** v. 박멸하다, 근절하다

080 ③

해설

(A) '언어가 더 이상 사용되지 않을 때까지'라는 수동의 의미가 되어야 하므로 be spoken이 적절하다.

(B) 「Nor+동사+주어」의 도치구문이다.

(C) 「the+비교급 ~, the+비교급 …」은 '~하면 할수록 …하다'라는 의미로, the less가 적절하다.

해석

언어는 결코 멈춰 있는 법이 없다. 모든 언어는 그 언어가 더 이상 사용되지 않을 때까지 지속적인 변화의 상태에 있다. 우리가 지금 말하고 글로 쓰는 영어는 우리의 조상(할아버지 세대가)들이 말하거나 쓰던 영어가 아니다. 그들의 영어는 엘리자베스 여왕 시절의 영어와도 분명히 다르다. 우리가 더 멀리 거슬러 올라가면 갈수록 우리가 쓰는 말과 조상들의 언어와 차이가 더 커질 것이다. 그래서 마치 영어가(우리가 사용하는 영어가) 매우 이상하게 느껴지는 그런 종류의 영어에 도달하게 될 것이다.

어휘

cease v. 그만두다, 중지하다   **continual** a. 계속적인; 잇따른; 빈번한   **precisely** ad. 정확히; 꼼꼼히   **far** a. 먼, 아득한(farther-farthest)   **ancestor** n. 조상, 선조

081 ④

해설

① '접근하는 불길의 열기가 너무 심해서 50피트가 넘는 나무들이 연기를 내기 시작했다'라는 의미로, 'such ~ that'은 '대단히 ~하여서'라는 뜻이다. 「주어+동사+such that ~」구조에서 such가 문두로 도치되었다.

② 부사구(Only once in recent years)가 강조되어 문두에 와서 주어(a town of this size)와 동사(has)가 도치되었다.

③ 부사구(Into these vehicles)가 강조되어 문두에 와서 주어(the sick and elderly)와 동사(climbed)가 도치되었다.

④ '필요하지 않은 모든 소방관들도 떠났다'는 의미로 앞의 동사 left를 대신 받는 대동사 did로 고쳐야 한다. 접속사 as 뒤에 주어와 동사가 도치되었다.

⑤ 부정어 Hardly가 강조되어 문두에 와서 주어(the evacuation)과 동사(had)가 도치되었다.

해석

산불이 마을 쪽으로 향하고 있어서 어제 마운틴뷰의 주민들을 대피시켰다. 접근하는 불길의 열기가 너무 심해서 50피트가 넘는 나무들이 연기를 내기 시작했다. 최근에 단 한번, 2008년에 이와 같은 규모의 도시가 산불로 인해 소개(疏開)되어야 했었다. 수십 대의 버스와 트럭이 이른 아침에 이 마을로 몰려들었다. 이 차량에 환자들과 노인들이 먼저 탑승했고 안전한 지역으로 떠났다. 차량을 가진 주민들은 오전 중에 떠났고, 꼭 필요하지 않은 모든 소방관들도 떠났다. 대피가 끝나자마자 다행히도 바람이 방향을 바꾸어서 불길이 마운틴뷰를 손상시키지 않을 것임이 분명해졌다.

어휘

resident n. 거주자, 주민   **evacuate** v. (위험 지역에서) 피난시키다, 대비시키다; (장소 등을) 비우다   **head** v. 나아가다, 향하다; n. 머리   **blaze** n. 불길, 화염; 화재; 불   **coach** v. (미국) 합승 자동차, 버스   **requisite** a. 필요한, 필수의   **fortunately** ad. 운이 좋게도   **untouched** a. 손상되지 않은, 상하지 않은

082 ①

해설

(A) 뒤에 오는 진주어 to go to a car racing event를 대신할 수 있는 가주어 it이 필요하다. thought와 it 사이에 thought의 목적어절을 이끄는 접속사가 생략되어 있다.

(B) He little knew that ~에서 '전혀 ~않다'라는 부정의 의미를 지닌 부사인 little을 강조하기 위해 도치를 했다. few는 부사적 역할을 하지 않아 know를 수식하지 않으므로, know를 수식하는 little이 와야 한다. few는 셀 수 있는 명사를 수식하여 '거의 없음'을 표현하고, little은 셀 수 없는 명사를 수식하여 정도의 얕음, 즉 '거의 ~하지 않음'을 표현한다.

(C) 바로 다음에 오는 목적어 me를 취할 수 있는 타동사 carried가 적절하다. my little feet가 carry의 주체이므로 수동태가 필요한 곳이 아니다.

해석

우리 아버지가 나에게 자동차 경주를 처음으로 경험시켜 주신 것은 내가 다섯 살 때였다. 아버지는 자동차 경주대회에 가는 것이 평범한 가족 나들이라고 생각했다. 그것은 아내와 아이들과 함께 좋은 시간을 보내는 아버지의 방식이었다. 아버지는 아들에게 평생토록 계속될 열정을 불어넣고 있다는 사실을 결코 알지 못했다. 나는 내 작은 발이 나를 자동차 대회 경기장에 있는 특별관람석으로 이르는 계단으로 이끌었던 5월의 그날 내가 느꼈던 경외감을 여전히 기억한다.

어휘

normal a. 평범한, 정상적인   **outing** n. 산책, 소풍   **passion** n. 열정   **lifetime** n. 일생, 생애   **awesome** a. 근사한, 멋진   **grandstand** n. 특별관람석

LESSON 12 병렬관계

083 ⑤　　　084 ③

083 ⑤

해설

① '직원이 기름을 주유하는 것을 멈추다'라는 의미가 되어야 하므로 pumping이 적절하다.

② '직원이 유리 부스 안에 들어가 있다'는 수동의 의미가 되어야 하므로 enclosed가 적절하다. enclose는 '넣다'라는 의미의 타동사이다.

③ must 뒤에 get과 pump, walk가 등위접속사 and에 의해 연결된 병렬구조이다.

④ 빈도부사 usually는 일반동사 앞, be동사나 조동사 뒤에 위치하므로 be동사 are 뒤에 오는 것이 적절하다.

⑤ 선행사가 a uniform이 아닌 a teenager이며, 관계대명사절 내에 주어가 없으므로 사람을 나타내는 주격 관계대명사 who로 고쳐야 한다.

해석

주유소는 사람 사이의 접촉하지 않은 방식을 보여 주는 좋은 예이다. 많은 주유소에서 더 이상 직원들이 주유해 주던 것조차 멈췄다. 운전자들은 돈을 받는 창구가 딸린 유리 부스 안에 직원이 있는 주유소에 차를 세운다. 운전자가 차 밖으로 나와 주유를 하고 돈을 지불하기 위해 유리 부스까지 걸어가야 한다. 그리고 자동차의 엔진에 이상이 있거나 히터가 작동되지 않는 문제가 있는 고객들은 대개 운이 없다. 왜 그럴까? 많은 주유소들이 근무하는 정비사들을 없앴기 때문이다. 자동차에 대해 아무것도 모르고 전혀 신경도 쓰지 않는 유니폼을 입은 십대가 (예전의) 숙련된 정비사들을 대신하게 되었다.

어휘

impersonal a. 인간미 없는; 비인격적인　**attendant** n. 직원, 종업원　**enclose** v. 둘러싸다, 에워싸다　**function** v. 작동하다; 기능을 하다　**get rid of** ~로부터 나오다; 제거하다　**skillful** a. 숙련된, 능숙한　**mechanic** n. 정비사

084 ③

해설

① ones는 앞에 나온 space missions를 받는 대명사이다.

② equipment가 불가산명사이므로 many가 아닌 much를 쓰는 것이 적절하다.

③ 접속사 and가 operating과 placing을 연결하므로 to place를 placing으로 바꿔야 한다.

④ rarely는 부정의 의미를 지니는 부사로 문두에 나와 도치가 되었다. 주어가 a computer이므로 단수동사 is는 적절하다.

⑤ as는 '~할 때'라는 뜻의 때를 나타내는 접속사로 쓰였다.

해석

무인 우주선보다 유인 우주선이 비용이 더 많이 들기는 하지만, 유인 우주선이 더 성공적이다. 로봇과 우주 비행사는 우주 공간에서 거의 똑같은 장비를 사용한다. 하지만, 인간은 그러한 도구들을 올바르게 조작하고 그것들을 적절하고 유용한 위치에 설치하는 데 있어서 훨씬 더 많은 능력을 지니고 있다. 컴퓨터는 동일한 지역적인 혹은 환경적인 요소들을 관리하는 데 있어서 인간보다 민감하지도 못하며 정확하지도 않다. 로봇은 또한 문제가 발생할 때에 그것을 해결할 수 있는 능력이 인간처럼 갖추어져 있지 않으며, 종종 도움이 되지 않거나 관련이 없는 자료를 수집한다.

어휘

manned a. 사람이 탑승한, 유인(有人)의　**astronaut** n. 우주 비행사　**capable** a. 능력이 있는, 실력이 있는; 가능한　**operate** v. 작동하다, 조작하다　**instrument** n.

도구, 기계; 악기　**appropriate** a. 적절한, 적당한　**sensitive** a. 민감한, 섬세한, 예민한　**accurate** a. 정확한, 틀림없는　**geographical** a. 지리적인　**capability** n. 능력　**arise** v. 발생하다, 생기다　**irrelevant** a. 부적절한

Check Point

1. to allow　예술의 목적은 교육하는 것이 아니라 사람들이 예술 작품을 이해하도록 하는 것이다.

2. favor　우리는 천연자원을 보존하고, 생태계의 균형을 유지하고, 공동체와 개인의 자율성을 장려하기 위해 기술과 공업생산에 제한을 가해야 한다.

085 ①　　　086 ②　　　087 ⑤　　　088 ⑤

085 ①

해설

(A) 주어는 William Kamkwamba이며 동사는 left가 적절하다.

(B) 네모 뒤에 generated의 주어가 없는 불완전한 문장이 왔으므로 windmill을 선행사로 하는 계속적 용법의 주격 관계대명사 which가 적절하다. 관계부사 where 뒤에는 완전한 문장이 온다.

(C) '그의 목표는 최종적으로 대학에 가는 것'이라는 의미로, to provide와 병렬구조를 이루어 to에 걸리므로 동사원형 go가 적절하다.

해석

William Kamkwamba는 등록금을 낼 수 없는 가정 형편으로 열네 살 때 학교를 그만두었지만, 그것이 그가 놀라운 업적을 이뤄내는 것을 막지는 않았다. 오로지 자신의 지적 능력과 전기에 관한 책, 그리고 플라스틱 파이프 몇 개를 가지고서, Kamkwamba는 그의 첫 번째 풍차를 만들어, 그 풍차로 자신의 방에 불이 들어올 만큼의 전기를 만들어냈다. 그는 자신의 두 번째 풍차의 효율성을 높이기 위해 자전거를 이용했다. 그 풍차로 그의 부모님 집에 전기를 댈 수 있었다. 그의 다음 목표는 자신이 사는 마을 전체에 충분한 전기를 공급하는 것이며, 최종적으로 대학에 가는 것이다.

어휘

stop A from ~ing A가 ~하는 것을 막다[방해하다]　**remarkable** a. 뛰어난, 비범한; 주목할 만한　**armed with** ~을 갖춘, 무장한　**windmill** n. 풍차　**generate** v. (열, 전기 등을) 발생시키다, 초래하다　**efficiency** n. 효율, 능률　**provide B for A** A에게 B를 공급하다　**eventually** ad. 결국, 드디어

086 ②

해설

① '얼마나 잘 설명되어 있는지'라는 의미로 how well 이하는 explains의 목적어 역할을 한다.

② '당신이 글과 구성의 질을 평가한다'는 의미이다. evaluates의 주어는 you이므로 evaluate가 되어야 한다.

③ 「make+목적어+목적격 보어」의 형태로 5문형을 나타낸다. things의 상태를 보충 설명해 주는 목적격 보어로 형용사 concrete가 쓰였다.

④ 문맥상 '구체적인 내용이 포함되지 않는다면 도움이 되지 못할 것이다'라는 의미가 되어야 하므로 unless(if ~not)가 적절하다.

⑤ 「feel free to+동사원형」은 '~을 마음 놓고 해도 괜찮다'라는 의미이다.

해석

서평은 작가가 특정 주제를 얼마나 잘 다루고 있는지를 설명해 주는 개인적인 평가이다. 서평가로서 당신은 그 책이 이야기를 어떻게 전개해 나가는지를 분석

하고 글과 구성의 질을 평가한다. 그렇게 하여 독자들이 서평의 맥락을 이해할 수 있도록 서평은 이야기 구성을 객관적으로 기술하는 것을 특징으로 해야 한다. 당신은 내용을 구체화시킬 필요가 있다. 당신은 그 책을 아직 읽어보지 못한 사람들을 위해 글을 쓰고 있다는 점을 기억해야 한다. 따라서 불명확한 설명은 구체적인 내용이 포함되지 않는다면 도움이 되지 못할 것이다. 책의 직접적인 본문이나 인용구를 자유롭게 언급해라. 하지만, 도를 지나치는 마라. 긴 문구를 인용하는 것은 독자들을 지루하게 할 것이다.

어휘
assessment n. 평가; 과세 **cover** v. 포함하다; 다루고 있다; 감추다 **specific** a. 특정한; 구체적인, 명확한 **analyze** v. 분석하다, 검토하다 **evaluate** n. 평가하다; 어림하다 **objective** a. 객관적인, 사실에 근거한; 목적의 **description** n. 기술 **concrete** a. 구체적인, 구상적인 **feel free to + 동사원형** ~을 마음 놓고 해도 괜찮다 **cite** v. 인용하다, 인증하다 **quotation** n. 인용구 **go overboard** 도를 넘다; 극단으로 흐르다; ~에 열중하다

087 ⑤

해설
(A) '널리 퍼져 있는, 유행하고 있는'이라는 의미의 형용사로 scientific theory를 수식하는 prevailing이 적절하다.
(B) '140억 년 전에'라는 의미로 지금부터 '~ 전에'라는 의미일 때는 ago를 쓴다. before는 특정 시점을 기준으로 '그 전에'라는 의미로 쓴다. 기준이 되는 특정한 시점이 없으므로 before를 쓸 수 없다. cf. ① ago는 현재를 기준으로 해서 과거 시점을 가리키는 것이므로 과거 시제와 함께 쓰고, 완료 시제와 함께 쓰지 않는다. I saw her two days ago. 나는 이틀 전에 그녀를 보았다. (현재를 기준으로 해서 이틀 전이라는 시점을 가리킴) ② before는 특정 시점을 기준으로 해서 그 이전의 일을 나타낼 때 쓴다. I saw[had seen] a few days before she left. 나는 그녀가 떠나기 며칠 전에 그녀를 보았다. (그녀가 떠났다는 특정 시점이 존재) ③ before가 단독으로 쓰일 때는 과거의 특정 시점이 아니라 막연한 과거 시점을 의미한다. I have seen her before. 나는 전에 그녀를 본 적이 있다. (막연한 과거)
(C) 주어 it에 대한 병렬구조로 '~ is still being (constantly studied and updated) and will continue to be constantly studied and updated ~.'라는 문장이 된다.

해설
우주의 기원에 대해 널리 퍼져 있는 과학 이론인 빅뱅 이론은 우주가 약 140억 년 전에 단 한 번의 우주 폭발로 형성되었음을 시사한다. 1929년에 천문학자 에드윈 허블은 우주가 끊임없이 팽창하며, 은하계가 우리들로부터 멀어져 가는 속도가 우리로부터 떨어진 거리와 비례한다는 것을 발견했다. 그러한 관측이 빅뱅 이론의 기초를 제공했다. 그런데 빅뱅 이론이 잘 확립되고 널리 받아들여져 있지만, 그 이론은 여전히 연구 중이며 갱신되고 있고 앞으로도 끊임없이 연구되고 갱신될 것이다. 현재의 그 이론이 (질문에 대한) 대답을 설명하고 자료를 제공하는 데 어려움을 겪고 있는 많은 분야가 있다.

어휘
prevailing a. 널리 퍼져 있는, 보급되는; 우세한, 유력한 **theory** n. 이론, 학설 **cosmic** a. 우주의, 천체의 **explosion** n. 폭발, 파열 **astronomer** n. 천문학자 **incessantly** ad. 끊임없이, 계속적으로 **galaxy** n. 은하수, 은하계 **proportional** a. 비례하는, 상대적인; 조화된 **observation** n. 관측, 관찰 **establish** v. 확립하다, 수립하다; 설립하다 **constantly** ad. 끊임없이; 늘 **area** n. 분야; 지역

088 ⑤

해설
① 주어는 The walls이며, 벽은 사진으로 가득 차 있다는 수동의 의미이므로 are lined가 적절하다.

② 계속적 용법의 관계대명사로 관계대명사절 내에 주어가 없으므로 which는 주격 관계대명사로 적절하다. 선행사는 photographs이다.
③ 뒤에는 완전한 문장이 왔고, 앞에 장소 선행사가 왔으므로 관계부사 where가 적절하다.
④ '표류하고 있는 은색 캡슐들'이라는 의미로 명사(silver capsules)를 수식하는 현재분사 drifting이 쓰였다.
⑤ '서서 경례를 하고 있다'는 의미이다. standing과 병렬구조를 이루고 있으므로 saluting으로 고쳐야 한다.

해석
전면 유리창 양쪽 벽은 그녀의 아버지가 직장에서 얻어 온 사진들로 가득 차 있었다. 그는 우주 센터에서 사진기를 가지고 일을 했다. 매번 우주선이 발사된 후, 아버지는 검고 얇은 금속 액자에 끼워진 사진들을 받았는데, 주황색 우주복을 차려입고 웃고 있는 우주비행사 세 명의 사진과 로켓을 만들었던 큰 건물, 주황색과 흰색 줄무늬로 된 낙하산 아래에서 바다를 표류하고 있는 은색 로켓 캡슐들의 사진이 거실 이곳저곳에 마치 상장처럼 걸려 있었다. 텔레비전 위에는 닐 암스트롱이 달 표면에 서서 빳빳한 미국 성조기에 경례하고 있는 큰 사진이 놓여 있다.

어휘
launch n. 발사; 개시 **frame** v. ~을 만들다, 모양을 짓다; n. 틀, 액자; 뼈대 **certificate** n. 증명서 **drift** v. 표류하다, 떠돌다, 밀려가다 **parachute** n. 낙하산 **salute** v. 경례하다, 경의를 표하다; 인사하다 **stiff** a. 빳빳한

089 ④

해설
① '어머니가 아버지의 장례식 비용을 지불하는 것을 돕기 위해서'라는 의미로, 「help+목적어+목적격 보어」의 구조로 쓰였다. help는 목적격 보어로 to부정사나 원형부정사를 취하므로 pay는 적절하다.
② worst of all은 '무엇보다도 나쁜 것은'이라는 뜻이다.
③ '주택 융자금 지불이 연체되었다는 사실 때문에'라는 의미이다. 「due to+명사 상당어구」는 '~ 때문에'라는 뜻이다.
④ '어머니가 슬퍼하는 것을 보고 장난감을 팔기로 결심했다'는 의미이고, saw와 and로 병렬 연결된 구조이므로 decided가 되어야 한다.
⑤ '웹사이트 회사 사장이 온라인 경매 사이트를 창설했다'라는 의미이다.

해석
열두 살도 안 되는 네 명의 어린 아이들이 네 명의 어린 아이들이 어머니가 아버지의 장례식 비용 지불하는 것을 돕기 위해 장난감을 온라인 경매에 내놓았다. 그 이전에 그들의 어머니는 이미 휴대 전화와 광대역 인터넷 연결을 끊었고 집에서 기르던 애완동물도 팔았다. 무엇보다도 나쁜 것은, 그들의 집이 압류당할 수도 있고, 여러 달 동안 주택 융자금 지불이 연체된 일로 인해서 집이 없어질지도 모른다는 것이다. 어린 딸들은 어머니가 아버지의 죽음과 경제적 위기로 슬퍼하는 것을 보고 어머니를 돕기 위해 자기들의 장난감을 팔기로 결심했다. 어느 웹사이트 회사의 사장이 그 가족의 슬픈 처지를 듣고서 그들을 위해서 '아빠의 장례식 기금'이라는 이름으로 온라인 경매 사이트를 창설했다.

어휘
auction v. 경매에 팔다; n. 경매, 공매 **worst of all** 무엇보다도 나쁜 것은 **repossess** v. 압류하다; 회복하다 **mortgage payment** 주택 융자금 납부 **heartbroken** a. 슬픔에 잠긴, 비탄에 젖은 **plaything** 장난감 **plight** n. 곤경, 궁지, 어려운 처지 **set up** 창설하다, 시작하다, 세우다

090 ②

해설

(A) '특이한 색이 아니라면'이라는 의미로, Unless(If ~not)가 적절하다.

(B) '자신에게 좋아 보이는 것을 스스로 결정한다'라는 의미로, 네모 뒤에 주어가 없으므로 선행사를 포함한 관계대명사 what이 와야 한다.

(C) choice가 '선택(권)'이라는 뜻으로 쓰였고, 셀 수 없는 명사로 쓰였으므로 little이 적절하다.

해석

많은 여성이 머리를 염색한다. (염색한 색이) 특이한 색이 아니라면, 그것은 별 의미가 없다. 하지만, 자신의 머리가 백발이 되도록 내버려 두는 것을 선택한 여성은 강한 표현을 하는 것일 수도 있다. 그녀는 자신과 자신의 나이에 만족한다. 그녀는 다른 사람의 의견에 의존하지 않고, 자신에게 좋아 보이는 것을 스스로 결정한다. 백발의 여성은 실용적인 이유로 그렇게 할 수 있고, 그럴 경우 그들의 옷도 실용적일 것이다. 염색하는 것에 알레르기가 있는 일부 여성들은 그 문제에 있어서 선택의 여지가 거의 없다. 그래서 그들의 머리가 백발인 점은 그들의 성격에 대해서 아무것도 말해 주지 못한다.

어휘

extraordinary a. 특별한, 드문, 놀랄 만한   **significant** a. 의미 있는, 뜻 깊은   **statement** n. 주장, 전달, 성명, 진술   **comfortable** a. 만족하는; 편안한   **rely on** ~에 의존하다   **practical** a. 실용적인, 실제적인   **allergic** a. 알레르기의, 알레르기 체질의

091 ③

해설

① have it은 '~라고 말하다'라는 뜻이다.

② '대통령의 보좌관들은 루즈벨트 대통령에게 새끼 곰을 주었다'는 의미이다. it은 a bear cub을 나타낸다.

③ '이를 스포츠 정신에 어긋난다고 간주하여'라는 의미이고 the president가 이것을 스포츠 정신에 어긋난다고 생각한 것이므로 Deeming this "unsporting,"으로 고쳐야 한다. 이 문장은 As he deemed this "unsporting,"으로 바꿔 쓸 수 있다.

④ who는 Morris Michtom을 선행사로 받는 계속적 용법의 주격 관계대명사이다.

⑤ to make and sell Teddy's bears는 '테디의 인형을 팔기로 한 결정'이라는 의미로, 명사 The decision을 수식하는 to부정사의 형용사적 쓰임이다.

해석

전해 내려오는 이야기에 의하면, '테디'는 시어도어 "테디" 루즈벨트 대통령이 미시시피의 사냥 여행에서 마땅히 누릴 휴식을 취하고 있을 때인 1902년에 태어났다. 그 지역의 사냥감이 보이지 않자, 대통령의 보좌관들은 새끼 곰 한 마리를 잡아 기절시키고 루즈벨트 대통령이 마무리를 하도록 새끼 곰을 루즈벨트 대통령에게 주었다. 대통령은 이를 스포츠 정신에 어긋난다고 간주하여 거절하였다. 그의 자비로운 행동은 다음날 워싱턴포스트지의 풍자만화로 그려졌다. 그 만화는 뉴욕의 사탕 가게 주인인 Morris Michtom의 눈에 띄었고, 그는 아내에게 "테디의 인형"을 만들도록 부탁했다. 그러고 나서 Michtom은 그 새 장난감을 팔기로 결정했다. 테디의 인형을 팔기로 한 결정이 매우 큰 성공을 거둬서 그 부부는 자신들의 사탕가게 문을 닫고, Ideal Novelty and Toy라는 새 장난감 회사를 시작했다.

어휘

folklore n. 민속 신앙, 민속   **have it (that절)** ~라고 말하다   **Teddy** 루즈벨트 대통령의 애칭   **game** n. 사냥감; 시합   **aide** n. 보좌관, 측근자   **stun** v. 기절시키다, 실신시키다   **cub** n. (여우, 곰, 사자 따위의) 새끼   **finish off** 죽이다; (일을) 마무리 하다, 정리하다   **deem** v. ~으로 생각하다, 간주하다   **unsporting** a. 정정당당하지 않은   **mercy** n. 자비, 연민, 동정   **caricature** v. 만화식으로 그리다; 풍자하다

092 ②

해설

(A) 'have difficulty ~ing'는 '~하는 데 어려움을 겪다'라는 뜻이므로 determining이 적절하다.

(B) because 뒤에는 절이 오고, because of 뒤에는 명사(구)가 온다. 네모 뒤에 the competition이라는 명사구가 왔으므로 because of가 적절하다.

(C) '아이들이 3년 후에 명문 대학에 들어갈지 들어가지 못할지'라는 의미이므로, '~인지 ~아닌지'의 의미를 가진 접속사 whether가 적절하다.

해석

많은 부모들이 아이들을 일반 고등학교로 보낼 것인가 혹은 특수 목적 고등학교로 보낼 것인가를 결정하는 데 어려움을 겪고 있다. 이것은 대학 입학과 관련한 경쟁 때문이다. 이 결정은 아이들이 3년 후에 명문 대학에 들어갈지 들어가지 못할지에 중요한 영향을 미칠 수 있다. 부모는 일반 고등학교보다 특수 목적 고등학교가 외국어나 엘리트 과학 교육을 지향한다는 사실에 관심이 없는 듯하다. 그들은 어떤 고등학교가 유명한 대학에 입학하는 데 더 높은 확률을 제공하는지에만 관심을 갖는다.

어휘

determine v. 결정하다   **competition** n. 경쟁; 경기, 시합   **associate** v. 결합시키다, 관련시키다   **acceptance** n. 수락, 용인   **have an impact on** ~에 영향을 미치다   **prestigious** a. 명성이 있는, 일류의   **renowned** a. 유명한, 명성 있는

093 ③

해설

① '현대의 경제가 움직이는 방법'이라는 의미로, 선행사가 방식(the way)을 나타낸다.

② 'allow+목적어+to+동사원형'은 '~가 …하도록 하다'라는 뜻이다. '우리가 물품의 가치를 나타내도록 해준다'라는 의미이다.

③ '당신이 얼마나 익숙한지'라는 뜻이고, 전치사 about의 목적어로 간접의문문이 왔으므로 how familiar you are로 고쳐야 한다.

④ '당신이 생각한 것처럼'이라는 의미로, just as는 접속사로 쓰였다.

⑤ '12개국의 통화가 유로로 대체되었다'라는 의미로 수동태가 왔다.

해석

국가의 통화는 현대 경제가 움직이는 방법에 있어서 대단히 중요하다. 국가의 통화는 우리가 국경과 바다, 문화의 경계를 넘어 계속적으로 물품의 가치를 보여주도록 해준다. 부(副)는 통화로 쉽게 보관되거나 옮겨질 수 있다. 또한 통화는 우리의 문화와 정신에 깊숙이 내재되어 있다. 당신은 물건의 가격에 얼마나 익숙한지에 대해서 생각해 본 적이 있는가? 당신이 미국에서 자랐다면, 당신은 인치나 마일로 거리를 생각하는 것과 마찬가지로 모든 것을 "달러"로 생각할 것이다. 2002년 1월 1일에 유로는 유럽 연합 12개국의 단일 통화가 되었다. 그것은 또한 세계 역사상 가장 큰 통화 사건이었다. 12개국의 통화가 없어지고 유로로 대체되었다.

어휘

currency n. 통화, 화폐   **vitally** ad. 중대하게, 극히 중요하게, 참으로   **operate** v. 움직이다, 일하다; 작용하다   **consistently** ad. 끊임없이, 항상   **border** n. 경계; 국경   **transport** v. 옮기다, 나르다, 수송하다   **embed** v. 깊숙이 박다, 파묻다; 끼워넣다   **psyche** n. 정신, 영혼   **familiar** a. 친숙한, 익숙한   **evaporate** v. 증발하다, 사라지다   **replace** v. 대체하다, 교환하다; 대신하다

094 ③

해설

(A) '영화에서 불가능한 일이 일어나게 하다'라는 의미로, 「make+목적어+목적격 보어」의 구조로 사용되었다. make가 사역의 의미일 때 목적격 보어로 동사원형을 취하므로 happen이 적절하다.

(B) '배우나 스케일 모델이 완전한 가상의 상황에 있는 자기 자신들을 발견하도록 해준다'라는 의미로, themselves가 적절하다.
(C) 이 기법이 오늘날 매우 자주 사용되는 것이므로 is used가 적절하다.

해석
어떻게 사람들이 영화에서 불가능한 일이 일어나게 만들고, 완전히 진짜처럼 보이게 하는지 당신은 아는가? 예를 들면, 그들은 영화 「이티」에서 소년들의 자전거가 날기 시작할 때 그 모습을 완전히 진짜처럼 보이게 만들었다. 일기예보에서조차도 기상 캐스터가 컴퓨터 그래픽으로 가득 찬 움직이는 일기도 앞에서 서 있을 때 그것은 완전히 진짜처럼 보인다. 이러한 경우에 환영은 트래블링 매트나 블루 스크린으로 알려진 특수 효과 기법으로 창조된다. 이 기법은 배우나 스케일 모델이 우주 공간에 있거나, 협곡에 있는 밧줄로 된 다리에 매달려 있거나, 하늘을 날아다니는 것과 같은 완전한 가상의 상황에 있는 자신을 발견하도록 해주고, 영화관에서 완전히 실제처럼 보이게 해준다. 이 기법은 매우 자주 사용되어져서 자각조차 하지 못한다.

어휘
weather forecaster 일기 예보자 **animated** a. 살아 있는, 생물인, 생기가 있는 **illusion** n. 환영, 착각 **technique** n. 기법, 수법; 기술 **imaginary** a. 상상의, 가공의, 공상의 **dangle** v. 매달려 있다, 흔들흔들 하다 **gorge** n. 골짜기, 협곡

095 ②

해설
① '그것은 새로운 특성을 도입하는 데 사용될 수 있다'는 의미로 쓰였다.
② '그것은 생산품의 영양가를 향상시킬 수 있다'라는 의미로, 주어 it에 promotes, can be used, improve가 병렬 연결된 구조이다. 따라서 improve를 improves나 can improve로 고쳐야 한다.
③ against는 '~에 반대하여, 대항하여'라는 의미로 쓰였다.
④ point to는 '~을 지적하다'라는 뜻이다.
⑤ '"가능성"이라는 단어는 충분한 이유를 제공한다'라는 의미로, the word "could"가 주어이고, provides가 동사이다.

해석
유전자 조작 식품을 지지하는 사람들은 식료품 생산에 생명 공학을 사용하는 것이 많은 이점을 준다고 주장한다. 그것은 바람직한 특성을 가진 식물과 동물을 키우는 과정을 증진시키고, 생산품이 원래는 가지고 있지 않은 새로운 특성을 도입하는 데 사용될 수 있고, 생산품의 영양가를 향상시킬 수 있다. 그러나 유전자 조작 식품의 사용에 반대하는 사람들은 이러한 일들을 그와 같은 방식으로 생각하지 않는다. 그들은 유전자 조작 식품이 사람들의 건강에 해로울 것이라고 주장하는 연구를 지적한다. 그 문제에 대해 이러한 주장을 하는 사람들에게 "가능성"이라는 단어는 극히 주의를 기울여야 하는 충분한 이유를 제공한다. 유전자 조작 식품을 비판하는 사람들은 또한 유전자 조작 식품에 대한 장기간의 효과를 연구할 만한 충분한 시간이 지나지 않았다고 말한다.

어휘
supporter n. 지지자, 옹호자, 찬성자 **genetically** ad. 유전자에 의해, 유전학적으로 **modify** v. 변경하다, 수정하다; 완화하다 **biotechnology** n. 생명 공학 **benefit** n. 이점, 이익 **desirable** a. 바람직한, 탐나는, 호감이 있는 **characteristic** n. 특색, 특질, 특성; a. 독특한 **ordinarily** ad. 대개, 보통 **nutritional** a. 영양상의 **advocate** v. 지지하다, 옹호하다, 변호하다 **detrimental** a. 해로운, 손해를 입히는 **issue** n. 문제, 논쟁; 발행부수 **extreme** a. 극단적인, 과격한; 극도의

096 ②

해설
(A) '반사회적인 생각을 표현하는 말이 없어질 것이기 때문에 그러한 생각을 불가능하게 만들 것이다'는 의미이다. 네모 뒤에 오는 문장은 앞 문장의 이유를 설명하고 있으므로 since가 와야 한다.
(B) 「with+명사+분사」 구조에서 명사와 분사와의 관계가 수동이면 과거분사를 쓴다. 그것의 의미(its meaning)가 정의되는 것이므로 defined가 적절하다.
(C) '언어가 완전해질 때 혁명이 완수될 것이다'라는 의미로, 접속사 when이 적절하다.

해석
결국 우리는 사실상 '반사회적인 생각'을 불가능하게 만들 것이다. 왜냐하면 반사회적인 생각을 표현하는 말이 없어질 것이기 때문이다. 모든 개념은 정확하게 정의되어 명확히 한 단어로 표현될 것이고, 추가적인 의미는 사라지고 잊혀질 것이다. 그 과정은 우리 모두가 죽은 한참 후에도 여전히 계속될 것이다. 해마다 점점 단어 수가 줄어들 것이고, 의식의 범위도 점차 축소될 것이다. 물론 지금도 사상 범죄를 저지를 이유나 구실은 없다. 그것은 단지 자기 억제와 현실 통제에 관련된 문제일 뿐이다. 하지만, 결국에 그럴 필요조차 없어지게 될 것이다. 혁명은 언어가 완전해질 때 완수될 것이다.

어휘
in the long run 결국은, 대체로 **thoughtcrime** n. 반사회적인[범죄적인] 생각 (George Orwell의 소설 '1984년'에서 유래) **virtually** ad. 사실상, 실질적으로는, 거의 **concept** n. 개념; 관념; 사상 **precisely** ad. 정확히, 면밀히, 정확하게 **strictly** ad. 엄격히, 엄밀히, 정확히 **define** v. 정의하다; 설명하다 **supplementary** a. 보충하는, 추가의 **wipe out** 파괴하다, 없애다; 닦아내다 **consciousness** n. 의식, 자각 **self-discipline** 자기 억제 **revolution** n. 혁명; 개혁

어법 실전 모의고사 제 1 회 P.40

097 ①	098 ①	099 ⑤	100 ④
101 ③	102 ①	103 ①	104 ④

097 ①

해설
① '꿀벌이 정말 사라진다면 농업은 붕괴될 것이다'라는 의미로, 현재 사실에 반대되는 것을 가정하는 가정법 과거를 나타낸다. if절에 과거 시제 동사 did가 왔으므로 will이 아니라 would가 되어야 한다.
② '목화와 클로버와 같은 많은 가축용 먹이도 그러하다'라는 의미로, 「So+동사+주어」의 구조로 도치되었다. cotton and much livestock fodder such as clover are pollinated by bees 정도로 볼 수 있다.
③ continue는 to부정사와 동명사 모두 목적어로 취할 수 있으므로 to grow는 적절하다.
④ far는 비교급 less를 강조하고 있다.
⑤ '새와 포유류가 먹을 음식'이라는 의미로, to eat은 의미상의 주어 for birds and mammals의 술어 역할을 한다.

해석
앨리슨 벤자민과 브라이언 맥칼럼은 그들의 최근 저서 「벌이 없는 세상」에서 꿀벌이 정말 사라진다면 농업은 붕괴될 것이라고 설명했다. 사과, 복숭아, 감귤류의 과일에서부터 딸기와 블랙베리, 견과류, 당근, 브로콜리, 양파에 이르는 90종 이상의 판매용 농작물들은 벌에 의해 수분(授粉)된다. 목화와 클로버와 같은 많은 가축용 먹이도 그러하다. 벌이 없으면 바람에 의해 수분되는 풀은 계속 자라겠지만, 꽃과 채소는 없어지고 새와 포유류가 먹을 음식이 훨씬 줄어들 것이다. 살충제에 의해 꿀벌이 사라진 중국 쓰촨성에서 배나무는 막대한 노동력인 사람의 손으로 수분되어야 한다.

어휘
disappear v. 사라지다, 소멸하다 **agriculture** n. 농업, 농사 **collapse** v. 붕괴하다, 무너지다 **commercial** a. 상업상의, 시판용의 **citrus fruit** n. 감귤류의 과일 **pollinate** v. 수분시키다 **livestock** n. 가축 **fodder** n. (가축의) 먹이, 사료 **demolish** v. 파괴하다, 뒤집다 **wipe out** ~을 파괴하다, 없애다, 죽이다 **insecticide** n. 살충제 **immense** a. 막대한, 거대한 **labor** n. 노동력, 노동

098 ①

해설

(A) 네모 뒤에 완전한 문장이 왔으므로 관계부사와 접속사가 모두 올 수 있지만, their astonishing secret이 장소를 의미하는 선행사가 아니고, ancient populations did not tend to suffer from cancer를 의미하므로 동격절을 이끄는 접속사가 와야 한다.

(B) result from은 '~에서 생기다, 기인하다'라는 뜻이다. '산업화에서 기인한 오염'이라는 의미로, 오염이 생기는 것이므로, 능동형인 resulting이 적절하다.

(C) 첫 번째 사례인 비암의 경우는 18세기에 발생했다'라는 의미로, 네모 뒤에 목적어가 없으므로 '일어나다, 발생하다'라는 의미인 자동사 arose가 와야 한다. raise는 '~을 일으키다, 발생시키다'라는 뜻의 타동사이다.

해석

이집트의 고대 미라는 고대 사람들이 암에 걸리지 않는 편이었다는 놀라운 비밀을 드러냈다. 새 연구 논문의 저자들에 의해 조사된 이집트와 남아메리카의 미라 수백 구중에서 단 한 경우만 종양으로 사망했다. 이와는 대조적으로, 오늘날 네 명 중 한 명이 암으로 죽는다. 그래서 연구 논문의 저자들은 암이 현대적인 생활방식에 의해 만들어진 '현대의 질병'이라고 주장했다. 암은 담배의 사용과 산업화로 인한 오염과 같은 현대의 생활방식 문제에 영향을 받는 사회에 제한되어 있다고 그들은 덧붙여 말했다. 그들이 언급한 첫 번째 사례인 비암(鼻癌)의 경우는 18세기에 발생했다. 실제로 오늘날 여러 가지 종류의 암의 주된 원인은 비만, 운동 부족, 지나친 음주, 햇빛에 노출, 오염, 그리고 흡연인 것으로 여겨진다.

어휘

mummy n. 미라 **disclose** v. 드러내다; 폭로하다 **astonishing** a. 놀라운, 눈부신 **examine** v. 조사하다, 검토하다 **tumor** n. 종양 **assert** v. 주장하다, 단언하다 **industrialization** n. 산업화, 공업화 **nasal** a. 코의, 코에 관한 **be related to** ~에 관련이 있다 **obesity** n. 비만 **exposure to** ~로의 노출

099 ⑤

해설

① '정신 이상의 첫 신호로써'라는 의미로, as는 '~로써'라는 뜻의 전치사로 쓰였다.

② five-year-old는 명사 children을 수식하는 형용사이다.

③ '그들이 혼잣말을 하면서'라는 의미로, while 뒤에 they are가 생략된 것으로 볼 수 있다.

④ '혼잣말을 하는 것이 집중력을 향상시키고, 정신력을 고양시키므로 어른에게도 도움이 된다'라는 의미로, improving과 lifting은 분사구문으로 병렬 연결되었다.

⑤ 통근자들(commuters)의 상위 세 가지 스트레스 대처 방법을 언급하는 것이므로, its가 아닌 their가 되어야 한다.

해석

혼잣말하는 것은 종종 정신 이상의 첫 신호로 언급되지만, 실제로 혼잣말하는 것은 당신의 정신 건강에 좋을 수도 있다. 최근 미국에서의 연구는 다섯 살 된 아이들이 어떤 단순한 과제를 할 때 말을 하지 않고 할 때보다 혼잣말을 하면서 할 때 더 잘 수행한다는 것을 보여 주었다. 다른 연구들은 적당히 '혼잣말하는 것'은 집중력을 향상시키고, 정신력을 고양시키므로 어른에게도 도움이 될 수 있다는 것을 보여 준다. 노팅엄 트렌트 대학의 과학자들은 통근자에 대한 조사를 실시했다. 과학자들은 통근자들이 이동에 대한 스트레스에 대처하기 위한 상위 세 가지 방법으로 노래하기, 콧노래 부르기와 함께 혼잣말하기를 뽑았다는 것을 발견했다.

어휘

talk to oneself 혼잣말하다 **refer to** ~를 언급하다 **madness** n. 정신 이상, 광기 **perform** v. 수행하다, 이행하다; 상연하다 **attempt** v. 시도하다 **in moderation** 알맞게, 적당히 **concentration** n. 집중력, 전념 **conduct** v. 실시하다; 처리하다 **commuter** n. 통근자 **cope with** ~에 대처하다

100 ④

해설

(A) 다른 유럽 국가들이 이러한 조치에 의해서 깊은 인상을 받은 것이므로 impressed가 적절하다.

(B) '결과를 유심히 관찰하다'라는 의미이고, watching을 수식하는 부사가 와야 하므로 keenly가 적절하다.

(C) pretend는 to부정사를 목적어로 취하는 동사이므로, to care가 적절하다.

해석

루마니아가 비만과의 전쟁을 선포했다. 정부는 유럽 최초로 패스트푸드, 사탕, 탄산음료(설탕이 든 음료수)에 부과되는 '비만세'의 도입을 계획하고 있다. 학교에서 정크 푸드의 판매 또한 금지될 것이다. 다른 유럽 국가들은 이 조치에 깊은 인상을 받은 것으로 보이고, 결과를 유심히 살펴볼 것이다. 하지만, 그들은 너무 기대를 해서는 안 된다. 루마니아의 요리법은 매우 건강에 해로울 뿐만 아니라, 일반 요리책도 라드로 요리한 소시지나 양배추롤로 채운 거위요리와 같이 끔찍할 정도로 기름기 많은 음식으로 채워져 있다. 정치인들은 이 문제에 대한 정도(규모)에 대해 잘 알고 있다. 그들은 대중의 건강을 염려하는 척 하지만, 사실은 추가 소득을 올리는 것에만 관심이 있다.

어휘

declare v. 선언하다, 선포하다; 발표하다 **charge** n. 청구, 부담 **sugary drinks** 달콤한 음료수 **ban** v. 금지하다 **impress** v. ~을 감동시키다, 감명시키다 **measure** n. 조치, 수단, 대책 **keen** a. 날카로운, 예리한 **keenly** ad. 유심히, 날카롭게, 예민하게 **incredibly** ad. 매우, 믿을 수 없을 정도로 **lard** n. 돼지기름 **stuff** v. ~을 가득 채우다, 넣다 **be aware of** ~을 알다 **scale** n. 규모, 정도 **pretend** v. ~인 체하다, ~처럼 속이다 **care about** ~에 마음을 쓰다, 염려하다 **revenue** n. 수입, 세입

101 ③

해설

① lie는 '~에 있다, 놓여 있다'라는 뜻이다. the answer가 주어이므로, lies가 적절하다.

② researchers가 주어이므로, argue가 적절하다.

③ '니코틴이 달라붙는 수용체 분자들'이라는 의미이며, the receptor molecules를 선행사로 받는다. nicotine attaches to the receptor molecules라는 문장이므로, 전치사 to가 관계대명사 앞에 와야 한다. 따라서 which가 아닌 to which가 되어야 한다. the key factor is a variation in a gene for one of the receptor molecules + nicotine attaches to the receptor molecules

④ 또 다른 연구를 의미하는 것으로 another 다음에 단수명사를 쓴 적절한 표현이다.

⑤ tell의 간접목적어절을 이끄는 의문사로 how 다음에 형용사가 온 맞는 표현이다. 간접의문문의 어순인 「의문사(how irrational)+주어(we)+동사(are being)」의 어순을 취한다.

해석

유전학과 폐암의 관계는 무엇인가? 과학자들은 그 대답이 인간의 15번 염색체 안에 있다는 것에 동의하지만, 아이슬란드의 유전체학 회사의 연구원들은 그 중요한 요소가 니코틴이 달라붙는 수용체 분자들 중 하나의 유전자 변이라고 주장한다. 그러나 또 다른 연구는 15번 염색체에 있는 두 번째 수용체 유전자가 역시 관련이 있다는 것을 발견했다. 아이슬란드의 연구는 유전자 변이가 간접적으로 폐암을 일으킨다고 단언한 반면, 이 연구는 유전적 변이가 인간이 그 질병에 걸리기 쉽게 직접적으로 작용한다는 것을 보여 준다. 어느 쪽이든 유전학 연구는 우리가 흡연을 하기로 결심할 때 우리가 얼마나 분별이 없는 사람이 되는 것인지 곧 알려줄 것으로 보인다.

genetics n. 유전학 **lie** v. ~에 있다. 위치하다: 눕다 **chromosome** n. 염색체 **Icelandic** a. 아이슬란드의: 아이슬란드 사람의 **genomics** n. 유전체학 **variation** n. 변이, 변종 **gene** n. 유전자, 유전 인자 **receptor** n. 수용체; 수용기관 **molecule** n. 분자 **hold** v. 단언하다. 확신하다. 여기다 **genetic** a. 유전자의 **indirectly** ad. 간접적으로 **susceptibility** n. 걸리기 쉬움 **irrational** a. 이성을 잃은; 분별이 없는 **take up** 시작하다

102 ①

해설
(A) 주어가 Scientists이므로 동사는 estimate가 되어야 한다.
(B) '작년에는 큰 감소를 경험했다'라는 의미로, 네모 뒤에 목적어가 왔으므로 능동형인 saw가 적절하다. 이 문장에서 last year가 주어로 쓰였다.
(C) '극심한 물 부족으로 이끌어 강이 마른다'는 의미이고, 강이 마르는 것이 물 부족으로 이끄는 것이므로 leading이 적절하다. up과 leading 사이에 which is가 생략되었다고 볼 수 있다.

해석
빙하가 역사상 어느 때보다 빠른 속도로 녹고 있다. 아홉 개의 산맥에서 서른 개의 빙하를 추적한 세계 빙하 감시 서비스(WGMS)의 과학자들은 1850년부터 1970년까지 빙하가 연간 평균 30cm의 속도로 줄어들고 있다고 추정한다. 1970년과 2000년 사이에 감소된 양이 일 년에 60cm에서 90cm까지 증가했다. 그때 이래로, 평균 수치는 일 년에 1미터 이상이었고 작년에는 1.3m로 최고의 감소를 경험했다. WGMS의 책임자인 Wilfried Haeberli 교수는 잠재적으로 재해를 일으키는 결과를 예상했다. 단기적으로 더 많은 홍수가 있을 것이며, 장기적으로 심각한 물 부족을 초래해 강이 마를 것이다.

어휘
glacier n. 빙하 **track** v. 추적하다. ~의 뒤를 쫓다 **range** n. 산맥, 산줄기; 범위; 거리 **shrink** v. 줄어들다, 감소하다 **loss** n. 감소, 손실, 손해 **see** v. 경험하다. 마주치다 **anticipate** v. 예상하다. 예기하다 **potentially** ad. 잠재적으로, 가능성 있는 **disastrous** a. 재해를 일으키는; 비참한, 불행한 **consequence** n. 결과, 결말 **in the short term** 단기적으로 **in the long term** 장기적으로 **dry up** 바싹 마르다. 말라붙다 **acute** a. 심각한, 극심한 **shortage** n. 부족, 결핍

103 ①

해설
① '지원자들이 보고 있는 어떤 이미지'라는 의미이다. 자동사 look은 '보다, 바라보다'라는 뜻이므로, which image는 look의 목적어가 될 수 없다. 따라서 '~을 보다'라는 뜻의 look at을 써야 한다.
② 'Jack Gallant 교수는 실험 대상자들에게 몇 천 개의 사진을 보게 함으로써 실험을 시작했고 그들의 시각피질의 두뇌 활동을 측정하기 위해 MRI 스캐너를 사용했다'라는 의미이다. began과 used가 and에 의해 병렬 연결되었다.
③ '그들이 어떤 그림을 보고 있는지 예측하다'라는 의미로, which절은 predict의 목적어 역할을 한다. 의문사 which는 뒤에 명사가 와서 '어떤, 어느'라는 뜻으로 쓴다.
④ '마음속이나 꿈속 이미지를 재현할 수 있는 프로그램을 만들어 내는 것이 가능할지도 모른다'라는 의미. it은 가주어, to create ~ their dreams는 진주어로 쓰였다.
⑤ to read their thoughts는 someone's mind와 or even 사이에 삽입된 to부정사구로, 목적을 나타내는 부사적 쓰임이다.

해석
미국의 과학자들은 마음을 읽는 기계를 개발하기 위한 첫 번째 실험적인 단계에 착수했다. 캘리포니아 대학에서 한 실험에서, 연구원들은 자원자들을 MRI 두뇌 스캐너에 연결시켜서 지원자들이 어떤 이미지를 보고 있는지 연구원들이 확인할 수 있다는 것을 알아냈다. Jack Gallant 교수는 실험 대상자들에게 몇 천

개의 사진을 보게 함으로써 실험을 시작했고 그들의 시각피질의 두뇌 활동을 측정하기 위해 MRI 스캐너를 사용했다. 이 새로운 스캔법을 사용함으로써, 그는 자원자들이 어떤 그림을 보고 있는지 정확하게 예측할 수 있었다. 결국 Gallant 교수는 사람의 생각을 읽어 내기 위해 마음속 이미지나 꿈속의 이미지도 재현할 수 있는 프로그램을 만들어 내는 것이 가능할지도 모른다고 말한다.

어휘
tentative a. 시험적인, 실험적인, 일시의 **hook** v. 걸다. 잠그다; n. 갈고리 **identify** v. 확인하다, 알아보다 **measure** v. 측정하다 **visual cortex** n. 시각피질(시신경으로부터 흥분을 받아들이는 대뇌 피질의 부분) **accurately** ad. 정확하게 **predict** v. 예측하다. 예언하다 **reconstruct** v. 재현하다. 재구성하다

104 ④

해설
(A) 1951년이라는 특정한 과거를 나타낸 일이므로, 과거 시제 died가 적절하다.
(B) '인간의 세포를 자라게 하는 것'이라는 의미로, had been의 주어가 와야 하므로 동명사 growing이 적절하다.
(C) 그녀의 세포가 다른 병원으로 보내진 것이므로, 수동형 were sent가 적절하다.

해석
1951년에, 헨리에타 랙스라는 이름의 가난한 31세 흑인 여성이 존스 홉킨스 병원에서 자궁경부암으로 죽었다. 가족이 모르게, 그녀의 종양은 제거되었고, 그 세포들이 실험실에서 배양되었다. 이전에, 인간의 세포를 자라게 하는 것은 극도로 어려운 일이었으나 그녀의 세포는 '신화적인 크기'로 자랐다. 그녀의 세포는 전 세계의 다른 병원으로 보내져 몇 차례의 실험에 사용되었다. 그녀의 세포는 곧 암 치료법의 발달에 기여하면서 소아마비 백신과 수많은 다른 질병에 대한 의학적 연구에 주요한 도구가 되었다. 헨리에타는 살아있었을 때보다 죽어서 더 중요한 일을 하게 되었다.

어휘
cervical a. 자궁 경관부의 **culture** v. 배양하다; 경작하다; n. 문화 **lab** n. 실험실(= laboratory) **frustratingly** ad. 좌절감을 느낄 정도로, 실망스러울 정도로 **mythological** a. 신화의 **intensity** n. 크기, 강도, 세기; 강렬 **primary** a. 주요한, 중요한; 본래의 **contribute to** ~에 공헌하다. 기여하다 **polio vaccine** n. 소아마비 백신 **countless** a. 무수한, 셀 수 없이 많은 **weigh** v. 중요하다. 중요시되다. 큰 무게를 가지다

어 법 실 전 모 의 고 사 제 2 회			P.42
105 ③	106 ⑤	107 ②	108 ③
109 ③	110 ③	111 ⑤	112 ①

105 ③

해설
① '수백만 마리의 새'라는 의미로, millions of는 막연한 수를 나타낸다. dozen, hundred, thousand, million 등이 막연한 수를 나타낼 때 복수형을 쓴다.
② back it up은 동사와 부사 사이에 대명사 it이 쓰였다.
③ a New Zealand government report를 선행사로 받으면서 replaced의 주어가 되는 계속적 용법의 주격 관계대명사가 와야 하므로 where가 아니라 which가 되어야 한다.
④ do the rounds는 '~이 전해지다[퍼지다]'라는 뜻이다. 그 실수가 기자들에 의해 발견된 이래로 전해져 오고 있다는 의미로 현재완료 진행형이 쓰였다.
⑤ that은 보어절을 이끄는 접속사이다.

해석

비닐봉지는 분해되는 데 수년이 걸리고 쓰레기의 원인이 된다. 게다가 쓰레기는 매년 수많은 해양 포유동물과 수백만 마리의 새를 죽게 한다. 하지만, 그 사실을 뒷받침할 만한 증거는 없다. 이러한 주장의 출처는 1982년에서 1986년 사이에 버려진 낚시 그물에 의해 10만 마리의 동물이 죽게 되었다는 것을 발견한 1989년 연구이다. 15년 후, 이 연구는 뉴질랜드 정부 보고서에 인용되었는데, 보고서가 '플라스틱 쓰레기'를 '비닐봉지'로 잘못 바꿔 썼다. 그 실수는 기자들에 의해 포착되었고, 그때 이래로 그 실수가 전해지고 있다. 사실은 해양 포유동물들의 위 안에서 비닐봉지가 발견됐음에도 불구하고, 얼마나 많은 동물들이 비닐봉지에 의해 죽임을 당하고 있는지 아무도 모른다.

어휘

litter n. 쓰레기, 찌꺼기; 잡동사니   **on top of that** 그 위에, 그 뿐만 아니라   **numerous** a. 매우 많은, 무수한   **assertion** n. 단언, 주장   **abandoned** a. 버려진, 황폐한; 버림받은   **quote** v. ~을 인용하다   **erroneously** ad. 잘못되게, 틀리게   **stomach** n. 위; 배, 복부

106 ⑤

해설

(A) 「keep+목적어+목적격 보어」 구조이므로 목적격 보어 자리에 safe가 와야 한다.
(B) '아이들은 중간 자리가 불편하다고 불평한다'라는 의미이다. complain의 목적어절을 이끄는 접속사 that이 생략되었고, 목적어절의 주어가 와야 하므로 it이 와야 한다.
(C) This가 가리키는 것은 앞 문장의 내용이다. '중간 좌석에서 안전벨트를 매고 앉으면, 부상을 입을 가능성이 떨어지는데, 이것은(This) 가장 심각한 사고가 측면 충돌로부터 발생하기 때문이다'라는 의미로, 원인을 나타내는 because가 와야 한다.

해석

자동차 여행에서 자녀를 가능한 안전하게 하기 위해서, 아이를 뒷좌석 중간에 (안전벨트를 채워) 단단히 고정시켜라. 부모는 아마도 충돌사고가 나면 아이가 두 앞좌석 사이의 공간을 통해 앞으로 튕겨 나갈 것을 두려워해서 종종 자녀를 뒷좌석 중간에 앉히는 것을 피하려 한다. 동시에 아이들은 뒷좌석 중간자리가 가장 불편하다고 불평한다. 하지만, 세 살 미만의 아이들을 포함한 5,000건의 자동차 충돌사고에 대한 최근의 분석은 아이들이 중간석에 안전벨트를 매고 앉게 되면 부상을 입을 가능성이 43퍼센트나 줄어드는 것을 발견했다. 펜실베니아 대학의 연구원들에 따르면, 이것은 가장 심각한 사고는 측면 충돌로부터 발생하기 때문이다.

어휘

fasten V. 단단히 고정시키다, 묶다   **crash** n. 충돌사고   **forward** ad. 앞으로, 앞에   **at the same time** 동시에   **strap** V. 안전벨트를 매다   **collision** n. 충돌

107 ②

해설

① '아이를 때리는 것'이라는 의미로, spanking은 주어 역할을 하는 동명사이다.
② '한 대학 심리학 교수에 의해 실시된 2,600명의 설문조사'라는 의미로, 명사 survey를 수식하는 과거분사 carried out으로 고쳐야 한다. 이 문장의 동사는 showed이므로 was carried out이라는 동사가 올 수 없다.
③ people이 주어이고 performed와 and에 의해 병렬 연결되었으므로 were가 적절하다.
④ until은 '~까지 (계속)'이라는 뜻으로 전치사, 접속사 둘 다 가능하다. '여섯 살까지'라는 뜻으로 쓰인 until의 쓰임은 맞는 표현이다.
⑤ '삶에서 성공하는 데 요구되는 자기 훈련'이라는 의미로, 수동형 과거분사로 쓰인 needed는 앞의 self-discipline을 수식한다.

해석

많은 사람들은 아이를 때리는 것이 아이의 발달을 방해하고 만년에(나이가 들어가면서) 행동적 문제를 일으킨다고 믿는다. 하지만, 새로운 연구는 이것에 대한 어떠한 증거도 없다는 것을 발견했다. 미시간 주에 있는 한 대학 심리학 교수에 의해 실시된 2,600명의 설문조사에서는 신체적인 체벌을 받아본 적이 없는 사람들은 여섯 살까지 가끔 맞아본 사람들보다 학교에서 수행능력이 떨어지고, 자발적 활동에 덜 참여한 것 같다는 것을 보여 주었다. 이 연구는 체벌이 반드시 훌륭한 아이를 만드는 것은 아니지만, 도덕적 견지에서 체벌을 피하는 부모는 자신의 아이들이 삶에서 성공하는 데 요구되는 자기수양을 가르치지 못할 것이라고 밝혔다.

어휘

spank V. 찰싹 때리다   **impede** V. 방해하다, 지연시키다   **behavioral** a. 행동의, 행동에 관한   **carry out** 수행하다, 이행하다   **engage in** ~에 관여하다, 참여하다   **occasionally** ad. 가끔, 때때로   **smack up** 손으로 여러 번 때리다   **corporal punishment** 체벌   **on principle** 도덕상, 도덕적 견지에서   **instill A in(to) B** B에게 A를 가르치다, 서서히 주입하다   **self-discipline** 자기훈련, 수양

108 ③

해설

(A) '기린이 높이 있는 잎사귀들을 먹을 수 있도록 진화했다'라는 의미로, 「enable+목적어+to부정사」의 구조로 쓰였다. 「enable+목적어+to부정사」는 '목적어가 ~하도록 해주다'라는 뜻이다.
(B) '낮은 곳에 잎사귀들이 부족할 때'라는 의미이므로 시간을 나타내는 부사절 접속사 when을 써야 한다.
(C) '난폭하게 치다'라는 뜻으로 동사 strike를 수식하는 부사 violently가 와야 한다.

해석

왜 기린은 그렇게 유달리 긴 목을 가지고 있는가? 일반적으로 (기린의) 목은 경쟁자가 닿을 수 없게 높이 있는 잎사귀들을 먹을 수 있도록 진화했다고 여겨진다. 하지만, 이 이론을 뒷받침하는 증거는 불충분하다. 예를 들어, 연구들은 아프리카에 있는 기린 대부분은 심지어 낮은 곳에 잎사귀가 부족할 때도 꼭대기의 잎사귀는 거의 먹지 않는다는 것을 보여 주었다. 더 최근의 이론은 (기린의 목이 긴 이유가) 짝짓기와 관련이 있다는 것이다. 암컷의 애정을 얻기 위한 경쟁을 위해, 수컷 기린은 자신들의 머리로 서로의 갈비뼈와 다리를 난폭하게 가격한다. 가장 긴 목을 가진 기린은 매우 센 일격을 가한다. 그러나 이 이론은 암컷의 목이 긴 이유를 설명하지 못한다는 점에서 또한 문제를 가지고 있다.

어휘

giraffe n. 기린   **extraordinarily** ad. 유별나게, 엄청나게, 이례적으로   **evolve** V. 진화하다, 발달하다   **theory** n. 이론, 이치, 학설   **scarce** a. 희박한, 드문, 부족한   **strike** V. 치다, 때리다, 가격하다   **rib** n. 늑골, 갈빗대   **violently** ad. 격렬히, 난폭하게, 세차게   **deliver** V. 가하다, 주다   **blow** n. 타격, 강타, 구타

109 ③

해설

① '멸종될 수도 있다'라는 의미로, could는 추측을 나타내고 있다.
② 「a number of+복수명사+복수동사」의 구조이므로 are가 적절하다.
③ The loss가 주어이므로 are가 아니라 is가 되어야 한다.
④ many of는 '~들 중 다수'라는 의미로 셀 수 있는 명사를 수식한다.
⑤ '더 직접적으로 느낀다'라는 의미로, directly는 동사(may be feeling)를 수식하는 부사로 쓰였다.

해석

유럽의 개구리와 두꺼비의 절반은 서식지의 감소, 질병, 그리고 기후 변화로 인해 향후 40년 이내에 멸종될 수도 있다. 많은 영국산 내터잭 두꺼비들 또한 수많은 양서류를 전멸할 라나바이러스의 감염으로 사라질 것으로 예상된다. 양서

류의 감소는 이미 물고기, 뱀, 그리고 조류와 같이 먹이사슬 상위에 있는 동물들에게 영향을 끼치고 있고, 곤충의 증식을 이끌 가능성이 있다. "양서류가 먹는 것들 중 다수는 농작물을 파괴하거나 사람을 무는 것들이어서, 우리는 예상했던 것보다 더 직접적으로 일부 영향을 느끼게 될 수도 있다."라고 런던 동물학 협회의 트렌트 가너가 말했다.

어휘

toad n. 두꺼비　**extinct** a. 멸종된, 절멸한　**as a result of** ~의 결과로서　**habitat** n. 서식지, 환경　**die out** 멸종되다, 자취를 감추다　**infection** n. 감염, 오염　**wipe out** ~을 죽이다, 없애다; ~을 파괴하다　**amphibian** n. 양서류　**have an impact on** ~에 영향을 주다　**proliferation** n. 증식, 급증, 확산　**zoological** a. 동물학의

110 ③

해설

(A) they는 criminals를 가리키고, 범인들이 남겨지는 것이 아니라 '범인들이 남겨놓은 박테리아'라는 의미가 되어야 하므로 leave가 되어야 한다. the bacteria와 they 사이에 leave의 목적어가 되는 목적격 관계대명사가 생략되어 있다.
(B) '우리가 얼마나 문질러 잘 씻는지'라는 의미로, 동사 scrub을 수식하는 부사 well이 와야 한다.
(C) 대명사 those는 앞서 언급된 명사(the bacteria)를 받는다. 앞서 언급된 명사가 복수이면 those를 쓰므로, the bacteria는 복수 취급한다. 주어가 복수이므로 were가 적절하다.

해석

경찰관은 범인이 범죄 현장에 남긴 박테리아로부터 범인을 확인할 수 있을까? 그것은 우리의 손은 개개인의 살아 있는 박테리아 집단을 가지고 있고, 그것이 우리가 얼마나 잘 문질러 씻느냐에 관계없이 시간이 지나도 거의 변하지 않는다는 발견으로 제기된 흥미로운 추측이다. 연구 조사에 따르면, 사람의 손은 평균 150여 종의 다양한 박테리아를 가지고 있으며, 어떤 두 사람에서도 단지 구성된 박테리아의 13퍼센트의 정도만 공유된다. 실험에서, 연구원들은 세 대의 컴퓨터 키보드에서 박테리아 DNA를 채취해서 키보드 소유자들의 손가락 끝에 있는 박테리아와 비교했다. 그들은 키보드에 있는 박테리아가 키보드 소유자의 손에 있는 박테리아와 거의 유사하다는 것을 발견했다.

어휘

identify v. 확인하다, 식별하다　**criminal** n. 범인, 범죄자　**bacteria** n. 박테리아, 세균　**intriguing** a. 흥미를 돋우는, 호기심을 자극하는　**raise** v. 제기하다, 제안하다; 올리다; 일으키다　**personalize** v. 개인화하다; 인격화하다　**barely** ad. 거의 ~ 않다; 간신히, 겨우, 가까스로　**regardless of** ~에도 불구하고, ~에 관계없이　**scrub** v. 씻다; 문지르다　**makeup** n. 구성, 조립, 구조; 분장　**wipe** v. 닦다, 씻다　**fingertip** n. 손가락 끝

111 ⑤

해설

① '영국 과학자들이 혁신적인 방법을 발견했다'는 의미로 현재완료의 쓰임 중 완료로 볼 수 있다.
② 주어는 주격 관계대명사 which의 선행사인 the shrinking of the brain이므로 is의 쓰임은 적절하다.
③ '알츠하이머병의 초기 경고 신호로 여겨지는 가벼운 인지적 손상을 입은 환자들'이라는 의미로, consider의 목적어는 mild cognitive impairment이고 an early-warning signal for Alzheimer's는 목적격 보어이다. 목적어가 앞에 있으므로 수동의 의미를 지니는 분사형태로 쓰인 considered의 쓰임이 적절하다. consider A (to be) B는 'A를 B라고 생각하다, 여기다'라는 뜻이다.
④ '~이 필요하다'라는 뜻의 「need to+동사원형」의 구조로 쓰였다.
⑤ between A and B의 상관접속사 구문으로 taking과 병렬구조를 이루어

야 하므로 reducing으로 고쳐야 한다.

해석

영국의 과학자들은 알츠하이머병(치매를 일으키는 대표적인 질환)의 최악의 결과를 피하는 간단하고, 저렴하고, 혁명적인 방식을 발견했다. 그것은 종종 알츠하이머병의 조짐인 뇌 수축을 막는 비타민B 알약이다. 옥스퍼드 대학의 과학자들은 알츠하이머병의 초기 경고 신호로 여겨지는 가벼운 인지적 손상을 입은 환자들에게 매일 다량의 비타민 B6, 비타민 B12, 그리고 엽산을 복용하게 했다. 그들은 이것이 평균 30퍼센트까지 뇌 수축을 감소시키고, 어떤 경우에는 50퍼센트까지 감소시킨다는 것을 발견했다. 연구원들은 더 많은 연구에서 비타민B의 복용과 기억 손실, 그리고 기억 혼동과 같은 알츠하이머병의 증상을 감소시키는 것과의 직접적인 연관성을 보여 주는 것이 필요하다고 말했다.

어휘

revolutionary a. 혁명의, 혁명적인　**tablet** n. 정제, 알약　**shrink** v. 오그라들다, 줄다, 수축하다　**precursor** n. 전고, 예고, 조짐; 선구자　**mild** a. (병의) 가벼운; 온화한; 관대한　**cognitive** a. 인식의, 인식력 있는　**impairment** n. 손상, 감소　**dose** n. 복용량, 1회분　**folic acid** 엽산　**on average** 평균하여; 대체로　**symptom** n. 증상, 증후

112 ①

해설

(A) a few는 셀 수 있는 명사를 수식하고, a little는 셀 수 없는 명사를 수식한다. 수식받는 명사가 extra pounds이므로 셀 수 있는 명사를 수식하는 a few가 적절하다.
(B) 네모 뒤에 주격 관계대명사 who가 왔으며, 동사 were가 온 것으로 보아 those가 와야 한다.
(C) 「the+형용사」는 복수 보통명사로 쓰여 '~하는 사람들'이라는 뜻이다. 주어인 the obese가 복수이므로 were가 되어야 한다.

해석

우리는 항상 과체중의 위험에 대해 경고를 받고 있다. 하지만, 나이가 들어갈 때, 약간 늘어난 몸무게는 실제로 당신에게 이로울 지도 모른다. 약간 과체중인 사람들이 정상 몸무게의 사람들보다 더 오래 살 가능성이 있다는 연구가 있었다. 이 연구에서 남성과 여성은 그들의 몸무게와 키로 측정된 체질량지수(BMI)에 따라 유형이 분류되었다. 체질량지수가 18.5 미만은 '저체중', 25가 넘으면 '과체중', 30이 넘으면 '비만'으로 분류된다. 이 연구 결과에서 비만인 사람들은 정상 몸무게를 가진 사람들만큼 위험하지 않은 반면, 저체중인 사람들은 매우 높은 사망률과 연관이 있었다.

어휘

get on in years 나이를 먹다, 늙다　**extra** a. 여분의, 가외의　**slightly** ad. 약간, 조금; 가볍게　**overweight** a. 과체중의, 너무 살찐　**depending on** ~에 따라　**measurement** n. 측정, 치수　**classify** v. 분류하다, 등급으로 나누다　**optimal** a. 최상의, 최적의

113 ②

해설

① '가지런히 놓여 있는 71마리의 거북이 껍질'이라는 의미로, arranged는 명사 tortoises를 수식하는 과거분사이다.
② '파충류가 먹히기 전에'라는 의미로 파충류가 먹는 것이 아니라 먹히는 것이므로 eating이 아니라 being eaten이 되어야 한다.

③ occur는 '(일이) 일어나다, 발생하다'라는 뜻으로, 신석기 혁명은 과거의 특정한 시점에 일어난 일이므로 occurred가 쓰였다.
④ '삶의 새로운 방식이 새로운 분쟁을 일으켰을 것이다'라는 의미로, 추측을 나타낸다.
⑤ '잘 지내기 위한 방법'이라는 의미로, to부정사는 앞에 ways를 수식하는 형용사적 쓰임이다.

해석
이스라엘의 북쪽에 있는 한 동굴에서 고고학자들은 12,000년 전에 묻힌 한 여성의 유해 주변에 가지런히 놓여 있는 71마리 거북이 껍질을 발견했다. 불에 탄 흔적은 그 파충류(거북이)는 아마도 그 여성의 죽음을 나타내는 행사에서 (인간이) 먹기 전에 구워졌었다는 것을 나타낸다. 이 유적지는 신석기 혁명이 유목 생활을 하던 조상들이 농업 사회로 정착하기 시작했던 무렵에 발생했음을 나타낸다. 삶의 새로운 방식이 새로운 마찰을 일으켰을 것이라고 코네티컷 대학의 선임연구원이 말했다. 더 이상 쉽게 이동할 수 없어서, 우리 조상들은 잘 지내기 위한 방법을 생각해 내어 공동체를 통합하는 기제(기구)로써 공동 사회 축제 의식을 발전시켜 왔을 것이다.

어휘
archaeologist n. 고고학자　**uncover** v. 알아내다; 폭로하다　**shell** n. 껍질; 등딱지　**tortoise** n. 거북이　**remains** n. 유해, 잔해; 나머지　**reptile** n. 파충류　**presumably** ad. 아마, 추측건대　**passing** n. 죽음; 통행, 경과　**nomadic** a. 유목의, 유목민의; 방랑의　**ancestor** n. 조상, 선조　**settle down** 정착하다　**friction** n. 마찰, 불화, 충돌　**ritual** n. (종교적) 의식, 예식　**communal** a. 공동 사회의　**mechanism** n. 기구, 기제　**integration** n. 통합, 융화

114 ②
해설
(A) 소모된 열량은 대체하는 것이 아니라 대체되는 것이므로 to be replaced가 적절하다.
(B) '사람들은 비스킷과 같은 고지방 식품을 갈망하게 하는 경향이 있다'는 의미로 「make+목적어+목적격 보어」의 구조로 쓰였다. make가 사역의 의미로 쓰였으므로, 동사원형인 desire가 와야 한다.
(C) the appetite hormone ghrelin이 선행사이므로, 선행사를 포함하는 관계대명사 what은 쓸 수 없다. which는 계속적 용법의 주격 관계대명사로 쓰였다.

해석
당신이 살을 빼기 위해 운동을 한다면, 신중히 운동 종목을 선택해라. 새로운 연구는 소모된 열량이 빨리 대체되는 경향이 있어서 어떤 형태의 운동은 참가자들이 다른 사람보다 더 배고픔을 느끼게 한다는 것을 보여 준다. 예를 들어, 차가운 물에서 수영하는 것은 사람들에게 비스킷과 같은 고지방 식품을 갈망하게 하는 경향이 있다. 걷기는 식욕에 어떤 영향도 주지 않는 반면, 더운 날에 달리는 것은 실제로 배고픔을 억누른다. 이 발견들은 식욕을 자극하는 호르몬 그렐린의 생산과 관련이 있는데, 이 호르몬은 달리기를 할 때는 억제되고, 수영을 할 때는 자극된다. 그러므로 달리기를 하는 사람들이 몸무게가 적게 나가면 더 잘 뛸 것이고, 반면 차가운 물에서 수영하는 사람들은 보호해 주는 지방으로부터 이익을 얻을 것이다.

어휘
participant n. 참가자, 참여자; 관계자　**for instance** 예를 들어　**desire** v. 몹시 바라다, 원하다　**appetite** n. 식욕, 시장기　**meanwhile** ad. 한편; 그 사이에; 그 동안에　**suppress** v. 억누르다, 억압하다, 참다　**finding** n. 발견(물), 조사 결과　**stimulate** v. 자극하다　**whereas** conj. ~에 반하여

115 ③
해설
① long이 '오랫동안'이라는 의미의 부사로 쓰여 동사 ascribed를 수식한다.
② like는 명사 radiators 앞에 쓰인 전치사로 '~처럼'이라는 뜻으로 쓰였다.

act like는 '~처럼 행동하다'라는 뜻이다.
③ '번데기가 어떤 역할을 맡게 될 것인지 결정한다'라는 의미로, 간접의문문을 나타내는 의문사 what으로 고쳐야 한다. 이 문장은 they determine과 What roles will the pupae undertake?라는 문장이 합쳐졌다.
④ one은 불특정한 단수명사인 a pupa를 받고 있는 대명사로 쓰였다.
⑤ a forager bee가 선행사이자 주어이므로, flies는 올바른 표현이다.

해석
연구자들은 꿀벌의 성공적인 직업 수행이 벌통 안에서의 노동의 분업이라고 오랫동안 여겨왔다. 이제 연구자들은 벌집 안에서 벌의 역할을 결정하는 특별한 전문가 벌을 확인했다. 난로벌은 난방기와 같은 역할을 하지만, 단지 벌집을 따뜻하게만 하지 않는다. 난로벌은 자신의 체온을 높이고, 번데기가 있는 밀폐된 방(봉방) 옆의 빈 방을 점거한다. 그렇게 함으로써 난로벌은 번데기가 어떤 역할을 맡게 될 것인지 결정한다. 예를 들어, 35도의 열로 유지된 번데기는 '가정부 벌'이 되는 반면, 36도로 유지된 번데기는 음식(꽃가루)을 찾아서 날아다니는 '채집자 벌'이 된다.

어휘
ascribe v. ~을 …에 돌리다, ~의 탓으로 돌리다　**accomplishment** n. 성취, 수행; 성과, 업적　**division** n. 분배, 나누기　**specialist** a. 전문의, 전문적인; n. 전문가　**determine** v. 결정하다, 단정하다; 결심하다　**hive** n. 벌집, 벌통　**radiator** n. 난방기, 방열기　**occupy** v. 차지하다, 점거하다　**seal** v. 봉인하다, 밀봉하다　**undertake** v. 맡다, 떠맡다　**forager** n. 식량 징발자; 약탈자

116 ②
해설
(A) blood pressure를 받는 대명사로서 단수인 that이 적절하다.
(B) 사람들이 자신들 스스로 기술하는 것이므로, 재귀대명사 themselves가 와야 한다.
(C) '결혼한 사람들은 서로에게 건강한 습관들을 장려하고, 서로에게 가치 있고 정서적인 지지를 준다고 여겨진다'라는 의미로 쓰였으므로 are thought가 적절하다.

해석
결혼은 당신의 건강에 이로울 수 있지만, 단지 행복한 결혼일 경우에만 그렇다. 브리검 영 대학의 연구원들은 204명의 기혼자들에게 그들의 결혼 상태에 대해 질문하고, 그들의 혈압을 99명의 미혼인 사람들의 혈압과 비교했다. 스스로 행복한 결혼생활을 한다고 기술한 사람들은 미혼인 사람들보다 계속적으로 낮은 혈압을 가지고 있었다. 하지만, 행복하지 않은 결혼생활을 하는 사람들은 다른 두 집단의 사람들보다 혈압이 더 높았다. 결혼한 사람들은 서로에게 건강한 습관들을 장려하고, 서로에게 가치 있고 정서적인 지지를 준다고 여겨진다. 하지만, 결혼생활이 불행하면 그러한 일은 일어나지 않을 것이다. "그들을 행복하게 하는 것은 결혼 그 자체가 아니라 결혼의 질이다."라고 Julianne Holt-Lunstad 교수는 말했다.

어휘
state n. 상태, 사정, 형편　**union** n. 결혼; 결합, 연합　**blood pressure** 혈압　**consistently** ad. 지속적으로, 일관하여　**valuable** a. 가치 있는, 귀중한　**miserable** a. 비참한, 불행한

117 ⑤
해설
① which는 Restless Leg Syndrome을 선행사로 받는 계속적 용법의 주격 관계대명사이다.
② '거듭 호소한다'라는 의미가 되어야 하므로 동사 express를 수식하는 부사 repeatedly가 왔다.
③ result in은 '~을 낳다, 야기하다'라는 뜻이다. these sensations이 주어이므로, result가 적절하다.

④ rest는 '휴식'이라는 뜻의 명사로, 전치사 during의 목적어로 쓰였다.
⑤ Sleep difficulties and night time awakenings가 주어이므로, is를 are로 고쳐야 한다.

해석
당신은 밤에 순간적으로 다리가 불편했던 적이 있는가? 그것은 '하지불안증후군'이라 부르는데, 전체 인구의 10퍼센트가 겪는 신경 장애이다. 환자들은 다리가 타는 듯하고, 바늘로 찌르는 듯하고, 전기 충격, 그리고 가려움 같은 불편함을 거듭 호소한다. 어떤 환자들은 이러한 느낌이 몹시 고통스럽다고 설명한다. 자발적인 움직임으로 증상이 나아지기 때문에, 이러한 감각은 움직이고 싶은 강한 충동을 유발한다. 이 같은 증상은 주로 휴식을 취하는 동안 발생한다. RLS는 삶의 질을 갉아먹는다. 낮 시간의 피로감과 집중력 저하를 유발하는 수면 장애(잠들기 어렵고 밤에 깨는 것)는 RLS 환자들 중에서 흔하다. 현재 RLS 완화를 위한 여러 약물을 처방전 없이 구할 수 있다.

어휘
sudden a. 갑작스러운, 돌연한   **discomfort** n. 불편, 곤란; 불쾌   **neurologic** a. 신경학의, 신경계의   **disorder** n. 장애, 이상   **disturb** v. 방해하다, 어지럽히다   **repeatedly** ad. 되풀이해서, 여러 차례   **poke** v. 쑤시다, 찌르다   **needle** n. 바늘   **itch** v. 가렵다, 근질근질하다   **sensation** n. 느낌, 기분; 감각, 지각   **result in** ~을 낳다, 야기하다   **urge** n. 욕구, 충동; v. 충고하다; 권고하다   **voluntary** a. 자발적인, 임의적인   **relief** n. 경감, 안도, 위안   **erode** v. ~을 좀먹다; ~을 파괴하다   **awaken** v. 깨우다; 자각시키다   **fatigue** n. 피로, 피곤   **inability** n. ~할 수 없는 것; 무능, 불능   **medication** n. 약, 약물   **prescription** n. 처방전

118 ①
해설
(A) though는 '비록 ~하더라도'라는 뜻의 접속사이므로 뒤에 절을 수반하고, through는 '~을 통하여'라는 전치사로 뒤에 명사형 목적어를 필요로 한다. 네모 뒤에 완전한 문장이 왔으므로, though가 적절하다.
(B) for는 주로 전치사로 쓰이나, 이 문장에서는 '왜냐하면'이라는 뜻의 접속사로 쓰였다. while은 '반면에'라는 뜻으로 앞뒤 절의 내용이 대조를 이뤄야 한다.
(C) 치료를 도와주는 성분이라는 의미이므로 능동형 assist를 쓴다. ingredients가 선행사, that이 주격 관계대명사, assist는 '돕다'라는 의미의 자동사로 쓰였다.

해석
입술이 트는 것은 특히 겨울철에 흔하지만, 어느 계절이나 생길 수 있다. 갈라진 입술은 아프고, 난처하기도 하고, 불편하다. 갈라진 입술은 때때로 말하고, 먹고, 마시는 데 어려움을 야기할 수도 있다. 입술의 바깥층이 입술이 갈라지도록 유발한다. 왜냐하면 입술은 피부처럼 건조해지는 것을 막기 위해 기름을 분비하지 못하기 때문이다. 그러므로 수분이 입술에서 증발하기 쉽고, 입술은 쉽고 빠르게 건조해진다. 갈라진 입술을 치료하고 예방하는 처방전이 필요 없는 다양한 제품을 구입할 수 있다. 이러한 제품들은 일반적으로 수분 크림, 진통제, 그리고 자외선 차단제와 같은 치료를 도와주는 성분을 함유하고 있다.

어휘
chap v. ~을 트게 하다; 금이 생기게 하다   **particularly** ad. 특히, 두드러지게   **embarrassing** a. 난처한, 곤란한; 당황하게 하는   **dry out** ~을 건조하게 하다   **moisture** n. 수분, 습기   **evaporate** v. 증발하다, 사라지다   **over-the-counter** a. 처방전 없이 살 수 있는   **healing** n. 치료   **reliever** n. 완화제; 구제자

119 ④
해설
(A) Gaia가 아파서 누워 있었던 시점이 Gaia가 사망한 시점보다 먼저 일어난 일이므로 과거완료를 써야 한다.
(B) 네모 앞의 문장은 구달 박사가 Gaia가 죽어서 매우 슬퍼했다는 내용이고, 네모 뒤에는 Gaia는 구달 박사가 가장 아끼는 침팬지 중 하나였다는 내용이다.

너무 어려서 죽어서 박사가 가장 아끼는 침팬지가 된 것이 아니라 가장 아끼는 침팬지였기 때문에 너무 슬펐던 것이므로, 즉 네모 뒤에서 구달 박사가 슬퍼한 이유가 나왔으므로 because가 적절하다.
(C) '매우 특이한 사건으로'라는 의미로, 형용사 unusual을 수식하는 부사가 와야 한다. high는 형용사와 부사로 모두 쓸 수 있다. high가 부사일 때 '높이, 높게'라는 뜻이고, highly는 부사로 '대단히, 아주, 몹시'라는 뜻이다. 따라서 highly가 적절하다.

해석
전 세계의 많은 사람들이 Gaia라는 이름을 가진 침팬지의 멋진 삶과 최근의 시련에 대해 막 알아가고 있을 때, 우리는 지난주 14살짜리 침팬지의 갑작스럽고 슬픈 죽음으로 벌써 작별 인사를 해야 했다. 곰베 국립공원의 앤소니 콜린스 박사는 "Gaia는 마지막 이틀 동안 아파서 누워 있었고, 매우 허약해졌고, 숲 속에 숨어 지내면서 사람들을 피했고, 우리가 먹이를 주려고 해도 먹지 않았다."라고 기록했다. 특히 제인 구달 박사는 그 침팬지가 그렇게 어린 나이에 죽은 것을 매우 슬퍼했다. 왜냐하면 그 침팬지가 그녀가 곰베 국립공원에서 가장 아끼는 침팬지 중 하나였기 때문이었다. Gaia가 매우 특이한 사건으로 첫 새끼를 잃었기 때문에 구달 박사와 곰베 공원의 다른 과학자들은 Gaia의 다음 임신을 관찰하기를 고대했었다.

어휘
fascinating a. 멋진, 매혹적인, 황홀한   **trial** n. 시련, 고난, 고뇌; 시도, 실험   **desperately** ad. 매우, 지독하게; 절망적으로   **eager** a. 갈망하는, 열망하는   **pregnancy** n. 임신   **firstborn** a. 먼저 태어난   **occurrence** n. 사건, 발생

120 ③
해설
(A) her name이 묘비에 새겨진 것이므로 수동의 의미를 가진 과거분사 inscribed를 쓴다.
(B) '의사가 처음으로 암을 발견한 때'라는 의미로 과거의 시점을 나타내는 접속사 when이 왔으므로 과거 동사 found를 쓴다. 현재완료는 특정 과거 시점을 나타내는 접속사 when과 쓸 수 없다.
(C) 절을 연결하는 접속사가 없으므로, 「접속사+대명사」의 기능을 가지면서, a completely independent life를 선행사로 하는 관계대명사 which가 적절하다. (~ someone with a whole independent life and most of it had preceded their arrival.)

해석
12월의 어느 바람 불고 어둠이 깔려오던 저녁에, 나는 엄마의 묘비에서 눈을 쓸어 내렸다. 나는 그 묘비에 아름답게 새겨진 엄마의 이름을 볼 수 있었다. 나는 의사가 엄마의 가슴에서 처음으로 암을 발견했을 때의 엄마의 나이와 같은 쉰다섯 살이었다. 나는 엄마가 돌아가셨던 나이보다 고작 다섯 살 어렸을 뿐이었다. 나는 내가 엄마를 바라봤던 것처럼 나를 바라보는 두 아이의 엄마였다. 아이들은 자기들이 태어나기 전에 완전히 독립적인 삶을 가졌던 사람으로 엄마를 보지 않고 오직 자신의 '부모'로만 엄마를 바라본다. 쉰다섯 살에 나는 엄마도 나처럼 꿈과 자유의지를 가졌던 한 여자였음을 깨닫게 되었다.

어휘
darken v. 어둡게 하다; 음침하게 하다   **gravestone** n. 묘석, 묘비   **inscribe** v. 기입하다, 새기다   **breast** n. 가슴   **completely** ad. 완전히   **precede** v. ~에 앞서다, 먼저 일어나다   **arrival** n. 등장, 출현, 도착   **free will** 자유 의지

121 ②

해설

① who는 Project development officers를 선행사로 받는 주격 관계대명사이다.

② '그들은 ~을 하도록 기대된다'라는 의미가 되어야 하므로 수동형인 was looked가 되어야 한다.

③ 동사 bring out, emphasize, known, reward가 to에 연결되어 병렬구조를 이루므로 동사원형인 reward는 맞는 표현이다.

④ stated objectives는 '명시된 목표들'이라는 뜻이다. stated는 수동, 완료의미를 갖는 분사형 형용사이다.

⑤ applicants를 받는 소유격 대명사로 their가 쓰였다.

해석

우리는 전략 개발, 정책 수립, 수행 보고, 그리고 대민 홍보를 담당할 정규직 프로젝트 개발 관리자들을 구하고 있습니다. 프로젝트 개발 관리자들은 일의 진행 절차가 팀워크를 이끌어내고, 공유된 가치를 강조하고, 절차상의 우선순위를 보여 주고, 혁신을 보상하도록 설계되어 있는지 확실히 하도록 기대됩니다. 프로젝트 개발 관리자들은 제한된 자원 내에서 시기에 알맞은 방법으로 프로그램의 활동들이 명시된 목표를 성취해 내도록 설계되고 수행되게 하기 위해서 리더십과 경영 기술을 적용할 줄 알아야 합니다. 지원자들은 학위, 경험, 그리고 다른 관련 요소들에 기반하여 선발됩니다. 선발된 지원자들은 관련 지식과 기술, 능력에 대한 인터뷰를 하게 됩니다.

어휘

be responsible for ~할 책임이 있다 **strategy** n. 전략, 전술 **formulation** n. 공식화, 체계화; 명확한 설명 **operational** a. 조작상의, 경영상의 **procedure** n. 절차, 수속; 순서 **bring out** ~을 끌어내다, 발휘하다 **emphasize** v. 강조하다, 역설하다 **priority** n. 우선 사항, 우선권 **reward** v. 보상하다, 보답하다; n. 보상 **innovation** n. 혁신, 쇄신 **implement** v. 이행하다, 실행하다; 충족시키다 **stated** a. 정해진; 공식의 **objective** n. 목표 **constraint** n. 제약, 제한; 강제 **credential** n. 자격, 적격 **applicant** n. 지원자 **relevant** a. 관련한, 적절한

122 ⑤

해설

(A) rise는 '자라다, 오르다'라는 뜻의 자동사이고, raise는 '키우다, 올리다'라는 뜻의 타동사이다. garden produce라는 목적어가 수반되므로 raise를 쓴다.

(B) '초창기에 내가 한 실수들 중 하나는'이라는 의미이고, 이 문장의 주어는 one이므로 was가 적절하다.

(C) planting이 주어이므로 results가 적절하다.

해설

나는 도시에서 자랐지만, 부모님은 도시로 이사 오기 전에 농부였다. 나는 농사 유전자가 내게 있다고 느꼈다. 그래서 내가 농촌 지역에서 직장을 가졌을 때, 나는 과일 창고를 채우고, 가족들에게 먹일 야채를 기르기로 결심했다. 그 일은 그런 식으로(내가 생각했던 것처럼) 그다지 잘 되지는 않았다. 초창기에 내가 한 실수들 중 하나는 일반 옥수수와 팝콘용 옥수수를 서로 나란히 심은 것이었다. 일반 옥수수와 팝콘 옥수수는 나란히 심어서는 안 된다. 그 이유는 옥수수는 바로 옆줄에 있는 옥수수와 수분을 하기 때문이다. 일반 옥수수와 팝콘 옥수수를 서로 나란히 심는 것은 한 줄기에 원하지 않은 잡종을 생산한다.

어휘

gene n. 유전자, 유전 인자 **cellar** n. 저장소, 창고 **work out** (일이) 잘 풀리다, 좋게 진행되다 **sweet corn** 옥수수 **side by side** 나란히 **pollinate** v. 수분시키다, 가루받이시키다 **nearby** ad. 가까이에, 근처에

123 ②

해설

① commonly는 '흔하게'라는 뜻의 부사로 동사 occur를 수식한다.

② them은 앞 문장의 the flu를 지칭하므로, them이 아니라 it으로 고쳐야 한다.

③ '어떤 독감의 종류는 다른 종을 감염시킬 수 있다고 알려져 있다'는 의미이다. '~으로 알려져 있다'라는 표현은 「be known to+동사원형」이다.

④ 원래 many people may not be properly immune to the swine flu 라는 문장이다. 선행사 the swine flu가 앞으로 이동하고 관계대명사 which 앞에 전치사 to가 온 것이다.

⑤ 모든 사람이 두려움에 떨게 했다는 의미로,「make+목적어+목적격 보어」의 구조로 쓰였다. 목적격 보어로 형용사 fearful이 왔다.

해석

계절성 독감은 독감 바이러스에 의해 유발되는 호흡기 감염이다. 계절성 독감 발생은 주로 가을이나 겨울에 일어난다. 독감은 귓병, 축농증, 폐렴 같은 합병증을 유발할 수 있고, 심지어 천식이나 심장 마비와 같은 심각한 상황을 유발할 수도 있다. 독감은 쉽게 변하고 다양한 변종을 만들어 내는 능력을 가지고 있고, 그러한 능력은 독감을 몸의 면역 체계로부터 보호해 준다. 어떤 독감의 종류는 새에게서 인간에게 감염될 수 있는 '조류 독감'처럼 다른 종의 동물까지 감염시키는 것으로 알려져 있다. 2009년, 많은 사람들이 충분한 면역체를 가지고 있지 않던 '돼지 독감'의 출현은 모든 사람을 유행성 독감의 공포에 떨게 했다.

어휘

respiratory a. 호흡의, 호흡을 위한 **infection** n. 감염, 전염 **outbreak** n. 발생, 발발, 출현 **complication** n. 합병증; 복잡 **ear infection** 귓병 **sinus infection** 축농증 **pneumonia** n. 폐렴 **asthma** n. 천식 **heart failure** 심장 마비 **multiple** a. 다수의, 다양한 **strain** n. 변종, 품종; 혈통 **immune** n. 면역; a. 면역성의 cf.) 면역력 **avian flu** 조류 독감 **emergence** n. 출현; 발생 **swine flu** 돼지 독감 **epidemic** n. 유행병, 전염병; 유행, 만연

124 ③

해설

(A) the sanitation garage를 선행사로 받는 관계부사 where가 적절하다.

(B) '~을 ~하도록 시키다'라는 의미의 사역동사(make)의 수동태 구문으로 to 부정사가 와야 한다. The judge made her attend anger management counseling.라는 능동태 문장이 수동태 문장으로 전환된 것으로 볼 수 있다.

(C) '성질이 나쁘기로 유명한 Campbell이 정말로 변했는지 (안 변했는지) 두고봐야 할 것이다.'라는 의미이다. '~인지 ~아닌지'의 뜻을 지닌 if나 whether가 와야 한다.

해석

이번 주 초, 슈퍼모델 나오미 캠벨은 가정부에게 휴대 전화를 던진 일에 대한 형벌의 일부로 5일 동안 바닥 청소를 하는 쓰레기 처리장에 출근해서 하이힐을 작업용 부츠로 갈아 신었다. 법적인 문제를 깨끗이 해결하기 위해 캠벨은 법원의 명령을 따랐고, 뉴욕의 쓰레기 처리장에 제 시간에 도착했다. 그녀는 하루 종일 서서 커다란 빗자루를 들고 쓰레기 처리장을 쓸었다. 닷새 동안의 사회봉사 외에도 캠벨은 분노를 다스리는 상담에 참석할 것을 명령받았다. 언론 보도에 따르면, 캠벨은 자신의 성격을 어린 시절에 자신을 버린 아버지에 대한 적개심이 남아 있어서라고 책임을 전가한다. 불같은 성미를 지닌 것으로 악명이 높은 캠벨이 정말로 변했는지 아닌지는 두고 볼 일이다.

어휘

trade A for B A를 B로 교환하다 **report for duty** 출근하다 **sanitation** n. 공중위생, 위생 설비 **mop** v. 청소하다, 닦다 **sentence** n. 형벌, 선고; 문장 **punctual** a. 시간을 지키는, 엄수하는 **in addition to** ~에 더하여, ~일 뿐만 아니라 **management** n. 제어, 관리 **account** n. 보도, 기사; 예금액 **lingering** a. 오래 가는, 좀처럼 사라지지 않는 **resentment** n. 원한, 적개 **notoriously** ad.

악명 높게 **fiery** a. 불같은

125 ②

해설

① most of는 '~중 대부분'이라는 뜻으로 쓰였다.

② is의 주어가 되면서 work around the house를 선행사로 받는 주격 관계대명사 which가 와야 한다. 뒤에 주어가 없는 불완전한 문장이 왔고, the house가 선행사가 아니므로 관계부사 where는 부적절하다. he believes는 삽입절이다.

③ so as to는 '~하기 위해서'라는 뜻이다. so as not to be disturbed는 '방해를 받지 않기 위해서'라는 뜻이다.

④ exhausted는 '지친, 피곤한'이라는 뜻으로 내가 피곤함을 느끼는 것이므로 exhausted로 쓰였다.

⑤ '내가 늦잠 자도록 놔두지 않았다'라는 의미로 「사역동사(let)+목적어+목적격 보어(동사원형)」의 구조이므로 맞는 표현이다.

해석

내 결혼생활에서 어려움의 대부분은 남편이 집안일을 하지 않으려는 것에서 기인했는데, 그는 그것이 여자의 책임이라고 믿었다. 5년간 세 명의 아이가 태어나기 전까지는 그렇게 나쁘지 않았다. 남편은 아이의 울음소리에 방해를 받지 않기 위해서 다른 방에서 잠을 잤다. 나는 잠을 거의 자지 못하고 다른 두 어린 아이 때문에 일찍 일어나야 해서 너무나 지쳐버렸다. 아이들 돌보기, 집안일, 수리 작업, 요리, 그리고 빨래로 인해 나는 신체적으로 정신적으로 지쳐버렸다. 남편은 단 하루의 아침도 아이들과 함께 일어나기를 거절했고, 내가 늦잠 자는 것을 허락하지 않았다.

어휘

trouble n. 곤란, 문제, 골칫거리 **unwillingness** n. 자발적이 아님, 본의 아님 **responsibility** n. 책임, 책무, 의무 **disturb** v. 방해하다, 훼방 놓다 **wear out** 피곤하다; 낡아지다

126 ③

해설

(A) 이 문장의 동사는 is이므로, 단수 주어가 와야 한다. 따라서 The number가 적절하다.

(B) 한국 정보 통신 업체가 개발에 박차를 가하는 것이므로 spurring이 적절하다.

(C) '스마트폰과 SNS를 이용하는 새로운 모바일 시스템'이라는 의미로, a new mobile system이 스마트폰과 SNS를 이용하는 것이므로, using을 써야 한다.

해석

현재 한국에서 200만 대 이상의 스마트폰이 사용되고 있다. 또한 트위터 가입자 수는 35만 명이고, 페이스북 가입자 수는 71만 명에 달한다. 스마트폰을 사용하고 소셜 네트워킹 서비스에 가입하는 사람들의 수가 지속적으로 급상승할 것으로 예상된다. 소셜 네트워킹 서비스가 요즘 매우 대중화되어서 TGIF(하나님, 감사합니다. 오늘이 금요일이군요.)는 이제 트위터(Twitter), 구글(Google), 아이폰(I-phone)과 페이스북(Facebook)의 약어가 되었다. 이 변화에 대한 반응으로, 한국 정보 통신 회사들은 회사 홍보와 정보 전달, 의사소통의 수단으로 스마트폰 애플리케이션 개발과 소셜 네트워킹 서비스의 전략적 활용에 박차를 가하고 있다. 정부 산하 연구기관들도 스마트폰과 SNS를 이용한 새로운 모바일 시스템을 구축하고 있으며, 다양한 종류의 애플리케이션을 개발하고 있다.

어휘

subscriber n. 가입자; 구독자 **skyrocket** v. 급상승하다, 치솟다 **acronym** n. 두문자어(단어의 머리글자로 만든 말) **spur** v. ~에 박차를 가하다; 몰아대다; 격려하다 **application** n. 응용 프로그램 **strategic** a. 전략의, 전략적인 **promotion** n. 홍보, 판촉; 승진, 조장 **transmission** n. 전달, 전송 **institution** n. 기관, 학회, 협회 **construct** v. 세우다, 건설하다

127 ⑤

해설

① a state-mandated program이 선행사이고, which가 주격 관계대명사이므로 includes가 적절하다.

② 형식화된 글쓰기 활동이라는 의미로, writing activities가 형식화된 것이므로 과거분사 formalized가 적절하다.

③ otherwise는 '만일 그렇지 않으면'이라는 뜻의 부사이다.

④ supplies는 '필수품'이라는 뜻의 명사로 쓰였다.

⑤ 주어가 parents이고, receive와 go가 can에 병렬 연결된 구조이므로 going이 아니라 go가 되어야 한다.

해석

프랑스의 교육과정은 학령기부터 고등교육까지 매우 중앙집권적이다. 유치원에서 대학에 이르기까지 학생들은 국가가 요구하는 교육과정을 하는데, 그 교육과정은 일반적으로 학습해야 할 자료, 읽어야 할 보고서, 시연해야 할 기술의 목록을 포함한다. 이 중앙 집권적 교육과정은 유치원 아이들에게조차도 형식화된 글쓰기 활동과 지문 이해를 요구한다. 모국어 사용자를 위한 이러한 활동들은 정규 교육 과정 내내 교육의 중심이 된다. 대학에서 학생들은 외국어 과정을 선택할 수 있지만, 그렇지 않을 경우 교육과정에 따른다. 교육과정은 너무나 표준화되어 있어서 학부모들은 현재 학년 말에 다음 학년의 교과서와 준비물 목록을 받아서 근처 상점에 사러 갈 수 있다.

어휘

centralize v. 중앙집권화하다, 중심에 모으다 **postsecondary** a. 중고등 과정 후의 교육 **kindergarten** n. 유치원 **mandate** v. 명령하다, 요구하다; 통치를 위임하다 **demonstrate** v. 설명하다, 논증하다 **formalize** v. 형식화하다; 격식을 갖추다 **recognition** n. 알아보기, 인식

128 ②

해설

(A) 「ask+목적어+to부정사」는 '~에게 …을 하도록 요구하다'라는 의미이므로 to pledge가 와야 한다.

(B) 올해의 선거는 누가 우리 시를 이끌어 갈지 결정하게 된다는 의미이고, 선거가 결정을 하는 것이므로 determine이 와야 한다.

(C) will에 go와 reappear가 병렬 연결된 구조이다. 후보들이 투표용지에 등장한다는 의미이므로 reappear가 적절하다. reappear는 '다시 등장하다'라는 뜻의 자동사이다.

해석

우리 도시를 더 나은 곳으로 만들 작은 변화를 만드는 일에 서약해 주시기를 부탁드립니다. 다가오는 선거에 필요한 행동을 알려드립니다. 우리 시는 선택의 기로에 있고, 올해의 선거는 우리 시가 이 중대한 시기를 헤쳐 나갈 때 누가 우리 시를 이끌어 나갈지를 결정하게 될 것입니다. 후보자들의 리스트를 확인하는 것을 잊지 마세요. 각 정당에서 가장 많은 표를 얻은 후보자들이 총선거까지 선거 운동을 할 것이고, 총선거 투표용지에 다시 등장할 것입니다. 모든 사람의 투표가 중요합니다. 그러므로 자랑스러운 시민으로서 여러분의 시민권을 결코 포기하지 마십시오.

어휘

pledge v. 맹세하다, 서약하다, 보증하다 **remind** v. 상기시키다, 일깨우다 **upcoming** a. 다가오는 **election** n. 선거 **be at a crossroads** 갈림길에 서다 **determine** v. 결정하다, 결의하다 **critical** a. 중대한, 결정적인 **candidate** n. 후보자, 지원자 **party** n. 정당, 당; 파티 **general election** 총선거 **ballot** n. 투표용지 **abandon** v. 포기하다, 버리다 **civil right** 시민권 **citizen** n. 시민, 주민

129 ①	130 ①	131 ④	132 ②
133 ①	134 ④	135 ④	136 ⑤

129 ①

해설

① 밑줄 뒤에 consider 목적어가 없는 불완전한 문장이 왔으므로 선행사를 포함하며, 주절을 이끌고 동시에 consider의 목적어가 되는 what으로 바꿔야 한다. 선행사가 없으면서 밑줄 뒤에 불완전한 문장이 왔으므로 that은 적절하지 않다.

② '사적인 일이 공적인 일과 관련될 때'라는 의미로, 보어인 선행사 the time이 생략되고 관계부사 when이 쓰였다.

③ any expectation의 동격절을 이끄는 접속사 that이다.

④ personal backgrounds, identity, life details 중에서 '어떤 부분'이라는 의미이고, about의 목적어절을 이끄는 의문사 what이다.

⑤ '우리의 모습을 어떻게 설명할지에 관하여'라는 뜻이므로 '어떻게'라는 의미의 의문사 how가 쓰였다. as to는 '~과 관련하여, ~에 대하여'의 의미로 about과 같다. as to 다음에는 절이나 구가 올 수 있다.

해석

'개인적이거나 사적인 것'은 항상 분명한 것이 아니다. 어떤 사람이 정상이라고 생각하는 것이 비정상적인 것일 수 있고, 다른 사람들과 공유된 사회적 규범과 가치와 다른 것일 수도 있다. 다시 말해서, 개인적이라는 것은 사회적, 문화적으로 규정된 것이다. 개인적인 일이 언제 공적으로 알려져야 하는가? 간단한 대답은 개인적인 일이 공적인 일과 관계있을 때이다. 하지만, 다른 사람들이 모든 사적인 일을 알아야 한다는 어떤 기대를 가지고 있는 것은 아니지 않은가? 우리는 우리의 개인적인 배경, 정체성, 그리고 사생활 중 어떤 부분을 공개할지에 대해 우리 스스로 선택해야 한다. 우리가 우리 자신의 삶에 관한 이야기를 쓸 때, 우리는 우리 경험의 양상을 어떻게 묘사할지에 대해서 결정하고 있다.

어휘

self-evident 자명한, 따로 증명할 필요 없는　**abnormal** a. 보통과 다른, 이상한　**norm** n. 규범, 전형; 표준　**in other words** 바꿔 말하면, 즉　**define** v. 정의하다. 설명하다　**feel like** ~ 같은 생각이 들다, ~할 것 같다　**expectation** n. 기대, 예상　**identity** n. 정체성, 주체성; 동일함　**compose** v. ~을 짓다, 만들다; 구성하다　**as to** ~에 관해서

130 ①

해설

(A) hold는 '~을 열다, 개최하다'라는 의미의 타동사다. 자이언츠 팀에 의해 팬 미팅이 열리는 것이므로 수동형인 to be held가 적절하다.

(B) 「make a pledge to+동사원형」은 '~을 하기로 맹세하다'라는 뜻이다. make는 사역의 의미로 쓰이지 않았다.

(C) 네모 뒤에 명사구(his impressive hitting and contact skills)가 나왔으므로 because of가 적절하다.

해석

이승엽은 1월 19일에 공식적으로 요미우리 자이언트 입단식을 가졌다. 구단은 원래 며칠 뒤 열릴 팬 미팅에서 (새 선수를 환영하는) 입단식을 치를 계획이었다. 하지만, 이승엽은 가능한 한 빨리 계약서에 서명하고 훈련을 시작하고 싶었다. 다쯔노리 하라 요미우리 감독은 이승엽에게 시즌 중에 1군을 보장할 수 없다고 말했다. 그 당시에 다른 선수들은 따라잡을 수 없는 Dillon의 인상 깊은 장타력과 컨택트 능력(공을 맞추는 기술)으로 인해 구단에서 Joe Dillon의 존재는 위협적이었다. 그러나 이승엽은 3월에 열린 월드베이스볼클래식에서 5개의 홈런과 10타점으로 타점 1위에 오르고, 자이언트의 4번 타자로 자신의 실력을 계속 발휘했다.

어휘

officially ad. 공식적으로　**contract** n. 계약　**make a pledge** 맹세하다, 서약하다　**guarantee** n. 보증　**presence** n. 존재, 현존; 출석　**daunt** v. 위압하다, 기세를 꺾다　**impressive** a. 인상적인, 감명 깊은　**RBI(= run(s) batted in)** 타점　**display** v. ~을 발휘하다; 전시하다　**fourth batter** 4번 타자

131 ④

해설

① your toddler가 주어이므로, experiences가 단수 동사로 쓰였다.

② chances are good ~은 '~할 가능성이 크다'는 뜻이다.

③ consider는 동명사를 목적어로 취하는 동사이므로 speaking이 쓰였다.

④ near는 '~에 가까워지다, 접근하다'라는 의미의 동사로 쓰였다. the toddler가 주어이므로 nears로 써야 한다.

⑤ unless는 '만약 ~하지 않다면'이라는 뜻으로 if not의 의미이다.

해석

과민성 방광은 모든 연령의 사람들에게 영향을 줄 수 있다. 어린 아이들의 과민성 방광은 자주 급하게 화장실을 가야 하는 원인이다. 당신의 아이가 과민성 방광의 결과로 인해 소변이 새거나 흐른다면, 아이가 소변이 새기 전이나 소변이 새는 도중 혹은 소변이 샌 후에 소변을 볼 필요조차 느끼지 못할 가능성이 크다. 대부분의 어린이들은 자라면서 과민성 방광을 극복하지만, 일부 아이들은 극복하지 못한다. 그래서 아이가 학교에 첫 등교할 때까지 과민성 방광이 지속된다면, 담당 소아과 의사와의 상담을 고려해야 할 것이다. 사람들이 과민성 방광을 극복하는 데 도움을 줄 약물도 이용 가능하지만, 그 약물들은 꼭 필요한 경우가 아니면 일반적으로 사용을 삼가고, 꼭 필요한 경우일지라도 문제가 진행되고 있는 어른들에게만 주로 처방된다.

어휘

overactive a. 활동이 지나친　**bladder** n. 방광　**affect** v. 영향을 미치다, 작용하다　**frequent** a. 자주 일어나는, 빈번한　**urgent** a. 긴급한, 다급한　**toddler** n. 유아, 아장아장 걷는 아이　**leak** v. 새다, 새어 나오다　**drip** v. 뚝뚝 떨어지다　**urinate** v. 소변 보다　**pediatrician** n. 소아과 의사　**near** vt. ~에 가까이가다, 접근하다; vi. ~에 가까워지다, 접근하다　**overcome** v. 극복하다　**withhold** v. 억제하다, 말리다　**prescribe** v. 처방하다; 규정하다　**ongoing** a. 진행 중인, 발달 중인

132 ②

해설

(A) '대충 번역하면'이라는 의미로, 피자라는 단어가 번역되어지는 것이므로 translated가 적절하다. if it is loosely translated에서 「접속사+주어+be동사」가 생략되었다고 볼 수 있다.

(B) 네모 뒤에 완전한 문장이 왔으므로, Maples라는 장소를 선행사로 하는 관계부사 where가 와야 한다. 관계대명사 which는 뒤에 불완전한 문장이 온다.

(C) '손으로 먹도록 하는 의도에서'라는 의미로, a combination of inexpensive ingredients가 먹어지는 것이므로 meant ~ to be eaten이 되어야 한다.

해석

피자는 토핑을 뿌려 오븐에서 구운 둥글고 얇은 빵에 지나지 않는다. 이탈리아어로 피자는 대충 번역하면 '평평함' 또는 '파이'라는 뜻이다. 피자의 기원에 관한 이론들은 대부분 일화이지만, 피자는 우리가 알다시피 나폴리 시에서 개발된 것으로 추정된다. 그 도시에는 18세기 중반까지 피자 가게들이 매우 흔했다. 처음에 간단하게 매일 영양분을 손으로 먹을 수 있도록 하고자 하는 의도에서 만들어졌던 저렴한 재료의 조합인 피자는 지난 10년간 매우 창조적이고 종종 독특한 것으로 변화했다. 기본적으로 모차렐라와 바질을 곁들인 토마토 피자에서부터 샐러드 피자, 버섯 피자와 살사를 소스로 한 새우 피자와 같은 더 모험적인 조합까지 선택할 수 있는 범위가 넓어졌다.

어휘

loosely ad. 막연히, 대충 **translate** v. 번역하다, 옮기다 **flatten** v. 평평하게 하다, 평평하게 펴다 **anecdotal** a. 일화의, 일화가 많은 **initially** ad. 처음에, 첫 머리에 **combination** n. 조합, 배합, 결합 **inexpensive** a. 비싸지 않은, 비용이 많이 들지 않은 **ingredient** n. 재료, 원료, 성분 **nourishment** n. 영양분; 영양 상태 **venturesome** a. 모험을 좋아하는; 대담한 **mushroom** n. 버섯

133 ①

해설

① '그 질병이나 장애로 야기된 한계와 상황에 처하다'라는 의미로, circumstances와 are 사이에 주격 관계대명사 which가 생략되었다. 관계대명사와 be동사(which are)는 함께 생략해야 하므로 are brought가 아닌 brought가 되어야 한다. limits and circumstances가 이 문장의 선행사이다.
② 관계부사 where가 이끄는 절은 형용사절로 선행사 diseases를 수식한다. 관계부사 where 뒤에 완전한 문장이 왔다.
③ which는 chronic illnesses를 선행사로 받는 주격 관계대명사이다.
④ 당뇨병이 관리가 된다는 의미로, 수동태가 쓰였다.
⑤ A person이 주어이므로 단수 동사인 has가 쓰였다.

해석

만성적인 질병을 가진 사람들은 매우 심한 통증과 고통에 직면하거나 그 질병이나 장애로 야기된 한계와 상황에 처하게 될 수 있다. 다양한 종류의 만성적인 질병이 있다. 스트레스와 통증을 완화시킬 수 있는 방법이 거의 없는 질병이 있는 반면에, 그들 중 일부는 잘 관리하면 큰 불편함이나 고통을 일으키지 않는다. 또한 악화되고 있는 치명적인 만성 질병도 있는데, 이들은 새로운 장애를 일으키거나 궁극적인 죽음으로 이끈다. 당뇨병은 큰 불편함이나 고통 없이 관리될 수 있는 질병의 좋은 예이다. 당뇨병 환자는 분명히 지속적인 증상과 어려움을 가지고 있지만, 관리만 잘 되면 개인적인 스트레스나 불편함은 현저히 감소될 수 있다.

어휘

chronic a. 만성적인, 장기간에 걸친 **distress** n. 고통, 고민, 곤란 **limit** n. 한계, 경계; 극한 **circumstance** n. 상황, 환경 **relieve** v. 경감하다, 완화하다 **discomfort** n. 불쾌, 불편 **fatal** a. 치명적인; 불행을 초래하는 **progressive** a. (병이) 진행하는, 악화하는 **eventual** a. 최후의, 결과로서 일어나는 **minimize** v. 최저로 하다, 극소화하다

134 ④

해설

(A) '학생들이 편견을 경험하도록 허락하지 않을 것이다'라는 의미로, 「allow+목적어+to+동사원형」 구문으로 쓰였다. 따라서 experience가 되어야 한다.
(B) '내 일을 제대로 하지 않다'라는 의미로, 동사 have not done을 수식하는 부사 properly가 와야 한다.
(C) '내가 학생들에게 작문 숙제를 내줄 때마다'라는 의미이므로 whenever가 와야 한다. whatever 뒤에는 불완전한 문장이 와야 한다.

해석

오늘날 사회에서, 문법은 그 사람의 계층과 문화적 배경을 나타내는 표시로 여겨진다. 나는 현대 사회의 문법에 관한 그러한 관점을 무시할 수가 없다. 나는 내가 할 일을 제대로 하지 않아서, 즉 문법을 가르치는 것을 간과해서, 학생들이 편견을 경험하도록 하지는 않을 것이다. 그래서 나는 학생들에게 정확한 발음과 어휘, 단어 표현을 사용하도록 가르치려고 애쓰고 있다. 나는 학생들이 교실에서 친구들 앞에서 발표할 때마다 그들에게 표준어를 사용하여 말하기를 요구할 것이다. 또한, 나는 학생들에게 작문 숙제를 낼 때마다 문법적으로 올바른 표준어를 사용하여 보고서를 작성하도록 요구할 것이다.

어휘

indication n. 표시; 징조, 조짐 **class** n. 계층; 학급 **ignore** v. 무시하다, 모르는 체하다 **bias** n. 편견, 선입견 **omit** v. 생략하다, 빼다 **labor** v. 애쓰다, 몰두하다; 노동하다 **oral** a. 구두의, 구술의 **peer** n. 친구, 동료 **assign** v. 숙제를 내다

135 ④

해설

① over는 '~동안에, ~에 걸쳐'라는 의미로 시간을 나타내는 전치사이다.
② '사람들이 당면한 어려움'이라는 의미로, 과거분사가 the challenges를 수식하고 있다. challenges와 faced 사이에 which are가 생략되었다고 볼 수 있다.
③ '행동과 기부를 이끌어 내기 위해 사람들의 이야기를 사용하고 있다'라는 의미로, 「use+목적어+to부정사」 구조로 쓰였다. to induce은 명사를 stories를 수식하는 형용사적 쓰임이다.
④ '이 단체의 회원들 대부분'이라는 의미로 앞의 Living Water를 가리킨다. 따라서 their를 its로 고쳐야 한다.
⑤ everyone이 단수 주어이므로 단수 동사가 is가 쓰였다.

해석

Living Water는 스토리텔링을 이용하여 자신들의 주장을 관철시키는 비정부 단체이다. 이 단체는 향후 10년간 개발도상국의 1억 명의 사람들에게 깨끗한 식수를 공급하겠다는 야심찬 목표를 가지고 있다. 이 단체는 깨끗한 식수가 없는 사람들이 당면한 어려움에 관한 1,000개 이상의 개인적인 이야기들을 사람들에게 알림으로써 행동과 기부를 이끌어 내기 위해 사람들의 이야기를 사용하고 있다. 비디오, 사진, 그리고 감동적인 현장의 이야기들을 통해서, Living Water는 전 세계적인 관심을 얻었다. Living Water는 조직적인 뒷받침의 중요성을 알고 있고, 이 단체의 회원 대부분은 훌륭한 글쓰기 솜씨를 가지고 있다. 또한 직원 모두가 자신의 웹사이트에 정기적으로 기고한다.

어휘

forward v. 나아가게 하다, 촉진하다 **cause** n. 결과; 주장, 주의; 논점; 이유 **ambitious** a. 야망적인, 야심을 품은 **challenge** n. 도전, 어려움 **induce** v. 권유하다, 설득하여 ~시키다 **donation** n. 기부, 기증 **compelling** a. 마음을 끌게 하는, 주목하지 않을 수 없는 **backing** n. 도움, 후원, 지지 **notable** a. 뛰어난, 두드러진; 중요한 **contributor** n. 기고가, 투고가; 공헌자, 기부자

136 ⑤

해설

(A) '안전 점검을 하며 미국 전역을 돌아다니는 성인'이라는 의미이고 (A)의 행위의 주체는 adults로, adults가 안전 점검을 하는 것이므로 doing을 쓴다.
(B) '일반적으로'라는 뜻으로 문장 전체를 수식하는 부사 overall을 사용한다. general은 '일반적인'이라는 뜻의 형용사로 문장 전체를 수식하지는 못한다.
(C) 네모 뒤에 완전한 문장이 왔으므로 관계대명사가 올 수 없다. 선행사 part-time job에 재미를 느끼는 것이므로 전치사 in이 필요하다. 이 문장은 That is my part-time job. + I find a great joy in that part-time job.으로 쓸 수 있다. 따라서 in which가 와야 한다.

해석

나는 집을 떠나서 수중 안전을 위한 위험 관리 기관의 담당부장으로 일하고 있다. 나에게는 우리 인명 구조원과 수영 강습 프로그램을 사용하기로 한 수영장의 안전 점검을 하며 미국 전역을 돌아다니는 서른 명의 어른으로 구성된 팀이 있다. 내가 가장 바쁠 때는 봄과 여름이지만, 일반적으로는 나는 파트타임으로 일을 하는데, 때때로 가을이나 겨울에는 파트타임으로 조차도 일을 하지 않는다. 나는 또한 일주일에 열두 시간 정도 체육 클럽에서 다섯 살에서 열세 살의 아이들에게 수영 강습을 하고 있다. 그것은 내가 아주 즐거움을 느끼는 파트타임 일이다. 나는 완전히 수중 스포츠맨이라고 말할 수 있다.

어휘

from home 집을 떠나서 **aquatic** a. 물의, 물속의 **safety** n. 안전, 무사 **review** n. 조사, 검토 **opt** v. 선택하다, 고르다 **overall** ad. 일반적으로, 종합적으로 **all around** 완전히; 모든 사람에게; 도처에

LESSON 13 그림 어휘

P.52

137 ⑤   138 ②

137 ⑤

해설

그림을 보면 줄이 일직선 상태일 때는 합력(net force)이 제로이지만, 곡선일 때는 약간의 합력(net force)이 생기므로 ⑤는 zero가 아니라 nonzero로 바꾸어야 한다.

해석

바이올린은 줄에 긴장감(장력)을 줘서 각각의 줄을 평평한 상태, 즉 직선으로 만든다. 위의 두 그림에서 보는 바와 같이 팽팽한 바이올린 줄은(체인이 연결된 것처럼) 연속적으로 연결된 많은 개별적인 부분의 합으로 볼 수 있다. 그림 1에서 줄이 직선일 때, 줄의 장력은 일정하고 주어진 그 부분에서 밖으로 향하는 두 개의 힘(외향력)의 합은 제로이다. 즉 외향력은 동일한 크기를 가지며 반대방향으로 향한다. 줄의 그 부분에 작용하는 합력(net force)이 전혀 없어서 그 줄은 평형 상태에 있게 된다. 하지만, 줄이 그림 2에서처럼 곡선이면, 줄의 그 부위에서 외향력의 합은 이제 더는 제로가 아니다. 비록 줄의 일정한 장력이 같은 크기의 외향력을 제공하지만, 외향력은 약간 다른 방향을 가리킨다. 그래서 그 부분은 제로의(→제로가 아닌) 합력을 경험한다. 줄의 부분마다 가해진 합력(외향력의 합)은 (줄이) 원상태로 돌아가려고 하는 힘이 되고, 그 힘이 (줄을) 진동하게 하여 소리를 만들어 내게 될 것이다.

어휘

tension n. 장력; 팽팽함; 긴장   **string** n. (악기의) 현, 줄; 실, 끈   **equilibrium** n. 평형, 균형   **straight** a. 곧은, 일직선의   **be composed of** ~으로 구성되어 있다   **individual** a. 개별적인, 개개의   **in a chain** 연쇄적으로   **uniform** a. 균일한, 획일적인; n. 유니폼, 제복   **outward** a. 외면의, 외면적인; 바깥의   **sum to zero** 합이 제로이다   **net force** 합력(물체의 운동 상태를 바꾸는 힘)   **magnitude** n. 크기, 규모; 중요성   **restore** v. 되찾다, 회복하다   **vibrate** v. 진동하다, 흔들리다

138 ②

해설

컴퓨터는 이미지를 1과 0이라는 숫자에 의해 인식을 하고 양자택일식의 접근을 하기 때문에 정교하지 못한 거친 이미지를 만들어 내고, 따라서 명암의 차이에 대한 미묘한 정보를 제대로 표현해내지 못한다는 문맥이다. 따라서 ② enhance(강화하다, 부각시키다, 늘리다)는 흐름에 맞지 않으며 '약화시키다, 낮추다'라는 뜻을 지닌 lower나 weaken 등으로 고쳐야 한다.

해석

구식 디지털 카메라를 PC에 연결해 그것을 행복한 얼굴에 맞추어 보면, 당신의 컴퓨터는 주어진 그림의 오른쪽에 보이는 것과 같은 이미지로 인식하게 될 것이다. 수치화된 얼굴의 이미지는 거친데, 왜냐하면 컴퓨터는 1과 0으로 환산하여 생각하고 양자택일식의 접근을 하기 때문이다. 어떤 경우에는 이것이 명암의 차이에 대한 미묘한 정보를 강화해서(→ 약화해서) 그것으로 인해 눈과 입에 대한 상세한 부분이 결여되게 된다. 눈과 입에 있는 세부적인 부분이 결여되고, 또 다른 경우에는 부드럽고 완만한 곡선이 되어야 할 가장자리에서 볼 수 있듯이 그 차이점들을 과장하기도 할 것이다.

어휘

primitive a. 원시적인, 구식의   **aim** v. ~을 목표로 하다, 겨누다; n. 목적, 목표   **perceive** v. 인지하다, 인식하다   **digitize** v. 수치화하다, 디지털화하다   **in terms of** ~에 의하여, ~의 관점에서   **all-or-nothing** 전부가 아니면 하나도 없다는 식의, 양자택일의   **approximation** n. 접근   **enhance** v. 강화하다, 늘리다   **subtle** a. 미묘한, 미세한; 민감한   **versus** prep. ~대, ~에 대하여   **hence** ad. 그러므로,

따라서   **exaggerate** v. 과장하다   **edge** n. 가장자리

실전감각 익히기

P.53

139 ④   140 ④   141 ②   142 ③

139 ④

해설

그림 B와 C를 비교할 때 그림 C가 B보다 더 자세히 표현되어 인식하기 쉽다. 그러므로 simplified를 detailed로 고쳐야 한다.

해석

사물을 인식하는 것은 거의 분리되어 일어나지 않는다. 얼굴을 인식하는 것도 동일한 방식으로 이루어지는 듯하다. 그림 A에 제시된 얼굴의 부분으로 볼 때, 윤곽(융기)이나 선으로 이목구비를 충분히 묘사할 수 있다는 사실에 주목하라. 그러나 그 이목구비들이 그림 B에 나온 것처럼 배경으로부터 분리될 때 결과는 다를 수 있다. 그림 B의 이목구비들은 기본적으로 그림 A의 그것들과 동일하지만, 배경에서 분리되면, 그것들은 식별이 더 어려워진다. 그림 C에서처럼 우리는 단독으로 제시되었을 때 얼굴의 이목구비들을 분명하게 확인하기 위하여 실제로 그림 B에서보다 더 단순화된(→ 상세한) 표현을 필요로 한다. 따라서 우리의 배경 식별이 안면 인식 과정에서의 세부사항 부족을 보완해 준다.

어휘

identification n. 식별, 신원   **isolation** n. 분리, 고립   **perception** n. 인식; 자각   **bump** n. 두상, 융기, 혹   **sufficient** a. 충분한, 흡족한   **depict** v. 묘사하다, 그리다   **feature** n. 얼굴 생김새   **context** n. 배경; 상황   **simplified** a. 간략하게 한, 간소화한   **presentation** n. 표시, 제시   **unambiguously** ad. 명백하게, 분명하게   **compensate** v. 보완하다, 상쇄하다; 보상하다

140 ④

해설

수증기는 실린더 안으로 흘러들어 가서 피스톤을 실린더의 오른쪽으로 밀어낸다. 피스톤은 증기 엔진의 실린더 안에서 앞뒤로 움직이면서 (증기가 실린더 안에서 돌아다니는 것을 막는) 정지장치의 역할을 한다.

해석

1710년에 토마스 뉴커먼은 최초로 성공적으로 피스톤으로 작동하는 증기 기관을 만들었다. 최초의 증기 기관은 물이 끓을 때 발생하는 수증기로 작동했다. 밀폐된 공간에서 수증기가 생성되면, 더 넓은 공간이 필요해서 수증기는 증기 기관의 엔진을 밀어낸다. 뉴커먼의 증기 기관의 작동 원리는 다음과 같다. 수증기는 증기 기관의 실린더 내에서 앞뒤로 움직이며 정지 장치 역할을 하는 피스톤을 실린더의 오른쪽을 향해 밀어내며 실린더로 유입된다. 그것은 피스톤의 한 쪽 끝과 플라이휠(회전 속도 조절 바퀴)을 분리하는(→ 연결시키는) 연접봉을 밀어낸다. 결과적으로 플라이휠은 연접봉의 영향을 받아 왼쪽으로 돌기 시작한다. 플라이휠이 돌면, 편심봉도 왼쪽으로 같이 돈다.

어휘

enclose v. 둘러싸다, 에워싸다; 동봉하다   **performance property** 작동 원리   **flow** 유입되다   **stopper** n. (기계의) 정지 장치; 멈추는 사람   **slide** v. 미끄러지듯 움직이다   **rod** n. 봉; 막대기, 장대   **detach** v. 떼어내다, 분리하다; 파견하다   **flywheel** n. 플라이휠(회전 속도 조절 바퀴)   **consequently** ad. 결과적으로   **eccentric rod** n. 편심봉   **as well** 마찬가지로, 같이

141 ②

해설

제시된 그림에서 귀덮개(ear flap)는 귀를 덮고 있으므로 reveal이 아닌 cover로 고쳐야 한다.

남바위는 한국에서 가장 오래된 전통 방한모 중 하나이다. 처음에는 상류층의 남성과 여성만이 남바위를 착용했다. 후에는 서민들도 그것을 착용했으며, 더 나중에 가서는 여성들만이 착용하게 되었다. 이 모자는 머리와 이마를 찬바람으로부터 보호해 주고 윗부분에 둥글게 트인 구멍이 있다. 목 뒷부분을 위한 긴 뒷 덮개가 있고 양쪽의 귀마개는 귀를 드러내 준다(→ 덮어 준다). 비단 끈이 귀마개에 부착되어 있다. 비단 끈은 모자를 제자리에 꽉 고정시키기 위해 턱 아래에 묶는다. 남바위의 아랫부분은 털로 단이 대어져 있고, 모자는 꽃과 새 문양으로 장식되어 있다.

어휘

upper class 상류 사회, 상류 계급　**commoner** n. 평민, 서민　**forehead** n. 이마　**reveal** v. 드러내다, 보이다; 폭로하다　**tightly** ad. 단단히, 팽팽히　**in place** 그 자리에　**border** v. 단을 대다, 테를 두르다

142 ③

해설

따뜻한 온도로 인해 그림 2의 활동층은 그림 1보다 더 깊어졌음을 알 수 있다. 따라서 shallower를 deeper로 고쳐야 한다.

해석

위 세 그림은 지구 온난화가 동토층 지역에 미치는 영향에 대한 한 모형을 나타내고 있다. 동토층은 (온도가) 섭씨 0도나 그 이하로 2년 이상 지속되는 얼어 있는 땅이다. 세계 대부분의 동토층은 많은 양의 탄소를 유기 물질 안에 가둔 채 수천 년 동안 얼어 있었다. 그림 1에서 볼 수 있는 것처럼, 극도로 추운 지역의 동토층은 수천 피트 두께로, 활동층이라고 불리는 몇 피트 깊이의 토양층 아래에 있다. 그 활동층은 계절에 따라 얼고 녹는다. 연간 평균기온이 빙점 이하로 약간 떨어지는 지역에서는 동토층이 그림 2에서처럼 흩어져 있다. 그림 1과 비교했을 때, 그림 2의 동토층은 더 얕은(→ 더 깊은) 활동층으로 덮여 있다. 이제 더 짧고 더 온화한 겨울을 겪고 있는 그림 3의 동토층 지역에서 동토층 영역은 그림 2와 비교했을 때 더 줄어든다. 이산화탄소와 메탄이 대기로 방출되고 그림 3에서처럼 더 많은 나무와 식물들이 자란다.

어휘

represent v. 나타내다, 표현하다; 대표하다　**permafrost** n. (영구) 동토층　**millennia** n. 천 년(millennium의 복수형)　**trap** v. 가두다; 덫을 놓다　**organic** a. 유기의, 유기체의; 유기농의　**thaw** v. 녹다; 해동하다　**scatter** v. 흩어지다, 뿌리다　**shallow** a. 얕은; 피상적인, 얄팍한　**carbon dioxide** 이산화탄소

LESSON 14 철자 혼동어　P.54

143 ①　　144 ⑤

143 ①

해설

(A) shortage 부족, 결핍　/　strength 힘, 세기
(B) change 바꾸다, 변경하다　/　range 범위가 ~까지 걸쳐 있다(range from A to B)
(C) hardness 경도(硬度), 단단함　/　hardship 곤란, 고초

해석

비록 대부분의 사람들이 다이아몬드를 보석으로 인식하지만, 다이아몬드는 일종의 도구로 우리의 일상생활에 가장 직접적으로 영향을 끼친다. 공업용 다이아몬드는 매우 중요해서 부족하면 금속 세공업의 붕괴를 초래할 것이며 대량 생산에 해를 입힐 것이다. 공업용 다이아몬드는 으깨어지고 가루가 되어서 많은 연마와 광택 작업에 사용된다. 다이아몬드의 사용 범위는 치과의 드릴에서부터 바위 절단용 톱과 유리 절단기에까지 이른다. 다이아몬드의 굉장한 경도는 다이아몬드를 우리에게 알려진 가장 중요한 공업용 물질 중 하나가 되게 한다.

어휘

breakdown n. 붕괴, 몰락　**metal-working** 금속 세공술의　**mass production** 대량 생산　**crush** v. 분쇄하다; 눌러 부수다　**powder** v. 가루로 만들다, 분쇄하다　**grinding** n. 연마, 분쇄　**polishing** n. 광택　**saw** n. 톱

144 ⑤

해설

(A) particle 미립자, 분자　/　principle 원리, 원칙
(B) concentrating ~을 모으고　/　contaminating ~을 오염시키고 (concentrate 모으다, 집중하다　/　contaminate 오염시키다, 더럽히다)
(C) command 명령, 통제　/　comment 논평, 설명

해석

한국 연의 모양은 연이 바람을 잘 이용할 수 있도록 과학적인 원리에 근거를 두고 있다. 한 가지 특별한 한국의 연은 직사각형의 '방패연'인데, 그것은 중앙에 특이한 구멍을 가지고 있다. 이 구멍은 바람이 약한 날에는 바람을 모으고, 바람이 강하게 불 때는 그것이 통과해 가도록 함으로써 바람의 속도에 상관없이 연이 빨리 날도록 도와준다. 중앙의 구멍은 또한 연이 연을 날리는 사람의 통제에 빨리 반응하게 해 준다. 이런 이유로 방패연과 같은 한국의 연은 '연싸움'에 능숙하다.

어휘

shape n. 형태, 모양　**particular** a. 특별한, 특이한　**rectangular** a. 직사각형의　**shield** n. 방패; 보호물　**regardless of ~** ~에 상관없이

> **Check Point**
> 1. complimentary　나는 두 장의 무료 공연 티켓을 가지고 있다.
> 2. momentous　그 두 회사 간의 거래는 중요한 사건이었다.

실전감각 익히기　P.55

| 145 ① | 146 ① | 147 ① | 148 ① |

145 ①

해설

(A) assist 돕다, 원조하다　/　resist 저항하다, 반항하다
(B) objective 목표, 목적　/　objection 반대, 이의
(C) sit 앉다, 착석하다　/　seat 앉히다

해석

저는 Sunshine 자선 단체를 개선하기 위해 위원회를 조직하는 데에 도움을 달라는 요청을 받았습니다. 저희는 강력한 위원회를 구성하려고 노력하고 있습니다. 저는 당신이 이 위원회에 참여해 줄 것을 부탁해 왔습니다. 저는 당신이 저희 위원회의 목표에 관심이 있을 것이라고 생각합니다. 우리 모두는 당신의 조언과 도움이 얼마나 귀중할지를 알고 있습니다. 첫 회의는 다음 주 목요일 11시에 이곳에서 열릴 예정입니다. 당신이 오셔서 위원회의 일원이 되시는 데에 동의하실 것을 기대합니다.

어휘

committee n. 위원회　**charity** n. 자선, 자선 단체　**form** v. 만들다, 형성하다　**invaluable** a. 매우 귀중한, 값을 헤아릴 수 없는　**sit on the committee** 위원회의 일원이 되다

146 ①

해설

(A) resistance 저항, 반발 / connection n. 관계, 관련; 연결
(B) flooded 물에 잠긴, 침수된 / limited 부족한, 결여된; 제한된, 한정된
(C) prospect 가능성, 가망 / retrospect 회상, 회고

해석

맹점은 단순한 지식의 부족이 아니다. 맹점은 특정한 분야의 학습에 대한 저항에서 생겨난다. 우리의 많은 맹점의 뿌리에는 가장 두드러지게는 두려움이 있고, 뿐만 아니라 자존심과 자기만족, 걱정과 같은 수많은 감정이나 태도가 있다. 예를 들면, 경영자는 재정 분야의 탁월한 지식을 지니고 있을지도 모르지만, 인력 관리에 대한 이해는 부족할 수도 있다. 그녀의 직원들은 그녀가 차갑고 냉담하다고 느끼며, 그녀가 좀 더 상담을 해주고 팀에 관여하기를 바란다. 그러나 그녀는 자신의 관리 방식에 대한 피드백을 기꺼이 받아들이려 하지 않고, 자신의 관리 방식의 변경 가능성을 고려하는 것조차 거부할 것이다.

어휘

blind spot 맹점(본인이 깨닫지 못하는 약점)　**lack** n. 부족, 결핍　**emerge from** ~에서 생기다, 일어나다　**obvious** a. 두드러지는, 명백한, 분명한　**pride** n. 자존심, 자부심　**self-satisfaction** 자기만족　**unsurpassed** a. 탁월한, 비길 데 없는　**financial** a. 재정적인, 재정의　**understanding** n. 이해, 해석　**consultative** a. 상담의, 자문의　**involved with** ~에 관여하는　**be willing to+동사원형** 기꺼이 ~하다

147 ①

해설

(A) deliberate 계획적인, 신중한, 침착한 / delicate 섬세한, 가냘픈
(B) blow 불어서 날리다 / glow 빛나다, 빛을 내다
(C) thorough 완전한, 철저한 / through ~을 통하여

해석

우리는 바나나를 자주 먹지만, 바나나에 대해 많이 알고 있는 사람은 거의 없다. 바나나 나무는 나무줄기가 없는 지구상에서 가장 큰 식물이다. 그 줄기는 많은 양의 물을 함유하며, 매우 섬세하다. 바나나 나무는 일 년에 20피트 높이로 자랄 수 있지만, 그다지 세지 않은 바람이라도 바나나 나무를 넘어뜨릴 수 있다. 열매 줄기 혹은 다발은 일곱 개에서 아홉 개의 송이로 되어 있고, 각각의 송이는 빽빽한 나뭇잎 틈 사이로 통과해서 천천히 자라는 열 개에서 스무 개의 바나나로 되어 있다. 바나나는 익기 바로 직전에, 수확되고, 포장되어, 마침내 지역 슈퍼마켓으로 배달된다.

어휘

woody a. 목질의, 나무의　**stem** n. 줄기, 대　**trunk** n. 줄기, 나무줄기　**extremely** ad. 매우, 심히; 극단적으로　**moderate** a. 온화한, 적당한　**bunch** n. 송이, 다발　**hand** n. (바나나의) 송이　**tightly** ad. 빽빽이; 단단히　**ripen** v. 익다, 성숙하다

148 ①

해설

(A) lap 무릎 / lab(= laboratory) 실습실, 실험실
(B) suburb 교외, 시내 / superb 최고의, 훌륭한
(C) appliance 기구, 장치, 설비 / application 신청서, 지원서

해석

당신은 3주 간의 골프와 수영, 과학 실험, 컴퓨터 훈련, 그리고 외국인 선생님들과의 영어 회화 수업에 대해 어떻게 생각하십니까? 당신은 이 모든 것을 저희 캠퍼스에서 경험할 수 있습니다! 또한 당신은 모든 수업에 수업료를 지불해야 하는 것은 아닙니다. 1월 10일에 시작해서 3주 동안, 강원도 전 지역의 700명의 중학생들이 최초로 무료 겨울 캠프를 경험하고 참여하도록 캠퍼스에 초대될 것

입니다. 당신은 우리 캠퍼스의 컴퓨터 실습실에 있는 최첨단 기술에 특히 감명을 받을 것입니다. 스프레드시트에서 파워 포인트를 이용한 발표 능력까지, 학생들은 대학 교수들로부터 최고의 수업을 받게 됩니다! 저희 웹사이트를 방문하셔서 신청서를 다운로드하세요.

어휘

instructor n. 교사, 강사, 지도자　**participate** v. ~에 참가하다, 참여하다　**free of charge** 무료로　**impress** v. 감명을 받다, 감동시키다　**state-of-the-art** a. 최신의　**presentation** n. 발표, 설명; 제출

149 ③

해설

(A) damaged 손상을 입은, 피해를 입은 / recovered 회복한, 되찾은
(B) hostile 적대적인, 반대하는 / favorable 호의적인, 호의를 보이는
(C) valid 타당한, 정당한 / biased 편견이 있는, 치우친

해석

설문조사를 하는 데 있어서 그 반응은 사건에 의해 영향을 받는다. 우리는 조사의 결과를 검토할 때 이것을 고려해야 한다. 예를 들어, 항공기 추락사고 후에 어떤 조사가 이루어진다면 항공사에 대한 명성은 손상될 것이다. 어느 컴퓨터 회사의 생산품에 결함에 대한 주요 뉴스의 보도가 있은 직후의 회사 설문조사에서 그 회사는 명성을 잃었다. 긍정적인 면을 보면, 한 음료회사에 의해서 행해진 회사 이미지에 대한 설문 조사에서 회사가 올림픽에 막대한 투자를 한 후 대중이 매우 호의적인 태도를 보여줬음이 드러났다. 결과적으로 설문조사는 설문조사하는 조직이 뉴스에 나오거나 여론에 영향을 줄 수 있는 중대한 사건에 관계되지 않을 때 수행되어야 한다. 중립적인 상황에서 그 조직의 명성이나 생산품, 서비스에 관한 보다 타당성 있는 조사가 수행될 수 있다.

어휘

survey n. 조사, 검사; 개관　**reputation** n. 평판, 명성　**crash** n. 추락; 충돌　**coverage** n. 보도, 취재; 적용범위　**defect** n. 결함, 하자; 결점　**beverage** n. 음료, 마실 것　**massive** a. 막대한, 대규모의　**investment** n. 투자, 출자　**consequently** ad. 결과적으로　**organization** n. 조직체, 집단　**significant** a. 중대한, 중요한　**public opinion** 여론　**neutral** a. 중립적인, 공평한　**context** n. 상황, 맥락

150 ④

해설

(A) adapt ~에 적응하다 / adopt 받아들이다, 채용하다
(B) supply 공급 / demand 수요
(C) economic 경제의, 경제상의 / economics 경제학

해석

다른 모든 사업들과 마찬가지로 장미꽃 업계도 변화하는 시장 상황에 적응해야 한다. 과거에는 대부분 꽃집이 재배자로부터 장미를 구입한 도매상에게서 장미를 사들이는 소규모의 독립적인 업체였다. 밸런타인데이와 같은 특별한 날에는 높은 수요로 인해 열두 송이의 장미 값이 두 배 또는 그 이상으로 뛰었다. 오늘날에는 대형 슈퍼마켓 체인점, 곳곳에 산재한 직판 도매상, 그리고 직판 통신 판매자 등이 장미 공급업자에 포함되고 있다. 장미에 담긴 로맨스는 경제 현실에 의해 자리바꿈되었다.

어휘

marketplace n. 시장, 장터   **florist** n. 꽃장수; 화초 재배가   **independently** ad. 독립적으로, 자주적으로   **wholesaler** n. 도매업자   **dozen** a. 12개의   **rise** v. (값이) 오르다, 뛰다   **twofold** a. 두 배의, 이중의   **replace** v. 바꾸다, 대신하다

> **Check Point**
> 1. intricate   그 옷은 복잡한 패턴으로 디자인되었다.
> 2. accidental   그는 그 희생자를 싫어했다. 그래서 살인은 우발적이 지 않았다.

실 전 감 각 익 히 기			P.57
151 ③	152 ③	153 ②	154 ③

151 ③

해설

(A) least 최소의, 가장 작은 / most 최대의, 가장 많은
(B) loss 손실, 손해 / benefit 이득, 이익
(C) saving 절약하는 / spending 소비하는

해석

효율성은 최소한의 비용으로 구체적인 목표를 신속하게 달성하는 것을 의미한다. 효율성이라는 개념은 구체적으로 산업이나 사업의 이해관계에 관련된 것이지만, 전형적으로 고객에게 이득이 되는 것으로 광고된다. 사례들은 많다. 샐러드 바, 자기 음료를 직접 채우는 것, 셀프 서비스 주유소, 현금 자동 입출금기, 전자레인지로 직접 데워 먹는 식사, 가게 주인에게 주문을 하던 예전 식료품 가게와는 다른 편의점 등이 해당된다. 여기서 흥미로운 요소는 예전에 고객들을 위해 행해졌던 일을 흔히 고객이 결국 스스로 하게 된다는 것이다. 그래서 고객은 결국 더 많은 시간을 소비하게 되고, 새로운 기술들을 배워야만 하며, 더 많은 숫자를 기억해야 하고, 사업체가 더 효율적으로 운영되거나 더 높은 이윤 폭을 유지하도록 하기 위해 흔히 더 비싼 값을 지불해야 한다.

어휘

efficiency n. 효율성, 능률   **specific** a. 구체적인, 특정한   **end** n. 목적, 목표; 끝, 결말   **interest** n. 이해(관계); 흥미; 이자   **typically** ad. 전형적으로; 일반적으로   **plentiful** a. 풍부한, 많은   **previously** ad. 예전에   **end up ~ing** 결국 ~하게 되다   **force** v. ~하지 않을 수 없다, 강요하다   **maintain** v. 유지하다, 지속하다   **profit margin** 이윤 폭

152 ③

해설

(A) generous 관대한, 너그러운 / genuine 진정한, 마음에서 우러나온
(B) transfer 양도하다, 이전하다 / transform 변형하다, 바꾸다
(C) encouraged ~을 장려하는 / discouraged ~을 막는
(encourage 장려하다, 촉진하다; 격려하다 / discourage 단념시키다, 말리다; 낙담하다)

해석

올해 8월 베이징 올림픽 입장권이 벌써 백오십만 장 이상 팔렸다. 많은 입장권이 진정한 스포츠팬들에 의해 구입되었다. 하지만, 그렇지 않은 것들도 있다. 일부 입장권 소지자들은 벌써 폭등한 값에 암시장에서 자기 입장권을 팔고 있다. 개막식 입장권은 원래 한 장에 4백 달러가 안 되었는데, 현재 4천 달러 이상에 판매되고 있다. 이런 일은 일어나서는 안 되는 것이다. 올림픽 규정에는 다른 사람에게 입장권을 양도할 수는 있지만, 경제적인 이득을 위해 그렇게 하는 것은 안 된다고 나와 있다. 누구라도 잡히는 사람은 엄청난 벌금에 처해지지만, 이것이 인

터넷에서 공개적으로 자신의 좌석을 판매하는 것을 막지는 못하고 있다.

어휘

black market 암시장   **inflated** a. (가격이) 폭등한; (공기로) 부푼, 팽창한   **be supposed to+동사원형** ~하기로 되어 있다   **fine** n. 벌금, 과료

153 ②

해설

(A) beneficial 유익한, 이로운 / disastrous 비참한, 피해가 막심한
(B) reduce 줄어들다 / increase 늘어나다, 증가하다
(C) poverty 가난 / wealth 부(富)

해석

기술 혁신이라는 것이 부정적인 영향을 준 사례가 핀란드 북부의 Skolt Lapp 족의 설상차 보급을 조사한 한 연구원에 의해 보고되었다. 설상차는 순록 썰매를 주요 교통수단으로 이용하던 Lapp 족들에게 상당한 상대적 이점을 가져다주었다. 그것은 훨씬 더 빨라서 물자 운반을 보다 더 효율적으로 만들었다. 그러나 설상차는 Lapp 족들에게 비참한 결과를 가져왔다. 우선, 설상차의 소음이 순록들을 놀라게 해서 차례로 건강상의 문제를 드러내게 했으며, 매년 더 적은 수의 새끼를 낳게 했다. 눈 자동차를 사기 위해 순록 몇 마리를 파는 목축업자로 인해 순록 떼의 규모도 더 줄어들었다. 순록 떼가 점점 줄어들면서 Lapp 족들은 살아가기가 더 어렵다는 것을 알게 되었고, 결국 설상차는 Lapp 족을 가난 속으로 몰아간 제품으로 여겨졌다.

어휘

innovation n. 혁신, 쇄신   **examine** v. 조사하다, 검사하다   **snowmobile** 설상차(눈이나 얼음 위를 쉽게 달리도록 제작된 특수 자동차)   **considerable** a. 상당한, 적지 않은   **relative** a. 상대적인, 비교상의; n. 친척, 일가   **advantage** n. 이점, 강점   **reindeer** n. 순록   **sled** n. 썰매   **primary** a. 원시적인, 초기의; 가장 중요한   **means of transportation** 교통수단   **efficient** a. 효율적인, 능률적인; 유능한   **frighten** v. 놀라게 하다   **in turn** 순서대로; 교대로   **calf** n. 새끼; 송아지   **herder** n. 목동, 목축업자   **be viewed as** ~로 여겨지다

154 ③

해설

(A) verbal 말의, 구두의 / nonverbal 비언어적인, 말을 사용하지 않는
(B) determined 결심한, 단호한 / detrimental 해로운, 불리한
(C) vulnerable 취약한; 상처받기 쉬운 / venerable 존경할 만한, 공경할 만한

해석

여자 아이들은 남자 아이들이 종종 간과하는 보디랭귀지(신체 언어)와 포착하기 어려운 비언어적 메시지에 주의를 기울이도록 사회화되어 있다. 하지만, 여자 아이들은 수업 중에, 야외에서, 특히 식사 자리에서 그들 주변을 끊임없이 소용돌이치는 다른 사람들의 감정에 빨리 맞출 수 있다. 또한 이러한 능력은 여자 아이들의 주의를 쉽게 흐트러뜨리고, 실패하기 쉽게 만들기 때문에 해로울 수도 있다. Clara라는 이름의 한 고등학생은 "우리에게는 우리가 학교에서 잘하도록 늘 강요하는 부모님과 선생님이 있고, 그들은 우리가 방과 후에 하는 모든 일을 잘하기를 원한다. 이러한 압력은 우리를 너무 지나치게 성공에만 집중하게 만든다"라고 말한다.

어휘

socialize v. 사회화하다, 사회적으로 만들다   **subtle** a. 이해하기 어려운, 미세한   **overlook** v. 간과하다   **tune in to** ~에 귀 기울이다, 따르다   **swirling** a. 소용돌이치는; 현기증 나는   **pressure** v. 강요하다, 압력을 가하다   **distract** v. 주의를 딴 데로 돌리다, 흐트러뜨리다

16 LESSON
의미 혼동어 및 기타
155 ②   156 ②

Check Point
1. **receipt** 뭔가를 살 때 영수증을 요구하는 것을 잊지 마라.
2. **founded** 그 기관은 2006년에 설립되었다.

155 ②

해설

(A) hesitancy 망설임, 주저함 / consistency 일관성, 한결같음
(B) distribution 배급, 분포 / description 묘사, 설명
(C) optimistic 낙천적인, 낙관적인 / skeptical 회의적인, 의심이 많은

해석

첫 텔레비전 실험방송은 1930년대에 프랑스에서 시작되었지만, 프랑스인들은 그 새로운 기술을 활용하는 데 느렸다. 이러한 주저함에는 몇 가지 이유가 있다. 라디오가 정부 자원의 대부분을 사용했고, 그래서 프랑스 정부는 텔레비전 방송을 위한 전국적인 네트워크를 개발하는 재정적인 부담을 떠맡으려고 하지 않았다. 텔레비전의 프로그램 제작비는 너무 비쌌고, 그에 상응해 프로그램의 수는 적었다. 최소한의 제공 편수와 결합된 빈약한 배급은 그 새로운 상품을 구매할 동기를 거의 제공하지 않았다. 더욱이, 텔레비전 수상기는 변변찮은 생활수준으로 인해 특히 1930년대와 1940년대에 사치스러운 상품을 구매할 수 없었던 일반 대중의 수입을 넘어서서 가격이 매겨져 있었다. 이데올로기적인 영향력도 또한 요인에 들어 있었는데, 특히 엘리트들은 텔레비전에 대해 회의적이었고 그것을 대중문화와 미국화의 전령으로 인식했다.

어휘

employ 사용하다; 고용하다   **absorb** v. 사용하다, 흡수하다   **majority** n. 대부분, 대다수   **be reluctant to** ~하기를 꺼리다   **shoulder** v. (책임 등을) 떠맡다, 짊어지다   **burden** n. 부담, 짐   **output** n. 산출(량); 생산품   **correspondingly** ad. 상응하여, 일치하여   **combine** v. ~와 연결하다, 결합하다   **minimal** a. 최소한의, 극히 작은   **offering** n. 제공; 헌납; 제물   **incentive** n. 동기, 유인   **modest** a. 수수한, 조촐한; 겸손한   **acquisition** n. 취득, 습득   **luxury** a. 사치스러운   **factor** v. ~을 요소에 넣다; 인수분해하다; n. 요인, 요소   **in particular** 특히   **perceive** v. 인식하다, 알아채다   **messenger** n. 전령, 사자

156 ②

해설

(A) faculties 능력, 재능; (대학의) 교수단 / authorities 당국, 관계당국
(B) notify 알리다, 통지하다 / classify 분류하다, 등급으로 나누다
(C) successive 연속적인, 계속적인 / successful 성공적인

해석

앰버 경고 시스템(어린이 유괴·납치 사건에 대한 미국 내의 비상경보 체제)은 텍사스에서 아이들이 유괴되었을 때 사람들을 참여시키기 위한 지역적 노력으로서 1996년에 시작되었다. 앰버 경고가 발효되기 위해서는, 당국은 아동의 나이를 알아야 하며, 그 아동이 유괴되어서 심각한 신변상의 위험에 처했다는 확신을 가져야 한다. 만일 이런 기준들이 충족되면, 경찰관들이 라디오와 텔레비전 방송국과 같은 지역 언론에 알린다. 그러면 그들은 유괴사건에 대한 자세한 특별 방송을 내보내고, 사람들에게 아동과 용의자를 찾도록 권한다. 이 경보 시스템은 미아를 찾는 데 상당히 성공적이었고 이제 미국 전역에서 시행되고 있다.

어휘

Amber Alert system 어린이 보호 시스템(납치 방지를 위한 경보 시스템)   **involve** v. 참여시키다; 수반하다; 관련시키다   **kidnap** v. 납치하다, 유괴하다   **issue** v. 발표하다, 공표하다; 발행하다   **threat** n. 위험, 위협; 협박   **criteria** n. 기준, 표준, 규범 (criterion의 복수형)   **broadcast** n. 방송, 방영; v. 방송하다; 퍼지다   **suspect** n. 용의자

---

157 ⑤   158 ①   159 ③   160 ①

157 ⑤

해설

사진을 찍다 보면 실제 경험에서 분리되어 현실에서 동떨어질 수 있으므로, 현재 진행되고 있는 경험을 '증진시키는' 방법으로 카메라를 사용할 수 있도록 배워야 한다고 하는 것이 글의 흐름상 자연스럽다. 그러므로 밑줄 친 ⑤의 neglects를 enhances 정도로 고쳐 써야 한다.

해석

많은 사람들이 여행이나 휴가 중 또는 삶에서 중요한 축하를 할 때 미래를 위해서 그 경험을 보존하려고 수많은 사진을 찍는다. 하지만, 사진사의 역할이 현 순간의 즐거움을 실제로 손상시킬 수 있다. 나는 첫 아이이자 외동아이의 탄생 사진을 찍는 데 진지하게 몰두했던 한 아버지를 안다. 사진은 아름다웠지만, 그는 나중에 자기 아들의 삶에서 가장 중요한 첫 번째 순간을 놓쳤다는 생각이 들었다고 탄식했다. 카메라 렌즈를 통해 바라보는 것은 그를 현장에서 분리되도록 만들어 버렸다. 그는 체험자가 아니라 단지 관찰자였다. 사물을 진심으로 바라보고 아름답고 의미 있는 것을 발견하는 것을 통해 진행 중인 경험을 무시하는(→ 증진하는) 방법으로 카메라를 사용할 수 있도록 스스로를 가르쳐라.

어휘

numerous a. 엄청나게 많은, 무수한   **significant** a. 중요한, 중대한   **celebration** n. 축하, 기념   **preserve** v. ~을 보존하다, 보관하다; 유지하다   **detract** v. 줄이다, 손상시키다; (주의를) 딴 데로 돌리다   **devote** v. (노력, 시간 등을) 바치다, 쏟다, 기울이다   **earnestly** ad. 진지하게   **lament** v. 슬퍼하다, 한탄하다   **detached** a. 떨어진, 분리된   **neglect** v. 소홀히 하다, 무시하다   **ongoing** a. 진행 중인   **notice** v. 알아차리다, 인식하다   **meaningful** a. 의미 있는

158 ①

해설

(A) instinctive 본능적인 / inactive 활발하지 않는; 나태한, 게으른
(B) appreciating ~을 감상하면서 / confusing ~에 혼란스러워 하면서 (appreciate 감상하다, 평가하다 / confuse 혼란시키다, 혼동하다)
(C) cover 총망라하다 / remove 없애다, 제거하다

해석

어느 정도로라도 음악에 반응하지 않는 사람은 거의 없다. 음악의 힘은 다양하고 사람들은 다르게 반응한다. 어떤 사람들에게 음악은 주로 거기에 맞추어 춤을 추거나 몸을 움직이는 본능적이고 신나는 소리이다. 다른 사람들은 음악의 메시지를 들으려 하거나, 음악의 형식과 구조에 지적으로 접근하여 음악의 형식적 패턴이나 독창성을 감상한다. 그러나 무엇보다도 어떤 종류의 음악에도 감동받지 않는 사람은 거의 있을 수가 없다. 음악은 감정의 전 범위를 아우른다. 음악은 우리를 기쁘게 하거나 슬프게 하고, 무기력하게 하거나 기운 넘치게 하며, 어떤 음악은 정신이 그 밖의 모든 것을 잊을 때까지 정신을 압도할 수 있다. 음악은 무의식에 작용해서 분위기를 만들어 내거나 고양시켜 주며 깊은 기억을 끄집어낸다.

어휘

diverse a. 다양한   **intellectual** a. 지적인   **approach** n. 접근, 연구   **construction** n. 구조, 구성   **originality** n. 독창성   **above all** 특히, 무엇보다

도 **helpless** a. 무력한, 어찌할 수 없는 **energetic** a. 활동적인, 활기 있는 **be capable of** ~할 수 있다 **overtake** v. 압도하다 **subconscious** a. 잠재의식의 **enhance** v. 높이다, 강화하다 **unlock** v. 열다, 털어놓다

159 ③

해설

(A) exploit n. 행위, 공적, 위업 v. 개척[이용]하다 / exploitation 개척, 이용

(B) creep 기다, 걷다(creep-crept-crept) / crop 자르다, 베다(crop-cropped-cropped)

(C) guard 보호하다, 지키다(guard-guarded-guarded) / guide 이끌다, 인도하다(guide-guided-guided)

해석

뱀의 꼬리는 머리가 이끄는 방향으로만 따라가야 했다. 어느 날, 꼬리가 머리에게 왜 머리만 리더여만 하는지 불평하기 시작했다. 그러자 머리가 "그러면 네가 한번 해봐."라고 말했다. 그래서 꼬리가 앞에서 이끌었다. 그러나 그의 첫 업적은 몸을 진흙탕에 빠뜨린 것이었다. 그 불쾌한 곳(진흙탕)에서 빠져나오자, 꼬리는 타오르는 불 속으로 기어갔다. 그리고 불길에서 살아 나왔을 때 꼬리는 가시덤불 속으로 떨어졌다. 이 모든 일의 원인은 무엇이었을까? 그것은 꼬리가 머리를 이끌었기 때문이다. 이것은 또한 현실 세계의 사람들에게도 들어맞는 얘기이다. 어떤 사람은 자신이 다른 사람들보다 더 잘 이끈다고 생각해서 자신이 앞장서야 한다고 생각할 수 있다. 냉혹한 현실에 대해 미숙하고, 서투르고, 무지해서 그 사람은 그릇된 선택을 하고, 다른 사람들을 모진 역경으로 이끈다.

어휘

leader n. 리더, 지도자, 인도자 **make it** 성공하다, 이룩하다 **take the lead** 선두에 서다, 주도권을 잡다 **drag A into B** A를 B로 끌어들이다 **unpleasant** a. 불쾌한, 싫은 **fiery** a. 화염의, 타오르는, 불의 **furnace** n. 몹시 더운 곳; 용광로 **relieve** v. 되살아나다; (고통 등을) 경감하다, 없애 주다; 완화하다 **briers and thorns** n. 가시덤불 **fancy** v. 생각하다, ~라고 믿다; 공상하다; n. 공상, 상상 **lead the way** 앞장서다, 안내하다 **immaturity** n. 미숙, 미성숙 **inexperience** n. 무경험, 미숙, 서투름 **ignorance** n. 무지, 무식 **grim** a. 잔인한, 냉혹한 **severe** a. 가혹한, 모진, 엄한 **adversity** n. 역경, 불운

160 ①

해설

(A) considerable 상당한, 적지 않은 / considerate 사려 깊은, 신중한

(B) evolved 진화된 / involved 관련된, 포함된
(evolve 진화하다, 발달하다 / involve 관련시키다, 포함하다)

(C) elaborate 정교한, 복잡한 / simplified 간소화한, 간략하게 한

해석

한국어를 배우는 것은 영어를 사용하는 사람에게 어려울 수도 있다. 왜냐하면, 한국어는 영어와 달리 (대화에) 관련된 사람의 관계에 따라서 문법과 어휘에 상당한 차이가 있기 때문이다. 예를 들어, 한국인 화자는 자기가 말하고 있는 대상과의 관계에 따라서 다른 동사를 사용해야 할 수도 있다. 이는 종종 한국인 화자가 서로를 부르는 데 있어서 더 정교한 언어를 사용함을 나타내 준다.

어휘

exist v. 있다, 존재하다; 생존하다 **relationship** n. 관계, 관련 **for instance** 예를 들면 **indicate** v. 나타내다, 보여 주다 **at times** 때때로, 가끔 **address** v. 부르다; 연설하다

M i n i 실 전 모 의 고 사			P.60
161 ⑤	162 ②	163 ③	164 ②
165 ③	166 ①	167 ⑤	168 ③

161 ⑤

해설

벨로 알려진 끝부분은 끝이 뾰족한 것이 아니므로 뾰족한 끝부분(pointed end)을 종 모양(bell-shaped) 혹은 나팔꽃 모양(flared)으로 바꿔야 한다.

해석

클라리넷은 끝부분에 종 모양의 구멍이 있는 원통형 공기 기둥으로 구성되어 있다. 클라리넷의 마우스피스(입을 대는 부분)은 싱글 리드(단황)를 가지고 있다. 그 리드는 연결선에 의해 마우스피스에 연결되고, 이 끝부분의의 0.5인치나 이 조립품의 그만큼은 연주자의 입에 물리게 된다. 다음은 짧은 바렐이다. 악기의 이 부분은 클라리넷의 소리를 미세하게 조율을 하기 위해 늘어날 수도 있다. 대부분 클라리넷의 본체는 구멍과 대부분의 키가 왼손으로 연주되는 윗부분과 구멍과 대부분의 키가 오른손으로 연주되는 아랫부분으로 나뉜다. 마지막으로, 뾰족한(→ 종 모양, 나팔꽃 모양의) 끝부분은 벨로 알려져 있다.

어휘

cylindrical a. 원통의; 원주의 **column** n. 기둥, 지주 **opening** n. 트임, 구멍, 틈; 열기, 개방; 개시 **mouthpiece** n. 입에 대는 부분, 주둥이 **reed** n. (관악기의) 혀, 리드; 갈대 **ligature** n. 연결선, 슬러, 끈, 띠 **assembly** n. 조립; 집회, 회의 **barrel** n. 몸통 부분; 통 **fine-tune** v. 미세조정하다 **operate** v. 작동하다, 움직이다 **point** v. 뾰족하게 하다, 깎다; 가리키다; n. 뾰족한 끝

162 ②

해설

(A) bargaining 거래, 교섭 / trade 무역, 교역

(B) deliver 양도하다, 넘겨주다; 배달하다 / relieve 경감하다, 완화하다

(C) site 위치, 용지, 부지 / spot (특정한) 장소, 지점

해석

사냥터에서 던스턴은 말 상인인 브라이스를 만났는데, 브라이스는 오랫동안 '와일드파이어'에게 눈독을 들여왔다. "오늘은 남동생의 말을 타고 나오셨군요. 어떻게 된 일입니까?"라고 브라이스가 물어보았다. "내 말과 남동생의 말을 바꿨다네."라고 던스턴이 대답했다. 던스턴은 브라이스가 그 말을 사고 싶어 한다는 것을 알고 있었다. 오랜 흥정 끝에 브라이스는 130파운드에 그 말을 사기로 합의했다. 돈은 던스턴이 브라이스의 마구간에서 그 말을 넘겨줄 때 지불하기로 했다. 브라이스는 들뜬 상태로 친구들과 함께 사냥터로 갔다. 그는 친구들에게 다른 어떤 말보다 잘 뛸 수 있는 훌륭한 말을 가졌다고 자랑했다. 그는 가장 높은 울타리를 넘으려고 시도했으나 실패했다. 말은 뾰족한 기둥에 찔려 넘어졌다. 말은 그 자리에서 즉사했다.

어휘

have one's eye on ~을 눈독을 들이다, ~을 탐내다 **stable** n. 마구간, 외양간 **in high spirits** 기분이 매우 좋아서 **boast** v. 자랑하다, 뽐내다; n. 허풍, 자만 **pointed** a. 뾰족한, 날카로운 **on the spot** 그 자리에서, 즉석에서

163 ③

해설

기관지(bronchi)는 폐 안에서 계속 나누어져 세기관지(bronchioles)가 되므로, combine을 divide 정도로 바꿔야 한다.

해석

폐는 심장 양쪽의 가슴에서 발견되는 두 개의 스펀지 같은 조직이다. 기관(후두에서 폐로 통하는 기도)은 산소와 이산화탄소가 들어오고 나가는 길이다. 기관지

(bronchus의 복수형)는 기관으로부터 폐에 이르는 관이다. 기관지는 폐 안에서 계속 합쳐지고(→나누어지고) 여러 갈래의 분화 후에 세기관지가 된다. 세기관지는 기관지에서 갈라져 나온 작은 튜브이고, 폐포는 세기관지 끝부분에 있는 조그마한 공기 주머니이다. 오른쪽 폐는 왼쪽 폐보다 약간 크다.

어휘

lung n. 폐, 허파   **organ** n. 장기, 조직; 기관   **trachea** n. 기관(후두에서 폐로 통하는 기도); (곤충, 절지동물의) 호흡관   **windpipe** n. 기관, 숨통   **bronchi** n. 기관지   **combine** v. 결합하다   **multiple** a. 다수의, 다양한; 복합적인   **division** n. 분류; 부분; 분할, 분배   **give rise to** ~의 근원이다, ~을 발생시키다   **bronchioles** n. 세(細)기관지   **branch off** 갈라지다, 분기하다   **sac** n. 주머니, 낭

164 ②

해설

(A) impression 인상; 감명, 감상 / expression 표현
(B) exclude 제외하다; 쫓아내다 / include 포함하다, 함유하다
(C) board 판자; 게시판 / broad 만면의; 넓은

해석

당신이 멋진 사람이라는 인상을 주기를 원한다면, 나는 개인적으로 환한 미소로 시작할 것을 제안한다. 당신은 비싼 의류를 뽐낼지도 모른다. 혹은 당신이 부유하고 유명할지도 모른다. 하지만, 당신이 언짢은 표정을 짓는다면, 식초처럼 시큼한 똑같은 대접이 되돌아 올 것이다. 당신은 미소가 모든 사람을 맞아들이고 환영하는 몸짓으로 표현되는 세계 공용어라는 것에 동의하지 않는가? 미소는 사람들을 끌어당기는 최선의 선택이다. 당신의 매일 만나는 사람들에게 미소를 띠는 것을 잊지 마라. 환한 웃음을 당신의 트레이드마크로 만들 때, 성공과 승리는 항상 당신의 편에 있을 것이다. 게다가 미소는 또한 우정과 사랑을 맺고 지속시킨다.

어휘

sport v. 자랑하다, 뽐내다; n. 스포츠   **sour** a. (기분이) 언짢은, 불쾌한; 시큼한   **treatment** n. 대우, 대접; 취급   **in return** 답례로, 회답으로   **vinegar** n. 식초   **universal** a. 전 세계의; 전체의; 일반적인   **option** n. 선택, 선택권   **engagement** n. 일, 용무; 약속, 계약; 약혼   **trademark** n. 특징, 특성; 상표

165 ③

해설

지각(crust)은 맨틀(mantle) 아래(below)에 있는 것이 아니라 위(above)에 있다.

해석

지구는 여러 개의 층으로 구성되어 있다. 세 개의 주된 층은 핵과 맨틀, 지각이다. 핵은 지구의 내부이고, 지각은 외부이며, 핵과 지각 사이에 맨틀이 있다. 지구는 대기에 둘러싸여 있다. 지구의 단단한 외부 껍질은 지각이다. 해양 지각과 대륙 지각이라는 두 부분으로 구성되어 있는 지각은 맨틀 아래(→ 위)에 있고, 다양한 종류의 암석과 같은 고체 물질로 이루어져 있다. 맨틀은 액체보다 고체처럼 움직인다. 맨틀은 지구 중심의 거의 절반가량 차지한다. 핵은 철과 니켈 성분을 가진 밀집된 조직이다. 핵은 내핵과 외핵 두 층으로 나뉜다. 지구 중심에 있는 내핵은 고체이며 두께가 1,250km이다.

어휘

layer n. 층   **curst** n. 지각; 껍데기, 껍질   **inner** a. 내부의, 안의(↔ outer)   **be surrounded by** ~에 둘러싸이다   **shell** n. 껍질, 외피   **oceanic** a. 대양의, 대해의; 광대한   **continental** a. 대륙의, 대륙적인   **be made up** ~로 이루어져 있다   **solid** a. 고체의, 고형의; 단단한   **behave** v. 행동하다, 처신하다; ~의 반응을 나타내다, 작용하다   **go down** (~까지) 계속되다, 미치다   **dense** a. 밀집한, 빽빽한; 조밀한   **cord** n. 줄, 끈   **element** n. 요소, 성분

166 ①

해설

(A) rigid 단단한, 뻣뻣한 / ridged 이랑이 만들어져 있는
(B) impair 손상시키다, 해치다 / repair 수리하다, 수선하다
(C) boost 활력, 격려, 힘 / boast 자랑; 허풍, 자만

해석

당신의 근육은 아침에 가장 차갑고 경직된 상태에 있다. 그리고 당신의 근육이 경직되어 있을 때, 과도하게 운동을 하면 부상을 당하기 더 쉽다. 그래서 당신이 아침 운동을 하는 것을 좋아한다면 가장 좋은 것은 가벼운 조깅을 하거나 약간의 스트레칭을 하는 것이다. 관절에 손상을 입힐 수도 있으므로 지나친 운동은 피하도록 노력해라. 당신이 아침에 운동하는 것을 선택한다면, 탄수화물이 풍부한 가벼운 스낵을 먹어라. 이것은 당신이 운동할 때 혈당 수치를 유지시켜 줄 것이다. 초코바와 오렌지 주스 한 잔 또는 베이글과 사과 한 조각은 당신에게 최상의 운동 상태에 도달하는 데 필요한 활력을 줄 것이다.

어휘

muscle n. 근육; 근력   **stiff** a. 뻣뻣한, 경직된, 굳은   **excessively** ad. 지나치게, 심히; 매우   **joint** n. 관절, 접합   **carbohydrates** n. 탄수화물   **get through** ~에 도달하다; 끝내다, 완수하다

167 ⑤

해설

명왕성은 기울어진 타원형의 궤도를 가지고 있다. 명왕성이 해왕성의 궤도 안으로 들어왔을 때, 명왕성은 태양과 지구에 해왕성보다 더 근접한 위치에 있으므로 태양과 지구로부터 멀어지는 것이 아니라 가까워진다. 따라서 distant from을 closer to로 바꿔야 한다.

해석

천왕성과 해왕성은 그들의 원형궤도와 큰 질량, 그리고 황도면의 근접성에 기초하여 행성으로 공표되었다. 이것들 중 어떤 것도 황도면 위로 높이 올라가고, 심지어 해왕성의 궤도 안으로 들어가는 궤도를 가진, 작고, 차가운 가스행성인 명왕성에는 해당되지 않는다. 대체로 해왕성은 태양에 더 가깝고, 그래서 지구와도 가깝다. 해왕성 밖에 위치한 명왕성은 태양과 지구 모두에서 더 멀리 떨어져 있다. 하지만, 그 궤도의 모양으로 인해, 명왕성은 어떤 지점에서 해왕성의 궤도 안쪽으로 이동해서 해왕성보다 태양과 지구에 멀어진다(→ 근접한다).

어휘

Uranus n. 천왕성   **Neptune** n. 해왕성   **declare** v. 선언하다, 공표하다; 신고하다   **circular** a. 원형의, 원의, 고리 모양의   **orbit** n. 궤도   **proximity** n. 근접, 접근, 가까움   **ecliptic** n. 황도(천문학)   **plane** n. 면, 평면; 단계; 비행기   **Pluto** n. 명왕성   **distant** a. 먼, 거리가 떨어진

168 ③

해설

(A) limited 한정된, 제한된 / unlimited 무제한의, 한정하지 않은
(B) access 도달하다; 이용하다 / assess 평가하다
(C) comprehensible 이해할 수 있는, 알기 쉬운 / comprehensive 포괄적인, 광범위한

해석

멋진 홈페이지가 매우 중요해지고, 사교적인 미디어 도구와 같은 새로운 온라인 요소들이 관심을 요구함에 따라, 제한된 예산으로 홈페이지에 투자하기가 점점 더 어려워지고 있습니다. 우리의 우수한 서비스는 당신이 가능성을 탐색하는 것을 도와주고 당신의 조직을 가장 잘 발전시킬 수 있는 선택을 하도록 도와드립니다. 우리는 당신의 목표를 검토하고, 현재 홈페이지를 평가하며, 우리의 기술적인 독창성을 활용하고, 성공할 수 있는 계획을 세울 것입니다. 그 결과는 당신의 임무를 뒷받침하고, 브랜드를 확장시키며, 영향력을 증대시킬 광범위한 커뮤

니케이션 전략이 될 것입니다. 당신이 우리의 서비스를 선택하는 순간, 당신은 성공을 향한 한 발자국을 내딛게 될 것입니다.

어휘
outstanding a. 우수한, 현저한, 눈에 띄는　**navigate** v. (인터넷, 웹사이트를) 돌아다니다, 순항하다; 항해하다　**evaluate** v. 평가하다, 어림하다　**optimize** v. 최대한으로 활용하다; 최적화하다　**initiative** n. 독창성　**strategy** n. 전략, 방법　**extend** v. 넓히다, 확장하다　**impact** n. 영향력, 효과; 충돌

어 휘 실 전 모 의 고 사 제 1 회			P.64
169 ①	170 ⑤	171 ⑤	172 ⑤
173 ③	174 ④	175 ⑤	176 ②

169 ①

해설
(A) susceptible 영향을 받기 쉬운, 감염되기 쉬운　/　suspicious 의심하는, 수상쩍은
(B) exposed 노출시키다, 경험하다　/　impose 부과하다, 강요하다
(C) attributable to ～에 기인하는　/　attentive to 경청하는

해석
새로운 연구는 비흡연자들이 간접흡연으로 폐암에 걸릴 수 있다는 것을 증명했다. 남성 비흡연자들 중 8퍼센트만이 폐암에 걸린 반면, 폐암에 걸린 여성 중 20퍼센트는 담배를 피워 본 적이 없었다. 연구자들은 여성들이 담배를 피워 본 적이 없는데도 왜 폐암에 걸리기 쉬운지 그 이유는 분명하지 않다고 말했다. 한 전문가에 의하면, 여성들보다 남성들이 담배를 더 피우기 때문에, 여성들이 간접흡연에 노출되기 더 쉬울 것이라고 한다. "우리는 간접흡연이 폐암의 위험을 높인다는 것을 알고 있습니다. 그래서 우리가 관찰한 이러한 많은 경우가 그것에 기인하는 것 같습니다."라고 그녀는 말했다.

어휘
second-hand a. 간접적인; 전해들은　**lung cancer** 폐암　**expert** n. 전문가　**observe** v. 관찰하다

170 ⑤

해설
낙타의 목은 길지만 똑바로 서 있지 않고 굽어 있으므로, erect를 curved, crooked 정도로 고쳐야 한다.

해석
낙타는 사막에서의 삶을 상징하는 것으로 잘 알려져 있다. 낙타는 등에 영구적인 수분 저장고 역할을 하는 지방으로 가득 찬 혹이 있어서 다른 동물보다 사막 생활에 더 적합하다. 하지만, 낙타가 음식을 먹지 않고 장거리를 이동할 때, 낙타의 혹은 점점 작아지다 사실상 사라진다. 낙타는 커다란 위는 엄청난 양의 풀과 물을 저장할 수 있다. 낙타는 길고 튼튼한 다리와 두발가락의 굽이 있는 발을 가진 매우 강한 동물이다. 낙타는 또한 무릎과 가슴에 두꺼운 가죽 같은 살이 있다. 낙타는 머리 윗부분에 위치한 눈과 귀로 먼 거리에서 위험을 감지할 수 있다. 낙타는 사막 환경으로부터 자신을 보호하는 열고 닫을 수 있는 콧구멍이 있다. 낙타는 밤에는 따뜻하게 해주고, 낮에는 시원하게 해주는 두꺼운 털과 먹이인 식물에 닿을 수 있게 해주는 길고 곧은(→ 굽은) 목이 있다.

어휘
be know for ～로 알려져 있다　**represent** v. 나타내다, 의미하다, 상징하다　**be suited to** ～에 적합하다, 맞다　**hump** n. (낙타 등의) 혹, 육봉; 산맥　**fat** n. 지방, 지방질; 뚱뚱한　**permanent** a. 오래 지속하는; 영원의, 불변의　**fluid** n. 수분; 유체, 유동체　**stomach** n. 위; 배, 복부　**sturdy** a. 튼튼한, 억센, 강건한　**hooofed** a. 굽이 있는, 발굽 모양의　**leathery** a. 가죽 같은; 가죽색의　**pad** n. 살; 덧대는 것

detect v. 탐지하다, 인지하다, 간파하다; 발견하다　**nostril** 콧구멍　**erect** a. 똑바로 선, 직립한

171 ⑤

해설
(A) reach 이르다, 달성하다; 도착하다　/　search 수색하다, 탐색하다
(B) overturn 전복; 타도, 붕괴　/　overture 제안, 교섭, 건의
(C) conquest 정복; 획득　/　request 부탁, 요청

해석
한국의 온라인 광고시장이 올해 10억 달러에 이를 것으로 추산된다. 한국 최대 온라인 마케팅업체인 LKM 코리아는 한국의 온라인 광고시장에 대한 특별한 제안을 위해 최근에 설문조사를 실시했다. 조사에 따르면 온라인 광고 매출은 작년의 8,490억 원에서 12퍼센트 상승해 9,778억 원 혹은 10억 달러로 증가할 것으로 추산된다. 키워드 검색 혹은 검색 기반 광고는 인터넷 요청 결과와 관련된 광고를 파는 새로운 웹 기반의 방식을 나타낸다. 키워드는 사용자가 검색 엔진에 특정한 요청을 했을 때만 보인다. 그것은 사용자가 특정 주제에 대한 정보를 찾지 않는다면 사용자는 원하지 않는 광고를 보지 않을 거라는 것을 의미한다.

어휘
conduct v. 수행하다, 실시하다; 행동하다; n. 행동; 수행　**survey** n. 조사, 답사; 개관　**refer to** ～와 관련 있다, ～을 나타내다　**query** n. 요청, 질문　**specific** a. 특정한, 특수한　**unwanted** a. 원하지 않는　**search for** ～를 찾다, 탐색하다

172 ⑤

해설
swimming legs는 뒤쪽에 있는 다리이므로 front가 아니라 rear나 hind로 고쳐야 한다.

해석
게는 몸이 단단한 껍질로 되어 있는 민첩한 동물이다. 게는 갑각이라 불리는 큰 껍질로 덮인 몸통은 세 부분으로 나눠져 있다. 머리 부분에는 눈을 지탱해서 위 아래와 좌우로 움직일 수 있는 두 개의 촉수가 있다. 그래서 게의 눈은 넓은 시야를 유지할 수 있다. 게는 갑각류이며 흉부에 붙어 있는 열 개의 다리를 가지고 있다. 또한 게는 다섯 쌍의 다리를 가지고 있는데, 네 쌍은 수영하는 다리를 포함한 걷는 다리이며, 남은 한 쌍은 '집게다리'로 불리는 데 먹이를 잡고, 음식을 잡고, 스스로를 방어한다. 두 개의 큰 집게다리는 매우 힘이 세서 일단 먹이를 잡으면 절대로 놓치지 않는다. 걷는 다리 중에서 앞쪽의 두 다리는 수영하는 다리이다. 게는 앞으로 보다 옆으로 걷는다. 게는 생명에 위협을 느낄 때, 스스로 자신의 다리를 잘라버리지만, 새로운 다리가 생겨난다.

어휘
be covered with ～으로 덮여 있다　**carapace** n. (갑각류의) 갑각, 껍질　**moveable** a. 움직일 수 있는, 이동할 수 있는　**tentacle** n. 촉수, 촉각　**limb** n. (팔)다리, 수족　**claw** n. 집게　**capture** v. 붙잡다, 생포하다; 점령하다　**prey** n. 먹이, 밥　**sideway** n. 옆길, 샛길　**threatened** a. 위험에 직면한　**come into existence** 생기다, 나타나다, 성립하다

173 ③

해설
(A) objective 객관적인; 실재하는　/　subjective 주관적인; 개인적인
(B) stably 안정되게, 견고하게　/　unstably 안정되지 않게; 변하기 쉽게
(C) contemporary 동시대의　/　temporary 일시적인

해석
불안은 위협이 감지되는 상황에서 생겨나는 적대적이고, 감정적이며, 동기를 부여하는 상태로 묘사된다. 불안은 종종 특성 불안과 상태 불안 두 종류로 나눠졌다. 상태 불안은 주관적이고, 의식적으로 감지되는 긴장감과 신경과민, 그리고 증폭

된 자율 신경계의 활동이 특징인 일시적인 감정 상태를 나타낸다. 상태 불안은 시간에 따라 바뀔 수 있고, 그 강도가 다양하다. 이와 대조적으로, 특성 불안은 상대적으로 변하지 않는 개인차를 의미하고, 환경에서 느끼는 위협에 대한 불안에 일정하게 반응하는 일반적인 성향을 말한다. 특성 불안과 상태 불안으로 나눈 전통적인 불안 이분법과는 달리, 현대의 불안 모델은 사회적 평가를 포함한 다양한 요소로 구성되면서, 특성 불안과 상태 불안 모두가 다차원적이고, 상호적이라고 여겨진다.

어휘

anxiety n. 불안, 염려 **hostile** a. 적대적인, 반대하는 **motivational** a. 동기유발적인 **perceive** v. 감지하다, 인지하다; ~을 ~로 여기다 **characterize** v. 특성이 되다, 특징짓다 **consciously** ad. 의식적으로 **enhance** v. 높이다, 강화시키다 **autonomic** a. 자율 신경의; 자치적인 **intensity** n. 세기, 크기; 강렬함 **in contrast** 이와 대조적으로, 그에 반해서 **relatively** ad. 상대적으로 **tendency** n. 성향, 기질; 경향 **multidimensional** a. 다차원의, 다양한 **interactive** a. 상호적인, 서로 작용하는 **evaluation** n. 평가

174 ④

해설

그림에서 보면 티타니스의 목은 몸과 비교해서 짧은 편이 아니므로 short이 아니라 long 정도로 고쳐야 한다.

해석

티타니스(무시무시한 학)는 이 동물에게 적합한 이름이다. 티타니스의 머리는 현재의 말의 머리만큼 크고, 티타니스의 부리는 매우 크고 구부러졌다. 이 새는 이빨은 없지만, 부리 끝에 날카로운 갈고리가 있으며, 이것은 이 새가 먹이를 찢을 수 있게 해주었다. 티타니스의 날개는 다소 작아서 날 수가 없었다. 티타니스는 팔뼈에 손가락만을 가지고 있었다. 각각의 날개는 날카로운 손톱으로 무장한 두 쌍의 손가락을 가지고 있었다. 손톱의 길이가 짧지만, 손톱은 보다 효과적으로 먹이를 움켜쥐거나 들도록 도와주었다. 또한 그 새는 몸길이에 비교해 볼 때 짧은(→ 긴) 목을 가지고 있었고, 수컷의 머리 꼭대기에 볏 장식이 있었다. 세 개의 발가락에 기다란 발톱이 있는 것이 특징이다.

어휘

crane n. 학, 두루미 **present-day** a. 현재의, 오늘날의 **hook** n. 갈고리, 훅; 걸쇠 **tear** v. 찢다, 째다 **possess** v. 소유하다, 가지다; 점유하다 **armed** a. 무장한, 무기를 가진; 보강된, 갖춘 **grasp** v. 쥐다, 붙잡다 **effectively** ad. 효과적으로, 유효하게 **crest** 볏 **claw** n. (동물의) 발톱

175 ⑤

해설

(A) cause 원인; 이유, 근거 / effect 결과, 영향
(B) increase 증가; 증식 / decrease 감소, 쇠퇴
(C) corruption 타락, 부패; 오염 / disruption 파괴, 붕괴; 분열

해석

특정한 날씨 현상을 지구 온난화와 연결시키기 어렵지만, 지구의 온도 상승은 극지방의 만년설을 녹이고 해수면을 상승시킬 것이다. 강수의 양과 패턴의 변화는 홍수나 가뭄을 일으킨다. 다른 영향은 농작물 산출량의 변화, 감소된 여름 시냇물의 유수량, 종(種)의 멸종, 병원균을 매개하는 곤충의 증가가 포함된다. 자연 환경과 인간 생활 양쪽에 미치는 영향은 적어도 부분적으로는 이미 지구 온난화에 기인하고 있다. IPCC의 보고서는 녹아내리는 빙하, 빙상의 붕괴, 해수면 상승, 강우 패턴의 변화, 극단적인 날씨 현상의 증가된 강도와 빈도 등이 지구 온난화에 부분적으로 기인하고 있음을 시사한다.

어휘

polar a. 극지방의 **ice cap** n. 빙관, 만년설 **melt** v. 녹다, 서서히 사라지다 **precipitation** n. 강설, 강수(량); 투하, 낙하 **drought** n. 가뭄 **yield** n. 생산, 산

출: 생산량 **extinction** n. 멸종, 절멸; 소화 **vector** n. 병독을 매개하는 곤충 **be attributed to** ~에 기인하다; ~의 덕분으로 여겨지다 **glacier** n. 빙하 **ice shelf** (육지에 연결된) 바다를 덮은 빙상 **intensity** n. 강도; 강렬함 **frequency** n. 빈도, 횟수

176 ②

해설

농산물 가격 폭등의 원인은 생물 연료의 수요가 증가한 것이므로 supply를 demand로 고쳐야 한다.

해석

최근의 농산물 가격 급등은 올해 전 세계적으로 나타나고 있다. 기후 변화에 대한 우려로 인해 생물 연료의 급증한 공급(→ 수요)는 쌀, 밀, 옥수수의 가격을 최고치로 이끌었다. 특히 아프리카에 고통을 주고 있다. 그곳은 만성적인 영양실조로 고통 받고 있는 2억 명 이상의 사람들의 고향이다. 넓게 퍼져 있는 식량 위기를 완화하기 위하여 아프리카는 농업의 발전가능성을 촉진하고 이러한 물가 등귀 현상을 경제 발전의 기회로 삼을 필요가 있다. 지난 6개월 동안의 터무니없는 가격 상승은 일시적인 요인들에 의해 부분적으로 조장됐지만, 수요와 공급 양쪽에 영향을 미치는 많은 구조적 현상들이 이러한 높은 가격은 앞으로 수십 년간 계속될 것이라고 믿을 만한 이유를 제공한다.

어휘

upsurge n. 급증, 쇄도 **witness** v. 목격하다, ~을 나타내다 **strong** a. (수요가) 아주 많은; 튼튼한, 강한 **biofuel** n. 생물 연료(석유, 천연가스, 석탄 등) **concern** n. 걱정, 근심; 관심; 관계 **maize** n. 옥수수 **distressing** a. 고통을 주는, 비참한 **chronic** a. 장기간에 걸친, 만성적인; 상습적인 **malnourishment** n. 영양실조 **mitigate** v. 완화시키다, 경감시키다 **widespread** a. 광범위한, 널리 퍼진 **potential** n. 가능성, 잠재력 **hike** n. 인상, 급등 **extraordinary** a. 엄청난, 터무니없는 **instigate** v. 유발시키다, 조장하다 **phenomena** n. 현상 (phenomenon의 복수형)

어 휘 실 전 모 의 고 사 제 2 회			P.66
177 ③	178 ⑤	179 ①	180 ⑤
181 ④	182 ③	183 ②	184 ④

177 ③

해설

(A) alter 변경하다, 바꾸다 / altar (교회의) 제단, 성찬대
(B) effect ~을 초래하다, 결과로서 ~을 가져오다 / affect ~에 영향을 미치다, 작용하다
(C) reject 거절하다, 거부하다 / embrace ~을 받아들이다; 껴안다

해석

인생을 좋게(긍정적으로) 생각하기 위해서는 당신이 먼저 자신에 대해 좋게 생각해야 한다. 당신은 그 상황을 변경시킬 수 없을지 모르지만, 그 상황에 대해 느끼는 방법은 언제나 바꿀 수 있다. 당신이 그 상황을 받아들이고 긍정적으로 유지한다면, 당신의 세계는 긍정적이 될 것이다. 우리가 어떤 일에 대해 느끼는 방법은 우리의 일상생활에 영향을 미친다. 당신이 누군가를 미워한다면, 그것은 당신과 당신 주변 사람들에게 영향을 미칠 뿐만 아니라 당신을 사랑하는 사람들에게 악영향을 미친다. 반면에 당신이 다른 사람들을 사랑하고 용서한다면, 당신은 성장하고, 사랑하고, 자신에 대해 좋게 여기기 시작할 수 있다. 과거를 놓아버리고 미래를 받아들여라. 미래는 당신이 이루어 내는 것이다.

어휘

positive a. 긍정적인 **infect** v. 영향을 미치다; 전염시키다 **poison** v. 나쁜 영향을 주다, 해치다; 독을 넣다 **on the other hand** 다른 한편으로, 반면에

178 ⑤

해설

그림에서 비그늘 사막은 하강하는 건조한 공기가 습기를 흡수해 버려서 생겨나므로 ascending을 descending으로 고쳐야 한다.

해석

공기는 산맥을 넘을 때 '지형 상승'이라 불리는 과정에서 상승한다. 공기가 상승하면 냉각 상태가 되고, 수증기는 비나 눈을 생성하는 구름으로 응축된다. 이런 상황은 바람이 불어오는 쪽과 산맥의 꼭대기 부분에 강수량이 많아지게 한다. 공기가 바람이 불어가는 쪽으로 꼭대기를 넘어가면 공기는 가라앉는다. 이 공기는 이미 습기를 많이 잃었다. 하지만, 바람이 불어가는 쪽의 산맥의 습기를 흡수하고, 가라앉으면서 따뜻해진다. 따라서 바람이 불어가는 쪽의 건조하고 올라가는(→ 하강하는) 공기가 습기를 흡수하므로 비그늘 사막(강수량이 적은 사막)은 공기가 상승해서 산맥을 넘어간 곳에 형성된다. 그래서 산맥은 덥고 건조한 기후와 차갑고 습한 기후의 뚜렷한 경계가 될 수 있다.

어휘

mountain range n. 산맥   **water vapor** n. 수증기   **condense** v. 응축하다, 응결하다, 압축하다   **abundant** a. 풍부한, 많은   **precipitation** n. 강수량   **windward** a. 바람이 불어오는 쪽의   **leeward** a. 바람이 불어가는 쪽의   **moisture** n. 습기, 수분   **absorb** v. 흡수하다, 빨아들이다   **rain shadow** n. 비그늘(산으로 막혀 강수량이 적은 지역)   **ascending** a. 올라가는, 위로 향하는   **sharp** a. 뚜렷한, 선명한, 날카로운   **border** n. 경계; 국경

179 ①

해설

(A) mature 성숙하다, 성장시키다 / manure 땅에 거름을 주다
(maturing, manuring은 동사에 -ing를 붙여 명사로 쓰였다.)
(B) independence 독립, 자립, 자주 / dependence 의존, 의지
(C) spill 엎지르다; 살포하다(spill-spilt-spilt) / split 분열, 불화; 파편

해석

우울증은 삶의 스트레스에 대한 일시적인 반응이다. 청소년 우울증은 흔한 것으로 성장 과정과 그와 관련한 스트레스, 호르몬의 영향, 그리고 독립 문제에 대한 부모와의 갈등에 기인한다. 또한 스트레스는 친한 친구나 친척의 죽음과 같은 비극적인 사건, 남자 친구 혹은 여자 친구와의 이별, 학교에서의 문제로 인해 야기된다. 자존감이 낮고 자기비판이 강한 청소년들은 특히 위험하다. 그들은 마치 자신이 삶에서 부정적인 사건에 대하여 거의 힘이 없는 것처럼 생각한다. 정상적인 십대들에게 흔한 감정의 기복 때문에 우울증은 종종 진단하기가 어렵다.

어휘

depression n. 우울증, 우울; 침하, 하강   **temporary** a. 일시적인, 잠시의   **adolescent** n. 청소년   **relative** n. 친척; 관계; a. 상대적인   **particularly** ad. 특히, 그 중에서도   **self-esteem** n. 자존심, 자만심   **self-critical** a. 자기 비판적인   **fluctuating** a. 동요하는, 변덕이 있는, 오르내리는   **diagnose** v. 진단하다

180 ⑤

해설

Yingying은 뛰는 자세를 취하고 있으므로, standing이 아닌 jumping이나 running 정도로 바꿔야 한다.

해석

위의 캐릭터들은 2008년 북경 올림픽의 공식 마스코트이며, 푸와로 불린다. 이 인형들은 중국에서 가장 인기 있는 네 가지 동물인 물고기, 판다, 티벳 영양, 제비의 타고난 특성과 올림픽 성화를 나타낸다. 베이베이는 번영의 축복을 나타내며, 물결무늬의 장식 선은 과거의 유명한 중국 그림에서 참작했다. 징징은 보호 대상 종(種)이며 국가 보물인 판다이다. 징징의 머리 장식의 연꽃무늬는 우거진 숲과 인간과 자연 간의 화합을 상징한다. 후안후안은 올림픽 성화와 스포츠의 열정을 상징한다. 후안후안의 머리 장식의 불꽃 무늬는 유명한 벽화에서 모사되었다. 서 있는(→ 달리는) 포즈의 잉잉은 잉잉의 빠르고 기민한 캐릭터를 반영한다. 잉잉은 지구를 가로질러 경주하는 것처럼 광활한 땅을 신속히 갈 수 있다.

어휘

represent v. 상징하다, 나타내다, 의미하다   **natural** a. 타고난, 선천적인; 자연의, 가공하지 않은   **characteristic** n. 특성, 특질, 특색   **antelope** n. 영양(羚羊)   **swallow** n. 제비   **blessing** n. 축복, 축도   **prosperity** n. 번영, 번창   **ornamental** a. 장식적인, 장식용의   **lotus** n. 연꽃무늬; 연   **headdress** n. 머리 장식   **symbolize** v. 상징하다, 나타내다   **lush** a. (초목이) 무성한, 우거진   **harmonious** a. 조화된; 화목한   **fiery** a. 불꽃 모양의; 불의   **ornament** n. 장식, 치장; 장신구   **mural** n. 벽화; a. 벽의, 벽면의   **agile** a. 기민한, 민첩한   **swiftly** ad. 신속히, 빨리

181 ④

해설

(A) oppressive 탄압하는, 억압적인 / unrestricted 구속받지 않은, 제한받지 않은
(B) perpetuate 영속시키다, 영구화하다 / perpetrate (범행 등을) 저지르다, 자행하다
(C) aggregate 합계의, 총계의 / segregate 차별하다, 분리하다

해석

여권 신장론자 대부분이 전통적인 성의 역할이 여성들에게 억압적이라고 주장한다. 그들은 여성의 역할이 이상적인 남성의 역할과 반대로 형성되어 가부장제를 영속시키는 데 도움을 주고 있다고 믿는다. 대략 지난 1세기 동안, 여성들은 남성과 같은 권리를 얻기 위해 투쟁해 왔으며 전통적으로 받아들여진 여성의 역할을 바꿀 수 있었다. 하지만, 여성들 대부분은 여전히 이뤄져야 할 것이 남아 있다고 말한다. 많은 연구와 통계는 여성에 대한 그러한 상황이 지난 1세기 동안 향상되어 왔지만, 아직도 차별이 만연하고 있다는 것을 보여 준다. 여성들은 남성보다 총수입이 더 적으며 더 낮은 직위를 차지하고 있고, 대부분의 집안일을 한다.

어휘

feminist n. 여권 신장론자, 여권주의자   **maintain** v. 주장하다; 유지하다   **gender** n. 성(性)   **patriarchy** n. 가부장제   **alter** v. 바꾸다, 고치다; 달라지다   **statistics** n. 통계, 통계자료; 통계학   **discrimination** n. 차별; 구별   **prevalent** a. 일반적인, 널리 퍼진   **occupy** v. 차지하다, 취임하다; 점령하다

182 ③

해설

구면 렌즈는 빛을 확대시키는 것이 아니라 모아주고 있으므로 magnifies가 아닌 concentrates가 되어야 한다.

해석

망원경은 광범위한 지역에서 빛을 모아서 탐지될 수 있는 곳에 초점을 맞추는 장치이다. 탐지 장치는 사람의 눈이나 사진 건판처럼 간단할 수도 있다. 다른 경우에 복잡한 장치들은 물체를 분석한다. 갈릴레오와 다른 많은 초기 천문학자들은 굴절 망원경을 사용했는데, 이것은 두 개의 렌즈를 사용한다. 프라임 렌즈라 불리는 첫 번째 구면 렌즈는 별처럼 멀리 있는 물체로부터 빛을 받아들이고 나서 확대시킨다(→ 모이게 한다). 빛이 대물렌즈의 구부러진 표면을 통과하면, 빛은 방향이 바뀌거나 굴절된다. 굴절된 광선은 멀리 있는 물체의 이미지를 형성하며 한 곳에 모인다. 그러면 접안렌즈가 집중된 광선을 다시 평행하게 만든다.

어휘

telescope n. 망원경   **detect** v. 탐지하다, 간파하다; 인지하다   **photographic** a. 사진술의, 사진에 관한   **instance** n. 경우, 사실; 예, 실례   **instrument** n. 도구, 기계; 악기   **analyze** v. 분석하다; 검토하다   **refracting telescope** 굴절 망원경

employ v. 사용하다, 쓰다   **spherical lens** n. 구면 렌즈   **magnify** v. 확대하다   **bend** v. 방향이 바뀌다, 향하다; 구부러지다   **refract** v. 굴절시키다   **converge** v. 한 점에 모이다, 집중하다   **concentrate** v. 집중하다   **eyepiece lens** n. 접안렌즈   **parallel** a. 평행의, 나란한

183 ②

해설

(A) enrich ~을 풍부하게 하다   /   engage ~에 종사시키다, 몰두하다
(B) demanding 너무 많은 것을 요구하는   /   suspending 보류하는, 미루는; 매다는
(suspending은 동사에 -ing를 붙여 형용사로 쓰였다.)
(C) reputable 평판이 좋은, 훌륭한   /   respectful 공손한, 예의 바른

해석

대학에 다니는 동안, 나는 여러 학생 단체에 적극적으로 참여했다. 과외 활동에 적극적이었던 것은 나의 전반적인 경험을 풍부하게 해 주었고, 시간 관리 능력을 연마하도록 해 주었다. 학교를 졸업한 후, 나는 시립 치과 대학에서 치의학을 공부하기 시작했다. 그 교육과정은 너무 많은 노력을 요구했고, 내 인생의 최고의 경험 중 하나였다. 치의학을 교육받는 중에 나는 재건 치의학에 큰 관심을 갖게 되었다. 현재 나는 뉴욕의 가장 평판이 좋은 다양한 전문 분야를 가진 치과 병원의 파트너이다. 나는 운 좋게도 모든 환자들에게 최고의 치아 관리 서비스를 제공하기 위해 노력하는 그렇게 훌륭한 전문가들과 제휴하게 되었다.

어휘

active a. 적극적인, 활발한, 활동적인   **extra-curricular** a. 과외의, 정규 교과 이외의   **overall** a. 전반적인, 전체적인   **hone** v. 연마하다; 숫돌로 갈다   **dentistry** n. 치의학, 치과학   **curriculum** n. 교육과정   **reconstructive** a. 재건의, 복원의   **specialty** n. 전공, 전문; 특징, 특성   **affiliate** v. 제휴하다, 연계하다   **outstanding** a. 뛰어난, 현저한, 우수한   **professional** n. 전문가; 프로 선수; a. 직업적인   **strive** v. 노력하다, 애쓰다, 분투하다

184 ④

해설

눈이 실물보다 더 크게 과장되었고, 눈이 너무 커서 주의를 기울인다고 했다. 따라서 smaller가 아닌 larger가 되어야 한다.

해석

요루바족은 서아프리카의 가장 큰 민족 중 하나이며, 자신들만의 독특한 예술 양식을 발전시켜 왔다. 요루바 예술가들은 종종 추상적인 조각품을 만든다. 이 조각품이 인간의 머리를 나타낸다는 것은 구별하기 쉽지만, 그 모양은 전적으로 현실적이지 않다. 우리가 이 조각품을 보면 실제 사람 얼굴에 있는 주름살, 광대뼈, 눈썹, 턱의 윤곽을 볼 수 없다. 대신에 예술가는 인간의 얼굴을 마치 기본적인 기하학적 모양으로 만들어진 것처럼 조각했다. 입은 직사각형 모양을 하고 있다. 코는 콧구멍을 위한 두 개의 반구와 수직의 콧날로 되어 있다. 얼굴은 둥글어서 거의 완벽한 타원형이다. 실물보다 더 작게(→ 크게) 과장된 눈은 대략 반원 모양이며 두꺼운 눈꺼풀을 가지고 있다. 눈이 너무 커서 우리는 눈에 대부분의 주의를 기울이는 경향이 있다.

어휘

ethnic a. 민족의, 인종의   **particular** a. 독특한, 특유한, 특별한, 특수한   **style** n. 양식, 방식; 종류; 스타일   **sculpture** n. 조각품; 조각술   **abstract** a. 추상적인; 이론적인   **entirely** ad. 전적으로, 완전히   **realistic** a. 현실적인, 실제적인   **wrinkle** n. 주름살   **contour** n. 윤곽, 외형; a. 윤곽을 나타내는   **cheekbone** n. 광대뼈   **chin** n. 턱   **carve** v. 새기다, 조각하다   **geometric** a. 기하학적인, 기하학의   **rectangle** n. 직사각형   **vertical** a. 수직의, 세로의   **ridge** n. 콧날; 산등성이, 능선   **nostril** n. 콧구멍; 콧방울   **oval** a. 타원형의, 달걀 모양의   **exaggerate** v. 과장하다, 지나치게 강조하다   **roughly** ad. 대충, 개략적으로   **eyelid** n. 눈꺼풀   **pay attention to** ~에 주의하다, 유의하다

185 ⑤

해설

(A) companion 동료, 친구   /   communion 교감, 교섭, 친교
(B) inexpressible 말로 표현할 수 없는   /   inescapable 피할 수 없는, 불가피한
(C) elevate 고양시키다; 향상시키다   /   alleviate 완화하다, 경감하다

해석

음악은 내면적이고 보편적인 신의 언어이다. 다시 말해서, 공기의 진동은 신의 숨결이다. 우리가 음악과 함께 할 때, 우리에게 다른 모든 형태의 외부 의사소통이 필요하지 않다. 마음의 내면적인 교감으로 충분하다. 표현할 수 없는 것을 표현하는 것이 음악이다. 이것은 굉장한 힘을 가지고 있다. 우리는 불을 가지고 화상을 입을 수 있거나 음식을 만들고, 다른 많은 일을 할 수 있다. 음악은 불과 같다. 이것은 우리의 의식과 마음과 정신을 고양시킨다. 이것은 우리의 영혼에 이야기하고, 본능적인 반응을 이끌어낸다. 음악은 진정한 기쁨을 가지고 영혼으로부터 비롯되기 때문에 우리 삶에서 가장 개인적인 예술 형태 중 하나라고 많은 사람들은 믿는다.

어휘

universal a. 보편적인; 일반적인; 전 세계의   **in other words** 다시 말해서, 즉   **vibration** n. 떨림, 진동   **tremendous** a. 굉장한, 대단한; 엄청난   **immediately** ad. 즉시, 곧   **consciousness** n. 의식, 자각   **instinctive** a. 본능적인, 직관적인   **sincere** a. 진실한, 진정한

186 ④

해설

1795년의 국기와 현재 국기를 비교해 보면 별의 개수가 늘어났으므로 주가 연방에 가입할 때마다 별의 수는 늘어난다. 따라서 omitted보다 added가 적절하다.

해석

독립 전에, 초기 미국 국기의 열세 개의 줄무늬는 최초의 주(州)를 나타내고 영국 국기는 미국이 영국에 속해 있음을 나타냈었다. 독립 후에, 영국 국기는 열세 개의 별로 교체되었다. 버몬트 주와 켄터키 주가 연방에 가입된 후에, 1795년부터 국기에 줄 두 개와 별 두 개가 추가되었다. 1818년에 제임스 먼로 대통령은 미국 국기에 일곱 개의 붉은 줄과 여섯 개의 흰 줄, 스무 개의 별을 넣고, 주 하나가 연방에 가입할 때마다 별 한 개를 빼는(→ 더하는) 법안을 승인했다. 그때부터 서른 개의 주가 1948년까지 연방에 가입했다. 현재 미국의 국기는 열세 개의 줄무늬와 오십 개의 별로 이루어지게 되었다.

어휘

independence n. 독립, 자주   **represent** v. 나타내다, 상징하다   **replace** v. 교체하다, 대신하다   **acquire** v. 획득하다, 취득하다   **approve** v. 승인하다, 허가하다   **bill** n. 법안, 의안, 청구서; 지폐   **omit** v. 생략하다, 빼다   **presently** ad. 현재; 이윽고

187 ③

해설

(A) constant 끊임없는, 거듭되는   /   contrast 대조, 차이
(B) passive 수동적인, 소극적인   /   active 적극적인, 활발한
(C) ensure 보증하다; 지키다   /   endure 견디다, 참다, 인내하다

해석

십대들, 특히 한국 고등학생들은 계속되는 경쟁과 학습 부담으로 엄청난 스트레스에 고통 받고 있다. 그들은 기분 전환할 시간은 말할 것도 없고, 먹거나 잘 시간이 충분하지 않다. 고등학교 교실의 현실은 학생들이 정신적으로 육체적으로 피곤해서 학습에 대한 열정과 관계없이 항상 수동적인 학습자가 된다는 것이다. 학생들에게 정말로 필요한 것은 그들이 하고자 하는 마음을 갖도록 해주는 약간의 즐거움과 따뜻한 격려의 말이다. 학생들이 수업을 견디게 하기보다 즐기도록 하는 것이 교사의 역할이다. 아마도, 교사들은 피곤한 경주자의 동료로 학생들에게 유일한 희망일 것이다.

어휘

tremendous a. 엄청난; 대단한, 굉장한 **burden** n. (정신적인) 짐, 부담; 화물 **not to mention** ~은 말할 것도 없고 **exhausted** a. 기진맥진한, 지친; 고갈된 **regardless of** ~에도 불구하고, ~에 관계없이 **enthusiasm** n. 열정, 열중 **hearty** a. 따뜻한, 다정한 **encouragement** n. 격려, 고무 **worn-out** a. 지친, 녹초가 된

188 ③

해설

유리 융기는 필라멘트가 움직이지 않도록 고정시키고 지탱해 주는 부분이다. 따라서 dangles가 아니라 support나 hold up을 쓰는 것이 적절하다.

해석

백열전구는 전기나 열을 통하게 해주는 도체를 이용해 전기로 빛을 만든다. 전류는 이 도체, 즉 가는 선으로 된 필라멘트를 통과하며 열적 평형 상태의 광자를 방출하며 도체를 가열시킨다. 겉을 둘러싸고 있는 유리구는 배기관을 통해 주입된 비활성 가스로 가득 차 있으며, 그 절연이 공기 중의 산소가 가열된 필라멘트에 닿는 것을 막아 주어 필라멘트의 증발을 감소시킨다. 스템(stem)으로 불리는 내부에 있는 유리 융기는 두 개의 지지선과 두 개의 연결선에 이어진 필라멘트를 움직이지 않도록 달랑달랑 흔들리게 하고 있으며(→ 지탱하고 있으며), 가스나 공기의 누출 없이 유리관을 통해 전류가 흐르게 한다. 가는 텅스텐 선으로 되어 있는 필라멘트는 백열전구의 효율을 향상시키기 위해 대개 이중으로 감겨 있다.

어휘

incandescent a. 백열의, 백열광을 내는 **light bulb** 백열전구 **conductor** n. 도체, 전도물 **current** n. 전류; 흐름; a. 현재의 **release** V. 방출하다; 풀어 주다 **photon** n. 광자 **thermal** a. 열의, 온도의 **equilibrium** n. 평형 **enclose** V. 둘러싸다, 에워싸다 **inert** a. 비활성의 **inject** V. 주입하다, 주사하다 **exhaust** n. 배기, 배출; V. 소모하다, 고갈하다 **insulation** n. 절연, 절연체 **evaporation** n. 증발, 발산 **mount** n. 융기, 언덕 **dangle** V. 매달다; 따라다니다 **leak** n. 누출 **coil** V. 감다, 고리를 이루다 **efficacy** n. 효능, 효력

189 ⑤

해설

(A) quality 질 / quantity 양
(B) irrigation 관개 / irritation 짜증
(C) evacuation 퇴거, 피난; 철수 / evaporation 증발, 발산

해석

농작물은 성장과 수확을 위해 수원과 관계없이 많은 양의 물을 필요로 한다. 물은 강수량이나 관개 (시설)에 의해 공급된다. 물은 주로 소모성 사용으로 알려진 증산(식물의 기공을 통한 수분 배출)에 대한 수요와 식물의 신진대사를 충족시키는 데 필요하다. 식물의 신진대사 활동에 사용되는 물은 무시해도 될 정도이므로, 식물을 통과하는 물의 양은 1퍼센트 미만이며, 증발과 증산이 소모성 사용과 동등하게 여겨진다. 증발과 증산 외에도, 용수량은 들판에 물을 대는 동안 손실된 양과 땅 고르기와 이식(식물을 옮겨 심는 것)과 같은 특별한 작업에 필요한 물도 포함한다.

어휘

irrespective of ~와 관계없이 **harvest** V. 수확하다 **precipitation** n. 강수(량), 강우(량) **transpiration** n. 증발, 발산, 증산 **metabolic** a. 물질 대사의, 신진 대사의 **collectively** ad. 총체적으로; 집단으로 **consumptive** a. 소비의, 소모성의 **negligible** a. 무시해도 될 정도의; 보잘것없는, 사소한 **application** n. 적용, 응용; 지원 **operation** n. 작업; 수술

190 ⑤

해설

그림에서도 볼 수 있듯이 물건을 들어올리기 위해서는 밧줄을 아래로 당겨야 하므로, loose가 아닌 pull이나 draw 정도가 되어야 한다.

해석

도르래는 힘의 크기를 줄이거나 힘의 방향을 바꾸기 위해서 바퀴의 홈에 사슬이나 밧줄을 감은 장치이다. 복합도르래는 움직도르래와 고정도르래가 조합된 것이다. 고정도르래의 축은 고정되어 있다. 고정도르래는 힘의 방향을 바꿀 수 있다. 움직도르래의 축은 들어 올리는 물건에 고정되어 있다. 움직도르래의 아래쪽에 감기 위해 밧줄을 내리고 고정도르래의 위쪽을 감기 위해 밧줄을 올려라. 그러고 나서, 물건을 들어올리기 위해 밧줄을 풀어라(→ 당겨라).

어휘

bind V. 감다; 묶다, 매다 **groove** n. 홈, 홈통 **decrease** V. 줄다, 축소하다; n. 감소, 쇠퇴 **extent** n. 넓이, 크기; 범위, 한도 **force** n. 힘, 에너지; 힘의 세기 **complex pulley** 복합도르래 **movable pulley** 움직도르래 **fixed pulley** 고정도르래 **lower** V. ~을 낮추다, 내리다 **downside** n. 아래쪽(→ upside) **loosen** V. 풀다, 느슨하게 하다

191 ③

해설

(A) feature 특징, 특색 / figure 모양, 형상
(B) dependent 의존하는, 의지하는 / independent 독립한, 자치적인
(C) adopt 채용하다, 채택하다 / adapt 개작하다; 적응시키다

해석

(아프리카 중부) 대호수 지역(르완다, 자이르, 우간다, 부룬디)에 위치한 자이르의 강한 영향력은 항상 이 지역의 정치 구도의 중요한 특징이었다. 이들 네 나라는 지리적으로 국경과 문화를 공유하고 있고, 이들 중 세 나라는 식민 통치를 받았다. 1960년까지, 르완다, 부룬디, 그리고 자이르 모두 벨기에의 식민 통치하에 있었다. 자이르는 네 나라 중에서 단연코 가장 큰 나라이다. 사실, 자이르는 아프리카에서 두 번째로 크고 천연자원이 네 나라 중에서 가장 풍부하다. 자이르는 아프리카에서 가장 작지만, 인구 밀도가 높은 두 나라인 르완다와 부룬디보다 먼저 독립국이 되었다. 1965년까지 5년간 자이르는 이웃 나라의 내정에 대해 일체 간섭하지 않는다는 정책을 채택하여 천명했다.

어휘

landscape n. 풍경, 경치; 전망, 조망 **geographical** a. 지리상의, 지리적인 **colonial** a. 식민지의, 식민지 시대의 **administration** n. 통치, 행정; 경영, 관리 **by far** 훨씬, 단연; 분명히 **densely** ad. 밀집하여, 빽빽이 **preach** V. 전하다; 설교하다, 전도하다; 설득하다 **interference** n. 간섭, 참견, 방해 **internal** a. 내부의 **affair** n. 일, 문제, 사건

192 ③

해설

한 사회가 낮은 계층에서부터 상위 계층까지 나누는데, 많은 사람들이 후자에 속하기를 바란다는 뜻이므로, former가 아닌 latter로 고쳐야 한다. former는 '전자', latter는 '후자'를 뜻한다.

해석

현대 사회에서 모든 사람이 부와 권력을 추구한다는 사실을 부인할 사람은 없을 것이다. 우리는 모두 삶에서 원하는 바가 있다. 모든 사람은 자신들이 갖지 못한 것을 얻기 위해 노력하고, 거의 모든 경우에 있어 우리가 원하는 것은 돈, 명성, 그리고 성공과 어떻게든 관련되어 있다. 한 사회는 필연적으로 낮은 계층에서부터 상위 계층까지 다양한 사회 집단으로 나눠지고, 많은 사람들이 전자(→ 후자)에 속하기를 바란다. 아메리칸 드림은 주로 높은 사회적 지위로 가는 통로로 이해된다. 상류층의 일원이 되는 것은 엄청난 양의 돈을 소유하는 것을 의미할 뿐만 아니라, 상류층의 문화를 향유하는 것이다. 이러한 점에서, 그 꿈은 영적인 힘과 육체적인 힘 사이의 균형을 획득하는 것과 연관된다.

어휘

deny v. 부인하다, 부정하다; 거절하다   **strive** v. 노력하다, 애쓰다   **naturally** ad. 자연스럽게, 자연히   **break up** ~을 세분하다, 분리하다   **the American dream** 아메리칸 드림(전통적으로 사람들이 미국에서 이루고자 하는 가치나 사회적 수준. 민주주의 · 평등 · 많은 재산 등이 포함됨)   **interpret** v. 설명하다, 해석하다; 통역하다   **in this sense** 이러한 관점에서   **spiritual** a. 정신의, 정신적인

어 법 어 휘 실 전 모 의 고 사 제 1 회			P.72
193 ④	194 ②	195 ④	196 ④
197 ③	198 ④	199 ①	200 ⑤

193 ④

해설

① a severe deficiency가 주어이므로 동사 is는 적절하다.
② '약 20,000건에 달하는 간 이식이 시행되고 있다'라는 의미로, liver transplants가 주어이므로 are carried out은 적절하다.
③ '의료 전문가들은 이 수치가 매우 과소평가되고 있다고 말하고, 매년 세계적인 수요가 90,000건 이상이라고 추산한다'는 의미로, 주어 Medical tourists에 say와 put이 병렬 연결되었다.
④ find 동사가 목적어로 to부정사를 취할 때 가목적어 it이 필요하므로 finding it easier가 되어야 한다.
⑤ '장기를 팔려고 하는 사람들의 수가 증가하고 있다'라는 의미로, the number of poor people이 주어이므로 is increasing이 적절하다.

해석

부유한 나라에서 장기 기증의 심각한 부족은 음성적이고 불법적인 장기 거래의 걱정스러운 증가를 초래하고 있다. 생명에 위협이 되는 질병을 앓고 있는 부유한 외국인들은 자신들의 수명을 연장해 줄 장기를 얻기 위해 중국, 콜롬비아, 이집트, 파키스탄, 필리핀, 그리고 다른 나라의 가난한 사람들에게 의존하고 있다. 세계보건기구는 최근 매년 약 20,000건에 달하는 간 이식이 시행되고 있다고 추정한다. 의료 전문가들은 이 수치가 매우 과소평가되고 있다고 말하고, 매년 세계적인 수요가 90,000건 이상이라고 추산한다. 가난으로부터 벗어나고자 간이나 콩팥과 같은 장기를 기꺼이 팔려고 하는 사람들의 수가 증가하고 있어서 장기이식을 하려는 관광객들은 장기를 구하기 더 쉽다.

어휘

deficiency n. 부족, 결핍   **donate** v. 기부하다, 기증하다   **organ** n. 장기, 기관; 오르간   **suspicious** a. 의심스러운, 수상쩍은   **lease** n. (생명 등의) 정해진 기간, 임대차   **estimate** v. 추정하다, 어림하다; n. 추정, 견적, 어림   **liver** n. 간   **understate** v. 줄여서 말하다   **transplant** n. 이식; v. 이식하다   **willing** a. ~하기를 꺼리지 않는, 기꺼이 ~하는   **kidney** n. 콩팥

194 ②

해설

(A) '과학적인 간격을 좁힐 수 있는 방법'이라는 의미로, 명사 way를 수식하는

to부정사의 형용사적 쓰임이다.
(B) 앞의 memoranda(비망록)을 선행사로 받고, 뒤에 완전한 문장이 나왔으므로 관계부사가 와야 한다. memoranda 안의 내용을 설명하므로 in which가 적절하다. Dr. J. C. Licklider wrote a series of memoranda. + He described (what he called) a "galactic network" in a series of memoranda.
(C) computers를 선행사로 받고, 컴퓨터이므로 정보에 접근(access)하려면 컴퓨터를 통해야(through) 하므로 through which가 적절하다. Licklider envisioned a global system of interconnected computers. + People could access information from any site through global system of interconnected computers.

해석

1957년에 소련은 세계 최초로 스푸트니크로 알려진 인공위성을 발사했다. 미국은 국가적으로 열등감을 느껴 '과학적인 간격'을 좁힐 수 있는 다양한 방법을 탐구하기 시작했다. 이에 응하여, 미국 대통령 드와이트 데이비드 아이젠하워는 과학 프로젝트를 계획하고, 자금을 제공하고, 구성하기 위해 ARPA를 만들었다. ARPA는 미국의 뛰어난 과학자들 중 몇 사람을 불러 모았다. 몇 년이 지나지 않아 ARPA는 통신과 컴퓨터 공학에 집중하기 시작했다. 1962년에 J. C. 리클라이드 박사는 일련의 비망록에서 소위 '거대한 네트워크'라는 말을 언급했다. 리클라이드 박사는 사람들이 어떤 사이트에서도 정보에 접근할 수 있는 국제적으로 상호 연결된 컴퓨터 시스템을 생각해냈다.

어휘

launch v. 발사하다; 시작하다, 개시하다   **artificial satellite** n. 인공위성   **inferiority** n. 열등감, 하등   **brilliant** a. 뛰어난, 명석한; 훌륭한   **memoranda** n. 비망록, 메모   **galactic** a. 무수한, 거대한; 은하계의   **envision** v. 마음속에 그리다, 상상하다   **interconnect** v. 서로 연결되다

195 ④

해설

(A) shift 이동하다, 옮기다 / sift 조사하다, 감별하다; 거르다
(B) prove 드러나다, 판명하다, 입증하다 / disprove (~의) 오류를 증명하다, 반박하다
(C) moral 도덕, 윤리 / morale 의욕, 사기

해석

교육에는 두 가지 기능이 있다. 하나는 효용성이고, 다른 하나는 교양이다. 교육을 통하여 사람은 보다 유능한 존재가 되고, 자신의 인생에서 바라던 목표를 성취할 수 있다. 게다가 사람은 결단력 있고 효과적인 사고를 하도록 훈련받을 수 있을 것이다. 교육은 사람이 증거를 조사해서 평가할 수 있게 하고, 진실과 거짓을, 현실과 비현실을, 사실과 허구를 구별할 수 있게 해줄 것이다. 그러므로 교육의 기능은 사람에게 집중적이고 비판적으로 사고하는 법을 가르치는 것이다. 하지만, 효율성에만 머무르는 교육은 사회에 가장 위협적이 될 수 있다는 것을 입증할 것이다. 가장 위험한 범인은 도덕성은 없고 이성만 가진 인간일지도 모른다.

어휘

utility n. 효용(성), 유용(성)   **culture** n. 교양, 문화   **efficient** a. 유능한, 실력 있는; 능률적인, 효과가 있는   **resolute** a. 단호한, 확고한   **evaluate** v. 평가하다, 어림하다   **intensively** ad. 집중적으로   **critically** ad. 비판적으로, 혹평하여

196 ④

해설

신경은 치수 밖에 있는 것이 아니라 치수 내에 있는 것이므로 outside가 아닌 within 또는 inside가 되어야 한다.

해석

이 그림은 치아의 단층과 내부 구조, 그리고 치아와 잇몸 사이의 관계를 보여 준다.

치아는 세 개의 주요 부분인 치관, 치경부, 뿌리로 나뉜다. 치관은 잇몸 위에 있는 치아의 눈에 보이는 부분이며, 뿌리는 아래쪽에 있는 치아의 보이지 않는 부분이다. 그리고 잇몸은 뿌리와 치관 사이에 있는 부분이다. 치관은 에나멜 코팅이 되어 있어서, 아래에 있는 상아질을 보호한다. 상아질은 치수 밖에(→ 내에) 치아의 중앙 신경을 연결하는 조그마한 관을 포함한 뼈에 가까운 구조이다. 잇몸 아래에서 뿌리의 상아질은 뼈와 같은 단단한 물질인 얇은 층의 시멘트질로 뒤덮여 있는데, 그것에는 치주막이 붙어 있다. 이 막은 치아의 뿌리와 턱뼈를 연결한다.

어휘

internal a. 내부의, 안의　**relate** v. 관련이 있다　**gum** n. 잇몸, 치은　**crown** n. 치관; 왕관　**visible** a. 눈에 보이는(↔ invisible 분명한, 명백한)　**underlie** v. ~의 밑에 있다; ~의 기초가 되다　**tubule** n. 가느다란 관　**pulp** n. 치수　**cementum** n. 시멘트질, 백악질

197 ③

해설

① '거의 없는'라는 의미의 few는 셀 수 있는 명사 앞에 온다.
② most of us가 주어이므로, are가 적절하다.
③ '건강관리를 개선하는 데 전념하는'이라는 의미로, 앞에 to는 전치사로 쓰였다. 전치사 뒤에는 동명사가 오므로 improving으로 고쳐야 한다.
④ '과체중인 사람들'이라는 의미로, overweight는 주어인 people을 보충 설명하는 보어로 쓰인 형용사이다.
⑤ '건강관리 비용에 원인이 되는 만성적인 질병들'이라는 의미로, that은 other chronic problems를 선행사로 받는 주격 관계대명사이다.

해석

비만율은 지난 몇 년간 대부분의 주에서 증가했고, (비만율이) 감소된 주는 거의 없었다. "유감스럽게도 우리들 대부분은 비만을 비상사태 그 자체라기보다 단지 불편한 정도로 취급하고 있다."라고 건강관리 개선에 전념하는 자선단체인 제이콥 벤자민 존슨 협회의 상임 부사장인 제레미 콜린스 박사가 말했다. 건강과 관련된 많은 단체의 관리들은 정부가 비만 예방에 더 큰 역할을 하기를 원한다. 과체중인 사람들은 당뇨병, 심장병, 그리고 건강관리 비용이 훨씬 많이 드는 다른 만성적인 질병들의 위험의 증가하는 위험에 직면하고 있다

어휘

obesity n. 비만, 비대　**decline** n. 감소, 쇠퇴; 내리막　**regrettably** ad. 유감스럽게, 애석하게　**deal with** ~을 취급하다, 다루다　**a mere** 단지, 겨우　**inconvenience** n. 불편, 부자유; 귀찮음　**emergency** n. 비상(사태)　**philanthropy** n. 자선 활동　**dedicated** a. 헌신적인, 전념하는　**overweight** a. 과체중의, 비만의　**chronic** a. 만성적인, 장기간에 걸친

198 ④

해설

(A) To use airbags with the minimum necessary force는 '필요한 최소한의 힘으로 에어백을 사용하기 위해'라는 의미로 to부정사의 부사적 쓰임을 나타낸다.
(B) '너무 쉽게 열리는 에어백'이라는 의미이며, airbags를 선행사로 받는 주격 관계대명사 that이 와야 한다.
(C) '비상 서비스센터에 사고가 일어났음을 알려주다'라는 의미로, 「inform A that(A에게 ~을 알리다)」의 구조로 쓰였다. 네모 뒤에 완전한 절이 왔으므로 what은 답이 될 수 없다.

해석

차량의 뛰어난 많은 사양들은 안전과 관련 있다. 충돌을 막기 위한 시스템은 소나(음향탐지기), 레이더, 레이저, 컴퓨터 또는 비디오카메라를 사용한다. 이러한 시스템은 차가 물체에 너무 가까이 가게 되면, 음성 신호로 운전자에게 소리를 내거나 경고를 한다. 또 다른 안전장치는 뛰어난 에어백 시스템이다. 필요한 최소한의 힘으로 에어백을 사용하기 위해서 센서가 탑승자의 몸무게, 키, 충돌의

세기를 판단한다. 이 시스템은 너무 세게 펼쳐진 에어백에 상처를 입는 아이들의 수를 줄여 줄 것이다. 또 다른 시스템은 자동으로 비상 서비스센터에 사고가 일어났음을 알려주고, GPS를 이용하여 경찰과 구조대에게 차량의 위치를 탐지할 수 있도록 해준다.

어휘

collision n. 충돌; 대립　**beep** v. 삐 소리를 내다; 경적을 울리다　**minimum** a. 최소한의, 최저의　**occupant** n. 타고 있는 사람; 거주자, 사용자　**impact** n. 충돌, 충격; 영향　**vigorously** ad. 힘차게, 세게　**automatically** ad. 자동으로　**spot** v. 찾다, 발견하다; n. 점, 얼룩

199 ①

해설

(A) emit 발하다, 내뿜다　/　drop 떨어뜨리다, 떨어지다
(emitting과 dropping은 동명사로 쓰였다)
(B) perceive 지각하다, 인지하다, 알아채다　/　receive 받다, 받아들이다
(C) spray 뿌리다, 분무하다　/　spread 퍼지다, 펼쳐지다

해석

우리는 피아노로 노트(악보)를 연주한다. 하지만, 당신은 노트라는 말이 음악적 상징이자 향수를 설명하는 말이라는 것을 알았습니까? 노트는 향기를 발하는 순서와 향기의 지속시간, 그리고 향기의 느낌을 설명하는 데 이용되는 분류 기준이다. 정유는 그 향기의 특성에 따라 탑노트(첫 향기), 미들노트(중간 향기), 베이스노트(마지막 향기, 잔향)으로 분류된다. 탑노트는 (향수를) 뿌리고 난 후 바로 지각할 수 있는(맡을 수 있는) 향이다. 그것들은 세 시간 내에 증발한다. 탑노트는 여름에 기분이 우울하거나 기운이 없을 때 효과적이다. 향수를 뿌릴 때 체온이 다소 높은 곳에 뿌리는 것이 적절하다.

어휘

portray v. 묘사하다, 그리다; 나타내다　**fragrance** n. 향기, 향, 향수　**duration** n. 지속; 기간　**essential oil** 정유(여러 가지 식물에서 얻어지는 향기가 강한 휘발성 기름)　**application** n. 이용, 적용　**evaporate** v. 증발하다, 사라지다　**spiritless** a. 활기가 없는, 기운이 없는; 열의가 없는

200 ⑤

해설

결합이 약해서 분자 사이가 멀다면 형성하기 힘들다는 의미가 되어야 하므로 short를 long으로 고쳐야 한다.

해석

수소결합은 매우 특별한 종류의 약한 결합으로, 생물계에서 중요한 역할을 한다. 수소결합은 원자보다는 분자를 결합시킨다는 점에서 이온결합이나 공유결합과는 다르다. 물 분자에서 산소는 두 개의 수소원자를 가지고 공유결합을 형성한다. 물속에서 공유된 전자는 수소 핵보다는 산소 핵에 강하게 끌린다. 물 분자는 양극과 음극 또는 극을 지닌 분자의 자석처럼 행동한다. 물처럼 고르지 못한 전하를 가진 분자들은 극 분자들이다. 수소결합은 두 극의 분자 사이에서 형성된 약한 화학결합이다. 수소결합은 약한 결합이어서 분자 사이가 가깝다면(→ 멀다면) 형성되지 못한다.

어휘

hydrogen n. 수소　**bond** n. (원자 간의) 결합; 유대, 결속　**in that** ~라는 점에서　**molecule** n. 분자　**covalent bond** n. 공유결합　**electron** n. 전자　**nuclei** n. 핵(nucleus)의 복수형　**charge** n. 전하(충전량)

201 ②

해설

① languages가 주어이므로 have가 적절하다.

② a quarter 뒤에 of today's languages가 생략되었는데, 「부분 표현+of+명사」에서는 명사의 수에 동사의 수를 일치시킨다. languages가 주어이므로 has를 have로 고쳐야 한다.

③ the number가 주어이므로 is가 적절하다.

④ 퍼센트(%)는 부분을 나타내는 표현으로 of 뒤의 명사 tongues에 동사의 수를 일치시키므로, are가 적절하다.

⑤ '사람들이 언어를 보존하기 위해 노력을 했다면 사어가 지금보다 훨씬 줄어들었을 것이다'라는 의미로, 과거 사실에 반대되는 가정의 결과가 현재에 영향을 줄 때 혼합 가정법을 쓴다. 혼합 가정법은 「If+주어+had+p.p. ~, 주어+조동사의 과거형+동사원형」의 형태로, '(과거에) ~했더라면, (지금) ~할 텐데'라는 의미이다.

해석

유네스코에 따르면 오늘날 언어의 절반은 사용자가 10,000명보다 적고, 4분의 1은 1,000명보다 적다. 유네스코는 언어를 다음과 같이 분류한다. 언어 사용자의 수가 활발하게 늘어나면, 언어는 건강하다고 간주된다. 언어를 배우는 어린이들이 더 이상 없을 때, 언어는 사라질 위기에 처해 있다고 간주된다. 소수의 노인들만 언어를 사용하면 언어는 소멸해 가고 있다고 간주된다. 모국어로 언어를 사용하는 사람이 없으면, 언어는 사어(死語)라고(멸종되었다고) 간주된다. 세계 언어의 약 50퍼센트 정도는 사라질 위기에 처해 있거나 소멸해 가고 있다고 간주된다. 그러나 사람들이 언어를 보존하기 위해 좀 더 많은 노력을 했다면 지금보다 훨씬 사어가 줄어들었을 것이다.

어휘

classify v. 분류하다, 등급으로 나누다　**actively** ad. 활발히, 활동적으로; 적극적으로　**endangered** a. 위험에 처한, 위기에 처한; 멸종될 위기에 이른　**moribund** a. 소멸해 가는, 절멸 직전의; 죽어가는　**extinct** a. 사라진, 쇠퇴한　**tongue** n. 언어, 국어; 혀

202 ⑤

해설

(A) '가장 연장자부터 (명함을 건네기) 시작하면서'라는 의미로, starting이 적절하다.

(B) face는 '~ 쪽을 향하다, ~에 대면하다'라는 뜻이다. '인쇄된 부분이 사람 쪽을 향하도록'이라는 의미이므로, 능동형인 facing이 적절하다.

(C) 대명사는 동사와 부사 사이에 와야 하므로, look it over가 적절하다.

해석

간단한 인사와 악수 후에 명함을 교환하는 것이 일반적이다. 홍콩, 싱가포르, 그리고 한국을 포함한 아시아의 많은 나라에서는 이것은 사업가들 사이에서 일반적이고 중요한 관습이다. 양손에 명함을 들고 회의에서 가장 연장자부터 (명함을 건네면서) 시작해서 각각의 사람들에게 명함을 건네라. 인쇄된 부분이 그 사람 쪽을 향하게 해서 명함을 주어라. 명함이 당신에게 건네졌을 때, 그 명함을 살펴보아라. 지갑이나 뒷주머니에 넣지 말고, 명함에 메모하지 마라. 명함을 교환하는 관습은 아시아 전역에서 중요하다. 한 중국 간부가 "명함이 없으면, 당신은 아무도 아닐 것이다."라고 말했다.

어휘

senior n. 연장자, 원로, 어른　**executive** n. 임원, 관리직, 중역; a. 실행의　**straightforwardly** ad. 솔직하게, 정직하게

203 ⑤

해설

(A) tolerance 참을성, 인내　/　toll 손해, 대가; 통행료

(B) soar (물가 등이) 치솟다; 급상승하다; 날아오르다　/　sour ~을 시게 하다; 화나게 하다

(C) hamper ~을 방해하다　/　protect ~을 보호하다

해석

분석가에 따르면 기록적인 고유가가 수입에 의존하는 빈곤한 나라에 손해를 끼치는 반면에, 세계의 산업화된 나라에는 거의 영향을 미치지 않고, 산유 개발도상국에는 이익을 주고 있다고 한다. 특히 중국과 같은 개발도상국의 요구와 성장하는 세계 경제 때문에 최근 몇 년간 석유에 대한 수요가 치솟았다. 알제리, 베네수엘라, 그리고 리비아와 같은 산유국은 높은 유가로 많은 이익을 얻었다. 하지만, 많은 분석가들은 유가의 상승은 에너지 수요를 위해 수입에 의존하는 개발도상국에게는 재난이라고 말한다. 개발도상국들의 청구 금액이 치솟아 적자를 악화시키며 가난과의 싸움을 방해하고 있다.

어휘

analyst n. 분석가　**take a toll** ~에 손해를 끼치다, 타격을 주다　**emerging economies** 개발도상국　**skyrocket** v. 치솟다, 급상승하다　**worsen** v. 악화시키다, 보다 나쁘게 하다

204 ④

해설

온도가 30도가 넘어가면서 광합성률은 급격히 감소하므로, inclines를 declines로 고쳐야 한다.

해석

세 가지 요인인 빛의 세기, 이산화탄소 농도, 온도가 주로 광합성률에 영향을 준다. 일반적으로 식물이 빛을 더 많이 받으면 광합성률은 더 빨라진다. 그림 (a)에서 그래프의 라인 B는 높은 온도일 때 빛의 세기가 증가함에 따라 광합성률이 증가한다는 것을 보여 준다. 그러나 라인 A는 낮은 온도일 때 빛의 세기가 계속해서 증가하더라도 광합성률은 수평을 유지한다는 것을 보여 준다. 이제 그림 (b)를 봐라. 라인 C는 온도가 30도를 넘어가면서 광합성률이 급격하게 증가한다(→ 감소한다)는 것을 보여 준다. 광합성률은 효소에 의해 제어되는데, 효소는 온도에 영향을 받는다. 그림 (b)에서 보는 바와 같이, 효소가 너무 많은 열을 받으면 파괴되기 때문에 매우 높은 온도는 광합성률을 저하시킨다.

어휘

intensity n. 세기, 강도; 강렬함　**carbon dioxide** n. 이산화탄소　**concentration** n. 농도; 집중　**affect** v. 영향을 미치다　**slow down** ~을 늦추다, 느긋해지다　**enzyme** n. 효소　**overheat** v. ~을 과열하다; 열중시키다

205 ①

해설

① 반세계화주의자들은 거대 복합기업이 너무 많은 힘을 가지고 있다고 주장을 한 것이므로, should have가 아닌 have로 고쳐야 한다. should have를 쓰면 '너무 많은 힘을 가져야만 한다'는 의미가 되므로 적절하지 않다.

② even을 비교급 cheaper를 강조하는 부사로 쓰였다.

③ '지역 회사들이 세계 시장에서 경쟁할 수밖에 없을 때(경쟁을 강요받을 때)'라는 의미이다. local companies가 경쟁을 강요받는 것이므로 수동형이 적절하다.

④ '세계적 기업의 힘의 결과로 발생하는 문제'라는 의미로, occur의 주어는 관계대명사 that이고 선행사는 problems이다.

⑤ '이러한 회사들이 가져오는 이익'이라는 의미로, that은 the benefits를 선행사로 받는 목적격 관계대명사로 쓰였다.

해석

반세계화주의자들은 거대 복합기업이 너무 많은 힘을 가지고 있다고 주장한다.

사실 많은 국가의 대형 국제 기업들은 경제적으로 많은 정부들보다 더 막강하다. 그들의 규모 때문에 다국적 기업은 지역 회사보다 제품을 훨씬 더 값싸게 팔 수 있다. 이것이 지역 회사들을 불리한 입장에 처하게 해서, 많은 지역회사들이 파산한다. 그래서 패스트푸드에서 영화에 이르기까지 표준화된 서구 제품들은 세계 시장을 지배하게 되는 것이다. 하지만, 세계주의자들은 지역 회사들이 세계 시장에서 경쟁할 수밖에 없을 때, 지역 회사들은 더 강력해지고, 능률적인 회사가 된다고 주장한다. 세계주의자들은 또한 세계적 기업의 힘의 결과로 발생하는 문제보다 이 회사들이 가져오는 이익이 더 중요하다고 말한다.

어휘
conglomerate n. (거대) 대기업, 복합기업; 집합체　**powerful** a. 영향력 있는, 강력한　**global corporations** n. 다국적 기업[글로벌 기업]　**disadvantage** n. 불리한 처지, 조건; 손해, 손실　**go bankrupt** 파산하다　**standardize** V. 표준에 맞추다, 통일시키다　**dominate** V. 지배하다; 우세하다　**as a result of** ～의 결과로서　**outweigh** V. (가치, 중요성, 영향력 등이) ～보다 중대하다, 능가하다

206 ③

해설
(A) '아랍 대중을 사로잡은 어떤 사람의 목소리'라는 의미로, 목소리가 아랍 대중을 사로잡은 것이므로 능동형인 현재완료가 적절하다.
(B) '많은 등장인물들의 눈을 통해 보여지는 현대카이로의 생활상'이라는 의미이다. 카이로의 생활상이 등장인물의 눈을 통해 보여지는 것이므로 수동형인 seen이 적절하다.
(C) '무엇이 사람들의 행동을 야기시키는지'라는 의미로, 의문사 what은 pondering의 목적어절을 이끈다.

해석
아랍 세계는 도대체 누구에게 귀를 기울이고 있는가? 분명히 그들은 급진적인 지도자와 호전적인 정치가들에게만 귀를 기울이고 있는 것은 아니다. 아랍대중을 사로잡은 목소리를 가진 어떤 사람은 낮에는 카이로의 치과의사이고, 밤에는 소설가이다. 알라아 알 아스와니의 소설 「야코비안 건물」은 한 현상이자, 2년간 중동에서 베스트셀러 소설이다. 그 소설은 한 카니발에서 많은 등장인물들의 눈을 통해 보여지는 통렬하고, 타협하지 않는 현대 카이로의 생활상을 묘사한다. 무바라크 정부에 대한 솔직한 비평가이자 친근하면서 남 앞에 잘 자신을 드러내지 않는 알 아스와니 박사는 치의학을 전공하고, 미국에서 미국인의 생활방식을 연구했다. 그는 무엇이 사람들의 행동을 야기시키는지 숙고하는 박애주의 애정의 소유자이다.

어휘
radical a. 급진적인, 과격한; 철저한　**sheikh** n. (이슬람 사회의) 지도자; (아랍 국가의) 왕자, 촌장　**militant** a. 호전적인, 투쟁적인　**captivate** V. ～의 마음을 사로잡다　**phenomenon** n. 현상; 사건　**portray** V. 묘사하다, 그리다　**poignant** a. 통렬한, 가슴 아픈, 쓰라린　**uncompromising** a. 타협하지 않는, 단호한　**outspoken** a. 거리낌 없는, 솔직한　**regime** n. 정부, 정권; 관리 체제　**self-effacing** a. 표면에 나서지 않는, 자기를 내세우지 않는　**dentistry** n. 치의학, 치과학　**ponder** V. 숙고하다, 곰곰이 생각하다

207 ②

해설
(A) range (범위가 ～에서 …에) 이르다, 포괄하다(range from A to B) / change 변화시키다, 바꾸다
(B) subdue 완화하다, 경감하다; 진압하다 / survive ～보다 오래 살다
(C) compel 강요하다, ～에게 억지로 시키다 / compile 편집하다, 수집하다

해석
인권 공동위원회의 연구에서 많은 노인들이 신체적인 방치에서 식사에 대한 도움 부족으로 영양실조나 탈수에 이르는 학대를 받고 있다고 경고한다. 특히 개인적 치료의 필요에 대한 존엄성의 결여로 환자를 치료해 주는 것보다 완화시키려

는 의도의 부적절한 약물과 병원에서 지나치게 서두르는 퇴원 또한 많은 노인들에게 고통을 안겨 주고 있다고 국회의원들과 그 동료들은 단정한다. 노인들에 대한 심각한 수준의 방치와 학대를 강조한 영국의 보고서는 병원이나 가정이 치료에 있어서 노인들의 인권을 보호하도록 법률이 강화되어야 한다고 주장한다.

어휘
joint committee n. (양원의) 합동 위원회　**maltreatment** n. 학대　**neglect** n. 방치, 소홀; V. 방치하다; 무시하다　**malnutrition** n. 영양실조　**dehydration** n. 탈수　**dignity** n. 존엄성; 위엄; 품위　**inappropriate** a. 부적절한　**medication** n. 약물, 약　**overly** ad. 과도하게, 지나치게　**hasty** a. 성급한, 서두르는　**discharge** V. 퇴원시키다; 해고하다　**conclude** V. 판단을 내리다, 결론을 내리다; 단정하다　**abuse** n. 학대; 남용, 오용

208 ⑤

해설
양분을 사용하는 것보다 천천히 만드는 것이 아니라 빨리 만들어서 무게가 증가하는 것이므로 slower가 아니라 faster 정도가 되어야 한다.

해석
씨앗이 처음 발아하기 시작할 때, 씨앗의 무게는 증가한다. 이것은 씨앗이 토양으로부터 물을 흡수하기 때문이다. 씨앗이 자라기 시작하자마자, 모든 씨앗은 저장된 양분을 이용하기 시작한다. 씨앗은 살아 있는 유기체처럼 호흡으로 포도당을 분해해서 에너지를 얻는다. 저장된 녹말로부터 꽤 많은 포도당이 호흡으로 소모될 것이다. 그래서 씨앗의 무게는 줄어든다. 며칠 후에 씨앗의 제일 처음 자란 싹이 땅 위로 올라올 것이다. 처음 잎사귀가 퍼지고, 광합성을 시작한다. 식물은 양분을 사용하는 것보다 더 느리게(→ 빠르게) 영양물을 만들 수 있다. 식물의 무게는 증가하기 시작한다.

어휘
seed n. 씨앗, 종자　**germinate** V. 발아하다, 자라다; 성장하다　**absorb** V. 흡수하다, 빨아들이다; 빼앗다　**break down** 분해시키다　**respiration** n. 호흡　**starch** n. 녹말, 전분　**shoot** 발아, 성장; 사격　**photosynthesize** V. 광합성하다

어 법 어 휘 　실 전 　모 의 고 사 　제 3 회			P.76
209 ③	210 ④	211 ⑤	212 ⑤
213 ⑤	214 ④	215 ④	216 ①

209 ③

해설
① south는 부사로 '남쪽으로'라는 뜻이다.
② '또 다른 항해'라는 의미로, another 다음에 voyage가 생략되었다.
③ '사람들이 부메랑을 가지고 사냥하는 것을 보았다'라는 의미로, 지각동사 observed 뒤에 원형부정사나 현재분사가 와야 하므로 to hunt를 hunt로 고쳐야 한다.
④ souvenirs가 주어이므로, were가 적절하다.
⑤ '향료, 상아, 진주, 약품과 제국에서 귀하게 여기는 단단한 목재를 얻었다.'라는 의미로, 분사구문이다. 이 문장은 and they obtained ~ the Imperial court로 고쳐 쓸 수 있다.

해석
Zheng의 첫 여행에서 그는 베트남의 남쪽으로 항해해서 말라카에 기지를 세웠다. 한 항해에서 그는 인도와 실론을 여행했고, 실론의 군주를 교육을 시키기 위해 중국으로 데려왔다. 또 다른 항해에서 그는 호주 남쪽 해안을 탐험했다. 기록에 의하면 선원들은 사람들이 부메랑을 가지고 사냥하는 것을 보았다고 한다. 그는 모두 37개국을 여행했다. 그가 나라를 방문할 때마다 물품을 주고받고, 동시에 답례로 금, 은, 자기, 그리고 비단을 선물로 주었다. 그의 가장 이국적인 기념

품 중에는 얼룩말, 타조, 사자와 기린, 그리고 소말리아의 통치자로부터 온 그 밖의 선물이 있었다. 중국으로 돌아왔을 때, 그는 여러 나라의 상인들과 함께 왔다. 중국인들은 인도, 아라비아, 아프리카 상인들과 물물교환을 시작했고, 그들은 향료, 상아, 진주, 약품과 제국에서 귀하게 여기는 단단한 목재를 얻었다.

어휘

monarch n. 군주, 제왕, 황제   **instruction** n. 교육, 지도; 설명; 지시   **dispense** v. 분배하다, 베풀다   **in return** 답례로; 화답으로   **exotic** a. 외국산의, 이국풍의; 매혹적인   **barter** v. 교환하다, 교역하다; n. 물물교환, 교역   **prize** v. 소중히 여기다, 높이 평가하다, 고맙게 여기다   **imperial** a. 제국의; 황제의

210 ④

해설

(A) 양곤 시민들이 공포를 느끼는 것이므로, terrified가 적절하다.
(B) '우리가 알고 있는 바로는'이라는 의미로, understand의 목적어가 되면서 선행사를 포함하는 관계대명사 what이 와야 한다.
(C) '승려들에게 승려복과 보시기를 파는 가게'라는 의미로, shops를 선행사로 받고 sell의 주어가 없으므로 주격 관계대명사 which가 와야 한다. 네모 뒤에 주어가 없는 불완전한 문장이 왔으므로 관계부사 where는 쓸 수 없다.

해석

군용 차량들이 동이 트기 전에 거리를 순찰하면서 확성기로 "우리는 사진을 가지고 있다. 우리는 체포할 것이다."라고 외쳤다. 미얀마 주재 미국대사 대리인 샤리 빌라로사는 전화 인터뷰에서 "이러한 행동이 양곤 시민들을 공포에 떨게 만들었다."고 말했다. 그녀는 "우리가 알고 있는 바로는 헌병이 한밤중에 시내를 돌아다니며 주택으로 들어가서 사람을 잡아가고 있어요."라고 말했다. 쉐다곤 파고다(미얀마 수도 양곤의 북쪽 언덕에 있는 거대한 불탑) 인근에 살고 있는 주민들에 따르면, 경찰이 한밤중에 수십 채의 가택을 수색했고, 심문을 하기 위해 남자들을 여러 명 끌고 갔다고 말했다. 조사를 당한 집들은 쉐다곤 파고다 근처에서 승려들에게 승려복과 보시하는 그릇을 파는 시장에 있는 가게 위쪽에 위치해 있었다.

어휘

patrol v. 순찰하다, 돌아다니다   **loudspeaker** n. 확성기   **blare** v. 울려 퍼지다; 큰소리로 외치다   **acting** a. 대리의, 대행의; 임시의   **terrify** v. 무섭게 하다, 겁먹게 하다   **military police** 헌병   **sweep** 수색하다; 훑어보다; 쓸다, 청소하다   **monk** n. 승려

211 ⑤

해설

(A) intentional 고의적인, 의도적인 / accidental 우연한, 뜻하지 않은
(B) define 정의하다; 설명하다 / refine 정제하다, 제련하다; 개선하다
(C) populate ~에 살다, 거주하다 / popularize 대중화하다, 보급시키다

해석

모든 발명품처럼 이메일도 몇 가지 의도하지 않은 결과를 초래했다. 인터넷에서 거의 가장 바람직하지 못한 특징 중의 하나는 스팸이다. 스팸은 전자 정크 메일(원하지 않는데 일방적으로 보내는 광고물)이나 수많은 이메일 주소로 보내는 원하지 않는 상업용 메시지로 정의될 수 있다. 스팸의 이름은 미네소타 주의 호멜 회사가 만든 점심용 통조림 고기라는 스팸에서 따온 것이다. 그 점심용 고기는 몬티 피튼 서커스로 알려진 영국 희극 단체에 의해 대중화되었다. 한 몬티 피튼 촌극에서 식당 안의 어느 바이킹 족 집단이 "스팸, 스팸, 스팸, 스팸"이라는 단어를 반복해서 노래를 부르며, 다른 사람들의 대화를 잠식하게 되어 멈추라는 사람들의 소리를 듣게 된다. 원하지 않은 이메일은 이 제창과 같은 특징을 많이 가지고 있다.

어휘

desirable a. 바람직한, 탐나는   **commercial** a. 상업적인   **skit** n. 희극, 촌극;

풍자   **drown** v. ~을 들리지 않게 하다, ~을 지우다   **unsolicited** a. 청하지 않은; 불필요한

212 ⑤

해설

볼록렌즈(수렴렌즈)는 광선을 안으로 모으는 역할을 하므로 outwards가 아니라 inwards가 되어야 한다.

해석

사람들은 자신의 눈이 가지고 있는 다양한 종류의 많은 문제가 있다. 가장 흔한 문제 두 가지는 원시와 근시이다. 원시인 사람들은 멀리 있는 물체를 매우 정확히 볼 수 있지만, 눈에서 가까운 물체에 초점을 맞출 수 없다. 그래서 원시인 사람들은 독서를 위해서 안경을 써야 한다. 이것에 대한 일반적인 이유는 안구가 정상보다 짧아서 렌즈가 가장 두꺼울지라도 망막에 초점이 맞춰지도록 광선을 충분히 급격하게 굴절시킬 수 없다. 원시는 볼록 렌즈로 되어 있는 안경이나 콘택트렌즈를 착용함으로써 쉽게 교정할 수 있다. 그 렌즈는 눈 자체의 렌즈를 위한 역할을 하면서 광선을 밖으로(→ 안으로) 굴절시킨다.

어휘

long-sightedness n. 원시   **short-sightedness** n. 근시   **object** n. 물체   **clearly** ad. 명확히, 정확히   **focus** v. 초점을 맞추다; 주의를 집중시키다   **eyeball** n. 안구   **sharply** ad. 선명하게, 뚜렷이   **converging lens** n. 볼록(수렴) 렌즈(광선의 수렴이 용이하도록 모서리보다 중앙부를 두껍게 만든 렌즈)   **outwards** ad. 바깥쪽으로, 밖으로

213 ⑤

해설

① '머리가 자라게 두다'라는 의미이고, 사역동사 let은 목적격 보어로 동사원형을 취한다.
② '머리가 자연스럽게 마르도록 내버려두다'라는 의미로, 「leave+목적어+to+동사원형」의 구조로 쓰였다.
③ '한두 가지 래스터패리언들만의 사상을 표현하는데, 그것은 계속해서 반복된다'라는 의미로, which가 ideas를 선행사로 받는 계속적 용법의 주격 관계대명사로 쓰였다. 따라서 are가 적절하다.
④ like는 전치사로 '~처럼, ~과 같이'라는 의미이다.
⑤ '래스터패리언들의 정신이 계속 살아있게 한다'라는 의미로, 「keep+목적어+목적격 보어」의 구조로 쓰였다. 이때 목적격 보어 자리에는 서술적 용법으로 쓰이는 형용사가 와야 하므로 alive로 고쳐야 한다. 형용사 live는 한정적 용법으로 쓴다.

해석

래스터패리언들은 1930년대에 시작된 자메이카의 종교 운동의 일원이다. 래스터패리언들은 자신들의 특별한 머리 스타일과 음악을 일반적인 특징으로 한 종교 단체로 묘사된다. 래스터패리언들의 신앙에 따르면, 빗이나 면도기를 자신의 머리와 수염에 대서는 안 된다. 이 규칙을 따라서 래스터패리언들은 머리를 자라게 놔두고, 헹구기만 하고, 자연스럽게 마르도록 놔둔다. 레게 노래는 한두 가지 래스터패리언들만의 사상을 표현하는데, 그것은 계속해서 반복된다. 레게 연주회는 음악가들이 마치 사제처럼 레게리듬 안에서 반복하는 종교적 축제와 비슷하다. 밥 말리와 그의 그룹은 레게음악을 세계적으로 대중화했다. 밥 말리는 1982년에 죽었지만, 그의 음악은 여전히 래스터패리언들의 정신을 계속 살아있게 한다.

어휘

rastafarian n. 래스터패리언(에티오피아의 옛 황제 하일레 세라세(Haile Selassie)를 숭상하는 자메이카 종교 신자)   **popularly** ad. 일반적으로, 널리   **characterize** v. 특성이 되다, ~으로 간주하다   **razor** n. 면도기   **resemble** v. ~와 공통점이 있다, ~와 닮다   **ceremony** n. 의식   **priest** n. 사제, 성직자

214 ④

해설
(A) '아이들이 장난감 값을 지불해야 하는지 아닌지 알기를 원했다'라는 의미로, know의 목적어절을 이끄는 '~인지 아닌지'의 뜻인 if가 적절하다.
(B) 부정어구인 at no time이 와서 주어와 동사가 도치되었다. at no time은 '결코 ~하지 않다'라는 뜻이고, in no time 은 '곧, 즉시'라는 뜻이다.
(C) '너희들이 그곳에 간다면, 얼어 죽을 것이다'라는 의미로, 현재 사실을 반대로 가정하는 가정법 과거이다. 가정법 과거는 「If+주어+동사의 과거형 ~, 주어+조동사의 과거형+동사원형 ~.」의 형태로 쓴다. 따라서 went가 적절하다.

해석
산토는 산타클로스가 아이들에게 장난감을 나눠 주고 있다는 이야기를 들었을 때, 그는 깜짝 놀랐다. 그는 아이들이 장난감 값을 지불해야 하는지 (아닌지) 몹시 알고 싶었다. 한 캐럴 가수가 "아니야, 장난감은 선물이야."라고 그에게 말했다. 그 마을에서는 한 가지 물건을 다른 물건으로 교환하지만, 일 년 중 어느 때에도 사람들이 물건을 공짜로 주지는 않았다. 그는 "장난감을 가져온 저 남자는 누구야?"라고 도시에서 온 소녀에게 물었다. 그 소녀는 "그 남자는 산타클로스고, 춥고 눈이 덮인 먼 곳에서 왔어. 너희들이 그곳에 간다면, 몹시 추운 온도 때문에 얼어 죽을 거야."라고 산토와 다른 아이들에게 말했다.

어휘
amazed a. 놀란   **desperately** ad. 몹시; 절망적으로   **for nothing** 공짜로, 무료로   **Father Christmas** 산타클로스   **freeze** V. 얼어 죽다; 얼다, 결빙하다

215 ④

해설
(A) effect 결과; 영향, 효과 / effort 노력, 수고
(B) evaluation 평가, 사정 / elevation 고도, 해발
(C) conceal 숨기다, 감추다 / reveal 드러내다, 밝히다

해석
Roswell 사건의 수수께끼를 밝혀내려는 노력으로 미국 정부는 그 사건을 수없이 공식적으로 조사했다. 가장 포괄적인 조사가 1994년 공군에서 실시되었다. 그 신문에는 "뉴멕시코 주 사막의 허와 실: 로스웰 보고서"라는 제목이 붙어 있었다. 그 보고서는 1947년에 취재가 있기는 했지만, UFO 연구가들이 믿었던 이유에 대해서는 아무 취재가 없었다고 결론을 내렸다. 모굴 프로젝트라고 불리는 일급비밀 작전은 소련의 핵폭발을 정찰하기 위한 기구를 갖춘 높은 고도의 "벌룬 트레인"을 관련시켰다. 그 계획의 비밀유지 때문에 정부는 그 추락을 숨기기 위해 극단적인 조치를 취했다.

어휘
clarify V. 명백하게 하다, 밝히다   **incident** n. 사건   **innumerable** a. 셀 수 없이 많은, 무수한   **comprehensive** a. 포괄적인, 종합적인   **coverage** n. 보도, 취재 (범위); 보상   **apparatus** n. 장치, 기구   **spot** V. 발견하다, 찾아, 알아내다   **secrecy** n. 비밀, 은밀; 은둔

216 ①

해설
전례가 없는 수의 미국인들을 컴퓨터와 정보의 시대로 접어들게 했다는 의미이므로, unprecedented 정도로 고쳐야 한다.

해석
1980년대에 팽창하는 과학기술이 전례가 있는(→ 전례 없는) 수의 미국인들을 컴퓨터와 정보의 시대로 접어들게 했다. 마이크로칩 덕분에 방 1개의 크기였던 컴퓨터가 이제는 데스크톱으로 탁상에 놓였다. 컴퓨터의 모든 주요 부품을 갖추고 있는 세계 최초의 마이크로프로세서가 개발된 것은 실제로는 1971년이었다. 마이크로칩이 시간이 지남에 따라 점점 더 작아졌다. 그래서 컴퓨터는 일상생활을 변화시켰던 포켓용 전자기기로 점점 더 가격이 적당해지고 편리해졌다. 한때 책상 위의 상자 크기만 했던 계산기가 신용카드 크기로 줄어들었다. 이러한 많은 일이 첨단 기술 벤처기업의 메카인 실리콘 밸리로 알려진 샌프란시스코의 남쪽에서 일어났다.

어휘
expand V. 확장하다, 팽창하다   **precedented** a. 전례가 있는   **component** n. 부품, 요소   **with time** 시간이 지남에 따라, 머지않아   **affordable** (가격 등이) 알맞은, 감당할 수 있는   **handheld** a. 손바닥 크기의, 포켓용의   **gadget** n. (작고 유용한) 도구, 장치   **calculator** n. 계산기   **shrink** V. 줄어들다, 감소하다(shrank-shrank-shrunk)   **mecca** n. 중심지, 발상지   **start-up** n. 벤처 기업; 조업 개시

217 ⑤

해설
(A) 질문을 받았다는 수동의 의미이므로 asked가 적절하다. when 뒤에 you are 정도가 생략되었다고 볼 수 있다.
(B) confront는 '~에 직면하다, 맞서다'라는 뜻의 타동사이다. 네모 뒤에 목적어가 없으면서 '어떤 문제에 직면했을 때'라는 수동의 의미이므로 confronted가 적절하다. when과 confronted 사이에 we are가 생략되었다고 볼 수 있다.
(C) 앞 문장은 '재생적인 생각은 비창조적인 생각을 낳는다'라는 의미이고, 뒷문장은 '이것이 우리가 해결한 다른 문제와 표면상 비슷해 보이지만, 사실은 상당히 다른 새로운 문제에 직면할 때 종종 실패하는 이유이다'라는 의미이다. 앞 문장에 따른 (이유가 아니라) 결과를 나타내고 있으므로 why가 적절하다.

해석
평균 지성을 갖춘 사람들 대부분이 주어진 문제에 대하여 예상되는 진부한 대답을 생각해 낼 수 있다. 예를 들어, 15의 절반은 얼마인가?"라는 질문을 받았을 때, 우리들 대부분은 즉시 7과 1/2이라고 대답한다. 그것은 우리가 재생적으로 생각하는 경향이 있기 때문이다. 어떤 문제에 직면할 때 우리는 학습해 온 것과 과거에 우리에게 작용해 왔던 것을 통해 가장 그럴듯한 방법을 고르고, 해결책을 도모한다. 재생적인 생각은 비창조적인 생각을 낳는다. 이것이 우리가 해결한 다른 문제와 표면상 비슷해 보이지만, 사실은 상당히 다른 새로운 문제에 직면할 때 종종 실패하는 이유이다.

어휘
figure out ~을 생각해내다, 발견하다; ~을 이해하다; 계산하다   **conventional** n. 진부한, 틀에 박힌; 전통적인   **reproductively** ad. 재생하여; 생식적으로   **confront** V. 직면하다, 맞서다, 마주치다   **promising** a. 전망이 좋은, 기대되는; 장래성이 있는   **encounter** V. 직면하다, 부딪히다   **significantly** ad. 상당히, 크게

218 ④

해설
(A) '더 순수하고 더 단순한 시대로 여기는 시절로 되돌아가다'라는 의미로, 전치사 to 다음에 명사가 와야 한다. 따라서 선행사를 포함하는 관계대명사 what이 적절하다. 네모 뒤에 목적어가 없는 불완전한 문장이 왔고 to 다음에 선행사가 없으므로 that은 올 수 없다.
(B) '역시 ~ 아니다'라는 뜻의 부정어구 Nor가 와서 주어와 동사가 도치되었다.
(C) 「stop+to부정사」는 '~하기 위해 멈추다', 「stop+-ing」는 '~하는 것을 멈추다'라는 뜻이다. 다양한 분야에 대해 탐구하는 것을 막을 수는 없다는 의미이므로, inquiring이 적절하다.

해석
우리가 좋아하든 싫어하든 세상은 지난 몇 세기 동안 많이 발전했고, 우리는 앞

으로 훨씬 더 발전된 세상을 맞이할 것이다. 어떤 사람들은 더 순수하고 더 단순한 시대로 여기는 시절로 돌아가고 싶어 한다. 하지만, 알다시피 과거는 그렇게 훌륭하지 못했다. 아무튼 돌아가고 싶어도 옛날로 시계를 되돌릴 수 없다. 우리는 지식과 기술을 그냥 잊어버릴 수만은 없다. 우리는 미래에 더 많은 발전을 막을 수도 없다. 연구에 대한 정부의 모든 예산이 삭감될지라도 경쟁의 힘은 여전히 기술의 진전을 유발할 것이다. 더욱이 기초 과학에 대한 다양한 분야에 대해 탐구하는 것을 막을 수는 없다.

어휘

budget n. 예산; 경비 **cut off** 삭감하다, 줄이다 **competition** n. 경쟁, 겨룸; 대회, 시합 **instigate** v. 선동하다, 유발시키다 **inquire** v. 조사하다; 질문하다

219 ④

해설

(A) anonymously 익명으로 / unanimously 만장일치로, 이의 없이
(B) conscientious 양심적인, 성실한; 세심한 / conscious 의식적인, 자각하고 있는
(C) adaptation 적응 / adoption 채택

해석

미국 하원이 일본에게 2차 세계 대전 동안 수만 명의 위안부를 강제로 성적 노리개로 삼은 데 대해 공식적으로 인정하고 사과할 것을 요구하는 월요 결의문을 만장일치로 찬성하기로 한 것은 매우 고무적인 뉴스였다. 그 결의문에서 일본의 인류에 대한 전쟁 범죄를 비난한 그들의 노력에 대해 칭찬을 받아야만 하는 미국의 양심적인 국회의원들의 지지로 결국 정의가 승리했음을 입증했다. 이전의 미국 하원 회기에서 이런 결의문 채택을 방해하려고 노력했지만, 일본 측 기대에 미치지 못했다.

어휘

House of Representatives (美) 하원 **resolution** n. 결의안, 결의문; 결심 **comfort women** 위안부 **slavery** n. 노예 **justice** n. 정의 **in the end** 마침내, 결국 **lawmaker** n. 국회의원, 입법자 **applaud** v. 칭찬하다, 박수갈채하다, 성원하다 **reproach** v. 꾸짖다, 비난하다 **wartime** a. 전시 중의, 전시에 일어나는 **prospect** n. 전망, 예상 **fall short** 모자라다; 미치지 못하다 **impede** v. 방해하다, 지연시키다 **session** n. (의회의) 회기, 개정기; 개정

220 ③

해설

오른쪽 그림을 보면, 두 개의 스트랜드는 서로 다른 방향으로 흐르고 있으므로, the same이 아닌 opposite로 고쳐야 한다.

해석

DNA는 유전자를 가진 물질이며, 인간의 몸을 이루는 기본 구성요소로 여겨진다. DNA는 디옥시리보핵산의 약칭이다. 그림 1은 DNA 분자를 상세히 설명한 것이다. DNA 분자는 수소 결합으로 연결된 당(糖)과 인산염으로 만들어진 백본으로 된 두 개의 스트랜드(사슬)로 구성되어 있다. 그 두 개의 스트랜드(DNA 사슬)는 나선형으로 함께 꼬여 있다. 이 두 개의 스트랜드는 서로 같은 방향으로(→ 다른 방향으로) 흐른다. 염기라 불리는 네 개의 다른 종류의 분자는 각각의 당에 붙어 있다. DNA에 있는 네 가지 종류의 염기는 티아민, 시토신, 그리고 구아닌이다. 염기는 크기와 모양이 달라서 A가 T 옆에만, C가 G 옆에만 맞도록 되어 있다.

어휘

chromosome n. 염색체 **protein** n. 단백질 **substance** n. 물질; 재료 **gene** n. 유전자, 유전인자 **building block** n. 기초 단위, 구성물 **short for** ∼의 생략형(단축형)인 **representation** n. 표현, 묘사, 설명 **molecule** n. 분자 **strand** n. 스트랜드, DNA 사슬; (실)가닥 **hydrogen** n. 수소 **spiral** a. 나선형의 **base** n. (화학) 염기 **fit** v. 적합하다, 알맞다

221 ④

해설

① '생산성이 세계에서 가장 큰 종교인 때'라는 의미로, when은 a time을 선행사로 받는 관계부사이다.
② less는 '(양이) 적은'이라는 뜻의 little의 비교급이다.
③ '한낮에 긴 휴식을 갖는 것은'이라는 의미로, taking은 주어 역할을 하는 동명사이다.
④ '스페인 사람들의 바이오리듬은 자연적인 신체 리듬에 더 가깝게 맞추어져 있다'는 의미이므로 than이 아닌 to가 되어야 한다.
⑤ '두 번의 수면 기간으로 나눠진 하루를 필요로 한다'는 의미의 분사구문이 쓰였다.

해석

생산성이 세계에서 가장 큰 종교인 때에도 낮잠을 자는 전통은 계속된다. 스페인에서 노동은 생활방식보다 중요하지 않고, 대신에 반대로 생활방식이 노동보다 중요하다. 당신이 먹기, 잠자기, 또는 휴식을 취하기와 같은 더 중요한 일을 하는 동안, 두 시간 정도를 기다릴 수 없을 만큼 그렇게 중요한 일은 없다. 한낮에 긴 휴식을 갖는 것이 전통적인 점심을 먹는 것보다 더 건강할 뿐만 아니라 더 자연스럽다. 수면 연구가들은 스페인 사람들의 바이오리듬(생체리듬)이 우리의 자연스러운 신체 리듬에 더 가깝게 맞춰져 있을지도 모른다는 것을 발견했다. 연구에 따르면 인간은 단면적인 변화보다는 낮을 잠에 의해 둘로 나누는 양면적인 동물이라는 것이다. 즉, 졸음이 제일 많이 오고 조심성이 가장 감소하는 두 개의 지점이 있다. 첫 번째 최고점은 하루 일과를 마칠 무렵이고, 두 번째 최고점은 이른 오후이다. 그래서 어떤 사람들에게 이른 오후에 깨어 있는 것은 어려운 일이고, 이것이 낮잠을 자야 하는 이유이다.

어휘

productivity n. 생산성 **siesta** n. (특히 더운 나라에서 점심시간 무렵의) 낮잠, 휴식 **the other way around** 반대로, 거꾸로 **critical** a. 중요한, 중대한; 비판적인 **conventional** a. 전통적인, 인습적인; 틀에 박힌 **apparently** ad. 분명히, 명백히 **biorhythm** n. 바이오리듬(인간의 행동에 영향을 주는 것으로 여겨지는 체내 작용의 변화 패턴) **tune** v. 조정하다, 맞추다, 조율하다 **biphasic** a. 양면성의 **monophasic** a. 일면성의 **sleepiness** n. 졸음, 졸림 **alertness** n. 빈틈없음, 조심성 있음

222 ④

해설

(A) 아이들이 매년 8월 23일을 기다린 이유가 네모 뒤에 나오므로 Because가 적절하다.
(B) '휴고 교수의 행성을 오가는 동물원을 실은 굉장한 은빛 우주선이 착륙했다'라는 의미로, the terrific silver spacecraft가 주어이며 본동사가 와야 하므로 settled down이 적절하다. carrying은 분사이다.
(C) '각자 돈을 들고, 무슨 생물체를 가져왔는지 보기 위해 궁금해 하며 기다렸다'는 의미로, 의미상의 주어 each one에 grasping과 waiting이 병렬 연결되었다.

해석

어린 아이들은 항상 매년 8월 23일이 다가오기를 학수고대하고 있었다. 왜냐하면 휴고 교수의 행성을 오가는 동물원을 실은 굉장한 은빛 우주선이 시카고 지역을 연례적인 6시간 동안의 방문을 위해 착륙하는 날이기 때문이었다. 동이 트기 전에 아이들과 어른들이 각자 돈을 들고 길게 줄을 서서 교수가 금년에는 어떤 종류의 생물을 가져왔는지 보기 위해 궁금해 하며 기다렸다. 과거에 그들은 때때로 금성으로부터 온 세발 달린 생물체, 화성에서 온 키가 큰 홀쭉이들, 혹은 더 먼 곳에서 온 뱀과 같은 무서운 동물을 소개받았다.

어휘

terrific a. 대단한, 굉장한, 훌륭한 **interplanetary** a. 행성 간의 **settle down**

착륙하다　**grasp** v. 움켜쥐다, 꽉 잡다　**awe** n. 경외, 두려움　**treat A to B** B로 A에게 접대하다

223 ④

해설

(A) curve ～을 구부리다, 만곡시키다 / curb 억제하다
(B) flavor 맛, 풍미 / favor 호의, 친절
(C) walkout 파업 / workout 운동

해석

당신의 식사에 몇 종류의 향신료를 넣으면, 향신료는 당신의 식욕을 억제하고, 근육을 더 튼튼하게 하며, 지능을 높여 주고, 기분을 좋게 해주는 데 도움을 줄 수 있다. 게다가 당신은 칼로리가 매우 낮고, 지방은 거의 없지만, 즉시 대단한 맛을 느낀다. 영국 영양학 저널의 한 연구는 여성들이 음식에 2티스푼의 말린 고추를 넣으면, 다음 식사에 칼로리와 지방을 더 적게 소모한다고 말했다. 당신의 아침 오믈렛에 맵고 젖은 소스를 넣은 가벼운 식사로 시작하라. 노란색으로 변하는 생강이 또한 부기를 줄여주고, 심한 운동 후의 근육 치료에 도움을 준다고 남부 캐롤라이나 대학의 연구자들은 말한다. 힘든 운동을 하기 며칠 전에 인도산 향신료를 즐겨라.

어휘

spice n. 향신료, 양념　**appetite** n. 식욕　**enhance** v. 강화하다, 늘리다
brainpower n. 지력, 지능　**swelling** v. 부풀어 오름, 팽창　**aid** v. 돕다, 거들다

224 ⑤

해설

'일기'의 뜻으로 diaries로 고쳐야 문맥상 적절하다. dairy는 '착유소, 우유판매점'의 복수형이다.

해석

우리는 대개 역사상 잔인한 만행에 대해 희생자들의 증언을 통해 알고 있다. 예를 들면, 프리모 레비와 알렉산더 솔제니친과 같은 생존자들의 증언을 통해, 우리는 아우슈비츠나 굴라그 수용소(옛 소련의 정치범 강제 노동 수용소)에서의 삶이 어떠했는지 상상할 수 있다. 은퇴한 강제 수용소 경비원들에 의해 남아있는 기록은 전혀 없다. 이와는 대조적으로, 훨씬 더 오랫동안 겪은 고통으로 3세기 동안 1,200만 명 이상의 노예가 된 아프리카인들이 미국으로 실려 갔던 대서양을 가로지르는 악명 높은 중간항로(아프리카 ～ 미대륙간)가 있다. 우리는 가해자들이 남긴 정보로 인해 이것(만행에 대해)을 많이 알고 있다. 편지, 일기, 메모, 선장의 항해일지, 선박회사의 기록과 영국 국회가 조사하기 전의 증언과 같은 놀라울 정도로 많은 양의 증거가 인간을 매매했던 사람들로부터 남아 있다.

어휘

testimony n. 증언; 증거, 증명　**victim** n. 희생자, 피해자　**witness** n. 증거, 증언; 목격자　**survivor** n. 생존자　**remnant** n. 나머지, 잔여; 생존자
concentration camp 강제 수용소　**prolonged** a. 오래 계속되는, 장기적인
infamous a. 악명 높은; 불명예의, 파렴치한　**Middle Passage** 중간항로(아프리카～미대륙간)　**enslave** v. ～을 노예로 만들다　**embark** v. 승선하다, 태우다, 싣다
perpetrator n. 가해자, 범인　**traffic** v. 매매하다, 무역하다, 교역하다　**logbook** n. 항해일지　**parliamentary** a. 의회의; 의회에서 제정한　**investigation** n. 조사, 수사, 연구

어법어휘 실전 모의고사 제5회　P.80

225 ①	226 ①	227 ⑤	228 ④
229 ⑤	230 ④	231 ④	232 ③

225 ①

해설

① 교도소장이 지미에게 사면장을 준 것이므로 was handed가 아니라 handed가 되어야 한다.
② '4년형'이라는 의미로, four-year는 형용사로 뒤에 있는 명사 sentence를 수식하고 있다. 가격, 거리, 무게, 나이 등의 단위가 수치와 결합하여 한 단어의 형용사로 사용되면 단수로 쓴다.
③ '지미 발렌틴이 바깥에 많은 친구들이 있는 것처럼'이라는 의미로, as는 '～처럼, ～ 같이'라는 뜻이다.
④ hardly worthwhile은 '거의 값어치가 없는'의 뜻으로 적절하다.
⑤ 'How did you happen to get imprisoned ～?'을 의문사를 강조하는 문장으로 고치면 It was how (that) you happened to get imprisoned ～.이다. 이것을 다시 의문문으로 고치면 의문사가 문장의 앞으로 가고 주어와 동사의 어순이 바뀌게 된다. How was it (that) you happened to get imprisoned ～?

해석

지미 발렌틴이라는 한 죄수가 교도소장의 사무실로 불려왔다. 그곳에서 교도소장은 지미에게 그날 아침 주지사가 서명했던 사면장을 건네주었다. 그는 4년의 형기 중에 거의 열 달을 보냈다. 그는 겨우 세 달 정도만 복역하는 것으로 기대했었다. 지미 발렌틴처럼 밖에 친구가 많은 사람은 교도소에 있을 때 머리를 깎을 필요가 없다. 교도소장은 "자, 발렌틴. 너는 아침에 출소할 거야. 금고를 부수는 것을 그만두고, 성실히 살아라."라고 말했다. 지미는 놀라서 "저 말이에요? 글쎄, 저는 평생에 한 번도 금고를 부순 적이 없는데요."라고 말했다. 교도소장은 "아니야. 물론 아니지. 어디 보자. 그 스프링필드 일로 어떻게 투옥되었지?"

어휘

warden n. 교도소장, 간수, 교도관　**pardon** n. 사면장; 용서, 관용　**governor** n. (미국의) 주지사, 도지사　**serve** v. 복역하다; 응대하다; 봉사하다　**sentence** n. 판결, 선고, 형벌; 문장　**worthwhile** a. ～할 보람이 있는, 시간과 노력을 들일 만한
crack v. 부수다, 깨지다　**safe** n. 금고; a. 안전한　**straight** ad. 성실하게, 정직하게; 일직선으로　**imprison** v. 투옥하다, 수감하다

226 ①

해설

(A) '내 친구 셜록홈즈의 방법을 연구해 온 70개의 이상한 사건을 적어둔 노트를 살펴보면서'라는 의미로, cases를 선행사로 받으면서 관계부사 역할을 하는 in which가 와야 한다.
(B) refuse는 to부정사를 목적어로 취하는 동사이다. associate oneself with는 '～와 …을 연결시켜 생각하다'라는 뜻이다.
(C) '나는 전에 그 사건들을 기록해 두었을지도 모른다'라는 의미로, 과거 사실에 대한 추측을 나타낼 때 may have p.p.를 쓴다.

해석

지난 9년 동안 내 친구 셜록홈즈의 방법을 연구해 온 70개의 이상한 사건을 적어둔 노트를 살펴보면서, 나는 많은 사건이 비극적이고, 일부 사건은 희극적이고, 많은 사건이 이상할 뿐이었지만, 일상적인 사건은 하나도 없다는 것을 알았다. 왜냐하면, 그는 부를 얻기 위해서 보다 예술을 사랑해서 일했기 때문에 특이한 경향이 없는 어떤 조사와도 자신을 연결시키길 거절했다. 의문이 드는 그 사건들은 홈즈와의 교제 초기 시절에 일어났고, 우리는 베이커 거리에서 미혼으로 같은 방을 쓰고 있었다. 나는 전에 그 사건들을 기록해 두었을지도 모르지만, 그 때 비밀을 지키겠다는 약속을 했다.

abnormal a. 이상한, 비정상적인   **routine** a. 일상적인, 판에 박힌; 진부한, 재미없는   **associate** v. 관련시키다, 연결시키다; 연상하다   **investigation** n. 조사, 수사, 연구   **question** n. 의문, 의심; 질문; 문제   **association** n. 교제, 연락   **bachelor** n. 미혼 남자   **secrecy** n. 비밀, 은밀; 비밀 엄수

227 ⑤

해설

(A) rate 평가하다 / ratify 승인하다, 인가하다
(B) accord 협정, 협약, 일치 / discord 논쟁, 불일치
(C) status 지위, 신분; 상태 / statue 상, 조각상

해석

총 169개 나라들이 지금까지 기후변화에 관한 유엔 기본협약의 교토의정서를 인가하였다. 교토의정서는 온실가스 방출 감소를 위해 일본 교토에서 1997년 12월 11일에 채택되었다. 그 조약은 여러 나라들이 협의를 시작한 후 2005년에 발효되었다. 남한도 그 조약의 조인국이다. 하지만, 남한이 개발도상국 지위를 획득했기 때문에 2008년부터 2012년까지 1990년 수준의 아래인 5.2퍼센트까지 온실가스 방출 감소에 대한 의무를 면제받았다. 그러나 남한은 그 특권이 만료된 후에 그와 같은(온실가스 방출 감소에 대한) 의무를 준비해야만 할 것이다.

어휘

emission n. 방출; 방사; 발산   **come into effect** 실시되다, 발효하다   **consultation** n. 협의, 상담   **signatory** n. 조약 가맹국; 서명자, 조인자   **treaty** n. 조약, 맹약; 조약 의정서   **exempt** v. 면제하다; 덜어주다   **obligation** n. 의무, 책무   **expiration** n. 만료, 종료, 만기   **privilege** n. 특권, 특전

228 ④

해설

공기 주머니에 공기가 많으면 많을수록, 물고기는 물 표면에서 가까운 곳으로 떠오를 것이므로, farther를 nearer 정도로 고쳐야 한다.

해석

물속에서 수영을 하는 것은 인간처럼 육지 위를 걷거나 새처럼 공기 중에서 나는 것과 매우 다르다. 청어들은 수영을 도와주는 여러 가지 적응력을 가지고 있다. 유연한 척추 뼈 때문에 대부분의 물고기들은 몸을 좌우로 움직이면서 수영한다. 척추 뼈는 구부릴 수 있어야 하고, 물고기의 몸이 구부러질 수 있도록 해줘야 한다. 청어는 부레나 공기 주머니를 가지고 있다. 이것은 청어가 물에 뜰 수 있도록 도와준다. 부레에 공기가 많으면 많을수록, 청어는 물의 표면에서 멀리(→ 가깝게) 떠오를 것이다. 물의 부력이 그들을 지탱해 주기 때문에, 물고기는 포유동물과 새처럼 그렇게 강한 뼈를 필요로 하지 않는다. 그들은 또한 유선형이어서 물을 가르며 쉽게 미끄러지듯이 움직일 수 있다.

어휘

adaptation n. 적응, 순응, 적합   **flexible** a. 유연한, 잘 구부러지는   **vertebral** a. 척추의, 척추를 가진   **from side to side** 좌우로, 옆으로   **swim bladder** n. (물고기의) 부레   **sac** n. 주머니, 낭   **skeleton** n. 뼈   **mammal** n. 포유동물   **streamline** v. 유선형으로 하다; 간소화하다   **glide** v. 미끄러지듯이 움직이다

229 ⑤

해설

① charge와 함께 '맡기다'의 뜻으로 전치사 with가 적절하다. charge A with B는 'A에게 B를 부과하다'는 뜻이다.
② '수 세기 동안 말은 이 임무를 수행해 왔다'라는 의미로, 현재완료의 계속을 의미하는 has fulfilled가 쓰였다.
③ that은 앞의 단수 reputation을 받은 대명사이다.
④ whose는 앞의 선행사 book에 대한 소유격 관계대명사이다.
⑤ '그의 미덕이 매우 강조되어서 다른 성격은 사람들의 마음에서 사라져 버렸다'

는 의미이므로 emphasizing이 아니라 emphasized가 되어야 한다. 미덕이 강조하는 것이 아니라 미덕이 강조되는 것이다.

해석

세상은 말(馬)에 대해 호의적이고 감상적인 사람들로 가득 차 있다. 그들은 지혜의 하나님이 말에게 두 가지 의무를 부여했다고 믿는다. 첫째는 일반적으로 인간에게 봉사하는 것이고, 둘째는 친절한 낯선 사람의 손바닥에서 각설탕을 받아먹는 것이다. 수 세기 동안 말은 불평 없이 이러한 의무를 이행하였다. 그 결과, 말의 평판은 인정 많은 산(의 평판)처럼, 대부분의 사람들이 보류하거나 조사를 하지 않고 진정한 가치를 받아들이는 고서(의 평판)처럼 변함없었다. 말은 '친절'하고 '고상'하지만, 동시에 야생적이고, 공격적이다. 그의 미덕이 너무 강조되어서 사람들은 그의 다른 성질을 잊었다.

어휘

favorable n. 호의적인; 찬성하는   **sentimental** a. 감상적인, 감정적인   **charge** v. 부여하다, 맡기다; 청구하다   **kindly** a. 친절한, 다정한; ad. 친절하게   **lump sugar** n. 각설탕   **fulfill** v. 이행하다, 수행하다   **obligation** n. 의무   **complaint** n. 불평, 불만   **static** a. 고정된, 변화하지 않는   **compassionate** a. 인정 많은, 동정적인   **genuine** a. 진정한, 참된; 진품의   **reservation** n. 보류, 유보; 예약   **aggressive** a. 공격적인   **virtue** n. 미덕, 덕목   **characteristic** n. 특색, 특성

230 ④

해설

(A) '~할 정도 또는 수준'을 나타내는 point 뒤에 point를 선행사로 받는 in which와 같은 내용의 관계부사 where가 적절하다. (I could take part in simple conversations with other people in that point.) 시간을 의미하는 선행사가 아니므로 when은 쓸 수 없다.
(B) 꽤 다르게 진행되어진다는 의미로 동사 develop를 수식하므로 부사 differently가 와야 한다.
(C) '내가 일본어를 말하고 있을 때도 서구식 대화를 유지하려고 노력했듯이, 내 영어반 학생들도 영어를 말하고 있을 때 일본식 대화를 유지하려고 애쓰고 있었다'라는 의미로, 「(just) as S+V~, so S+V ~」의 구조로 쓰였다.

해석

결혼 후 한동안 일본에서 산 후에 내 일본어 실력은 다른 사람들과 간단한 대화를 할 수 있을 정도로 점차 좋아졌다. 그런데 내가 대화에 가담했을 때 다른 사람들이 깜짝 놀라고, 대화가 멈추어지는 것을 인식하기 시작했다. 하지만, 나는 무엇이 잘못되었는지 알지 못했다. 사실은 내가 일본어를 말하고 있으면서도 서구식으로 대화를 다루고 있었다는 것이었다. 일본식 대화는 서구식 대화와는 꽤 다르게 진행되었다. 내가 일본어를 말하고 있을 때도 서구식 대화를 유지하려고 노력했듯이, 내 영어반 학생들은 영어를 말하고 있을 때 일본식 대화를 유지하려고 애쓰고 있었다는 것을 알게 되었다.

어휘

take part in ~에 참여하다   **startle** v. 깜짝 놀라게 하다   **conversation** n. 대화

231 ④

해설

(A) strapped 자금이 떨어진, 곤궁한 / striped 줄무늬가 있는
(B) exports 수출품 / imports 수입품
(C) guard 감시, 경계 / guaranty 보증

해석

금년에 리콜된 모든 장난감과 작년에 리콜된 장난감의 75퍼센트를 포함해서 미국 소비자 생산품 안전 위원회가 회수한 물품의 35퍼센트 이상이 중국 제품이었다. 중국산 소비재 물품의 양이 1997년 이래로 3배가 늘었지만, 안전 위원회의 예산은 지난 5년 동안 그 위원회의 예산은 지난 5년 동안 6천 200만 불로

겨우 12퍼센트 증가했다. "예산이 부족한 것은 의심할 여지가 없다."라고 그 위원회의 전 법무 자문위원인 에릭 루벨이 말한다. 미국 식품의약청이 통제하는 중국산 제품들의 선적은 지난 10년 동안 4배로 늘었다. 하지만, 미국 식품의약청은 320개 항구의 통관 수속을 위해1,317명의 조사자만 배치했다. 그 위원회는 10년 전의 절반인 모든 수입품의 0.7퍼센트만을 조사한다. 미국은 경계를 줄여왔다.

어휘

recall n. 철회, 회수   **triple** v. 3배가 되다, 3배로 만들다   **former** a. 먼저, 이전의   **shipment** n. 선적: 발송, 출하   **FDA** 미국 식품의약청(Food and Drug Administration)   **regulate** v. 규제하다, 통제하다   **fourfold** ad. 4배로   **entry** n. 통관 수속: 입장, 허가   **inspect** v. 조사하다, 검사하다

232 ③

해설

이전 지식을 기반으로 해서 정보를 모아 새로운 지식을 얻도록 한다는 의미이므로 existing이 아니라 new가 되어야 한다.

해석

인간과 침팬지처럼 보다 진화된 다른 동물들은 가장 복잡한 방법인 추론을 통해 배울 수 있는 능력을 가지고 있다. 추론은 정보와 경험을 바탕으로 결론을 형성하는 과정이다. 추론은 우리에게 사전지식을 쌓고, 기존의(→ 새로운) 정보를 제시하여 지식을 얻도록 해준다. 예를 들어, 4를 얻기 위해 2와 2을 더하는 것이다. 추론의 중요한 결과 중 하나는 추론이 동물들로 하여금 문제를 해결하고 환경 상에서의 어려움이 생소한 것일지라도 그러한 어려움에 반응할 수 있도록 해준다는 것이다. 때때로 동물이 추론할 수 있는지 단정하기는 어렵다. 과학자들은 추론 능력이 존재하는 것을 증명할 실험 증거를 얻을 때까지 어떤 종의·추론 능력을 가정하지 않도록 매우 신중을 기한다.

어휘

chimp n. 침팬지(chimpanzee)   **reasoning** n. 추론, 추리   **conclusion** n. 결론, 결말   **determine** v. 결정하다, 단정하다   **experimental** a. 실험적인, 실험에 의한

memo

필요한 어법 포인트로 구성된 어법 특강

꼭 암기해야 하는 단어로 구성된 어휘 특강

각 단원의 Check Point로 학습한 내용 점검할 수 있도록 구성

수능 어법어휘의 최신 출제경향을 반영한 신경향 문제

충분한 실전 연습이 가능하도록 풍부한 실전 모의고사 수록
(Mini 실전 모의고사, 어법 실전 모의고사, 어휘 실전 모의고사, 어법어휘 실전 모의고사)

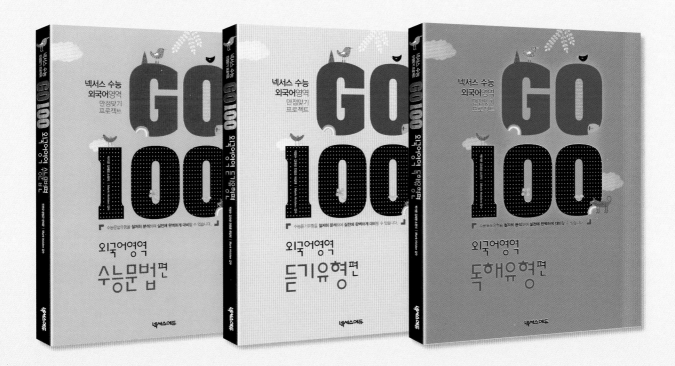

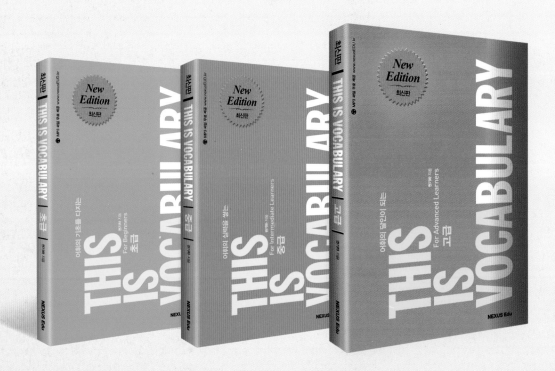